10^00
C-9201F
D1203894

LE PRINTEMPS DES PIERRES

MICHEL PEYRAMAURE

LE PRINTEMPS DES PIERRES

roman

ÉDITIONS ROBERT LAFFONT
PARIS

Si vous désirez être tenu au courant des publications de l'éditeur de cet ouvrage, il vous suffit d'adresser votre carte de visite au Éditions Robert Laffont, Service « Bulletin », 6, place Saint-Sulpice, 75006 Paris. Vous recevrez régulièrement, et sans engagement de votre part, leur bulletin illustré, où, chaque mois, se trouvent présentées toutes les nouveautés — romans français et étrangers, documents et récits d'histoire, récits de voyage, biographies, essais — que vous trouverez chez votre libraire.

© Éditions Robert Laffont, S.A., Paris, 1983
ISBN 2-221-01119-8

LIVRE I

Ils ont creusé très vite et très profond. Des humus de l'île, entre les carcasses des maisons incendiées ou abattues, ils ont remonté des pierres étranges gravées de signes ou de caractères d'un autre temps, animées de gros muscles de dieux et de déesses, de visages qui paraissaient sculptés par des enfants, d'images indistinctes figées sous le gras de l'argile, puis des pétales de silex éparpillés, de noires poteries confondues avec le terreau et la cendre, puis des coquillages pris dans la gangue des roches pourries, des galets, la boue des origines et enfin, à pleines seilles, une eau verte bordée d'une écume grise. Depuis des mois ils sont là, au fond des gigantesques tranchées, arrachant aux falaises molles toujours plus de terre et de pierre. Ils se meuvent avec une lenteur de fantômes. Lorsqu'ils se reposent, adossés à la paroi, transis, les pieds dans l'eau froide de mars, ils ressemblent à des chrysalides qui palpitent pour se libérer de leur carapace de sommeil. Ces hommes, on ne peut rien leur dire, leur lancer par exemple : « Eh, toi ! secoue un peu tes fesses ! » Ils sont englués à la terre qui colle à leurs membres, les alourdit, irrite leur peau. À trop se presser, ils risqueraient de crever sur place comme des chevaux forcés. Parfois, lorsqu'un pan de falaise pourri menace de s'écrouler, on leur crie de s'abriter en vitesse. Perdus dans une nuit froide, entre des veines de terre jaspée et des murs anciens où se marient la brique et le mortier blanc de Rome, ils vivent dans un temps qui n'est plus le leur, à la dérive entre deux tranches d'éternité où parfois, lorsque s'éventre une paroi, éclate le rire d'un Dionysos de pierre. Cette terre-là est pleine de diableries. Sans la fatigue qui leur colle à la peau ces larves d'hommes deviendraient folles. La nuit, ils se réveillent en sursaut, repoussent de leurs mains craquantes d'argile sèche des falaises d'où suintent des haleines de soufre et des rires païens. Ils rêvent d'une cathédrale qu'il suffirait de construire pierre à pierre, sans fondations, sans rien demander d'autre à la terre que d'en supporter le poids, et ils voient l'escalier de lumière escalader des espaces d'air vierge, plonger dans un ciel sans sortilèges et sans terreur, ne s'arrêter qu'au niveau marqué par le maître d'œuvre, au bouquet de la Vierge placé avec la croix noire du forgeron au sommet de l'édifice. Le lendemain à l'aube l'enfer s'ouvre de nouveau. Parfois, on en remonte qui n'en peuvent plus. Hissés à la chèvre, ils ont du mal à fouler le sol ferme comme s'ils traînaient encore des paquets de boue à leurs pieds. Ils respirent longuement, la bouche grande ouverte, les yeux fous, encore prisonniers de leur masque d'argile, restent longtemps sans parler, font un signe qui signifie qu'ils sont à bout, que ce n'est pas un travail de chrétien, qu'on n'en aura jamais fini de creuser, qu'il n'est pas bon de retourner ces diableries, de réveiller ces démons endormis. On lit tout cela dans leur regard. Ceux-là ne redescendront plus dans la fosse ; on leur trouvera un autre travail dans la carrière ou sur le chantier. Pour reprendre la mesure de la vie et se sentir délivrés des glaires des basses eaux il leur faut le contact de l'air, la chaleur d'une main tendue, le contact d'une pierre tiède, quelques goulées d'air vierge. Plutôt que de redescendre dans la fosse, ils préféreraient repartir pour leur village et renoncer à voir se dresser au-dessus du fleuve la première colonne de la maison de lumière.

1

NÉE DE LA BOUE

(Mars 1163)

L'homme s'arrêta près de Vincent, l'observa fixement comme s'il allait lui parler. Sa main droite se leva lentement puis retomba d'elle-même et son regard chercha un autre appui. Il vit la plate-forme qui l'avait remonté de la fosse redescendre à l'extrémité des câbles de chanvre qui faisaient grincer la flèche de la chèvre. Lentement, il se défit de ses vêtements transformés en carapace de boue et, tout nu, se plongea avec un gémissement de plaisir dans le cuveau dont l'eau avait à peine tiédi au soleil. Les mains accrochées au rebord, il parut s'endormir, mais, à plusieurs reprises, il disparut dans son bain pour en rejaillir aussitôt. Peu à peu un visage humain se dégagea du masque de terre. Ce n'était pas un vieillard, comme Vincent l'avait cru, mais un homme jeune et d'apparence saine sans être robuste. Un adolescent.

Un groupe s'avançait derrière Vincent.

— Les travaux de terrassement n'avancent guère, dit une voix. Il nous faut une dizaine de terrassiers de plus, et pas des mauviettes. Les premiers pilotis doivent être plantés et les libages mis en place d'ici une semaine. Trouvez-moi ces gens, Barbedor, et d'ici trois jours.

— Nous irons les choisir ensemble à la louée prochaine, sur la place Jurée. C'est bien le diable si nous ne trouvons pas quelques paysans ayant achevé leurs travaux de printemps. C'est noté, maître Jean.

— Quel est ce bruit ? Encore une dispute de chanoines dans le Cloître ?

Une rumeur de foule venait des parages de la basilique Saint-Étienne dont les murailles pourries de salpêtre se dressaient à l'autre bout du chantier. Des sergents du Chapitre passèrent en faisant cliqueter leurs armes. Depuis que l'on avait abattu l'ancienne cathédrale Notre-Dame afin de libérer la place nécessaire à la construction du nouvel édifice, les fidèles se bousculaient à Saint-Étienne et le service d'ordre devait intervenir fréquemment.

Accompagnés de chanoines et des maîtres des différents métiers, les deux visiteurs s'avancèrent jusqu'au bord de la tranchée. Vincent s'effaça entre deux blocs de pierre remontée des profondeurs.

Le maître d'œuvre de la cathédrale, qu'on appelait maître Jean, portait une tunique enveloppée d'un manteau à plis flottants et un bonnet de laine grise. Ses mains gantées tenaient une badine semblable au jonc marin dont ne se séparait jamais Hiram, maître d'œuvre du temple de Salomon. Un compas était passé dans sa ceinture. Gautier Barbedor, doyen du Chapitre et responsable de la Fabrique, serrait contre sa poitrine, sous le mantelet jeté sur ses épaules et attaché au cou par une grosse boucle carrée, une liasse de parchemins et une tablette de cire à laquelle pendait un stylet d'argent ; attaché à la chapelle royale, il était en même temps responsable du grand œuvre, après l'évêque Maurice de Sully et, chaque semaine, il rendait compte au roi de l'état du chantier.

— Depuis trois jours, dit le maître terrassier en s'avançant, nous avons trouvé le niveau des basses eaux. Nous pourrons commencer sans tarder à construire les fondations. Il nous faudra des montagnes de moellons. Ceux que nous avons récupérés dans la démolition de l'ancienne basilique Notre-Dame n'y suffiront pas.

— Il aurait fallu démolir également Saint-Étienne, dit maître Jean. Cet édifice ne tient que par miracle.

— L'évêque Maurice s'y oppose, vous le savez bien. Il restera ouvert au culte tant que le maître autel de la nouvelle cathédrale ne sera pas consacré.

Un soir de cendre et de pollen bleu flottait sur l'immense chantier lorsque, le groupe des visiteurs s'étant éloigné, Vincent émergea de sa cachette. Il regarda autour de lui dans la crainte de voir surgir un de ces sergents du Chapitre qui se prennent pour les gardiens du Temple. À la tiédeur du jour avait succédé la froide palpitation de la nuit proche. Des rumeurs de cantique avaient succédé, dans la nef de Saint-Étienne, au tumulte des fidèles se bousculant sur le parvis.

Le jeune terrassier venait de sortir du cuveau. Il s'essuyait avec une touaille en grelottant.

— Tiens, dit-il, frotte-moi dans le dos. Plus fort ! Qu'est-ce que tu fais là ?

— J'attends mon père.

Il montra la fosse où se coagulait déjà une nuit froide. Les ouvriers n'allaient plus tarder à remonter. L'aigre sifflet du maître terrassier venait de retentir.

— Tu n'as pas peur, toi, au moins ! dit l'adolescent. Si un sergent te met la main au collet, c'est la prison.

Il s'étonna de l'accent du garçon. Vincent lui raconta qu'il venait du Limousin. Il avait eu du mal à se faire à la langue qu'on parlait en Île-de-France.

Son père, Thomas Pasquier, était serf d'un petit baron impécunieux, ruiné par la croisade. Il avait obtenu son affranchissement moyennant finances et avait pris la route de Paris derrière la bourrique galeuse qui traînait un char à banc. Il aurait pu devenir tenancier libre, voire s'employer chez les moines de Grandmont mais il avait préféré dépendre de l'humeur des hommes plutôt que du caprice des saisons. Il n'était pas le seul à penser ainsi. Les paysans venaient en foule, de toute part, travailler sur les chantiers de cathédrales qui, de Flandre au Roussillon, perçaient le sol de France comme des champignons.

Le terrassier roula en boule ses vêtements.

— Pour moi, soupira-t-il, c'est bien fini. Si je redescends dans cette merde je n'en remonterai pas vivant. Si j'étais plus habile de mes mains, c'est avec ces « seigneurs » que j'irais travailler.

Il eut un geste du menton vers la loge autour de laquelle s'activait un petit peuple maniant le ciseau et le maillet.

— Mon père est drapier à Rouen, dit-il. Il s'était mis en tête de me faire manier l'aune alors que je n'ai de dispositions que pour l'étude. Alors j'ai fait mon baluchon et me voilà. Si je fais ce travail de galérien c'est pour manger et payer ma chandelle. Aussi je ne suis pas gras.

Il demanda le nom du gamin. Il s'appelait Vincent Pasquier.

— Moi, c'est André Jacquemin. Alors, Vincent, adieu ! Tâche, quoi qu'il arrive, de résister à la tentation de suivre ton père dans ce merdier. Tu finirais par y laisser ta peau et ton âme.

Vincent ne reconnaissait son père que toilette faite. Il le prenait par la main comme un aveugle, sans un mot, ne parlait que pour manifester sa présence, dans la langue de leur pays : il avait assisté à la démolition des maisons nécessitée par le percement d'une voie d'accès au chantier ; dans la matinée, il avait été témoin d'une rixe entre des écoliers et des gens de la Prévôté. Ce soir-là, il avait envie de lui parler de cet André Jacquemin mais son père ne paraissait pas disposé à l'écouter. Il était quelque part en Limousin, marchant dans la pénombre des châtaigneraies, au bord d'une rivière, foulant l'herbe lumineuse du printemps, respirant des odeurs de bouse fraîche.

Ils étaient arrivés depuis plusieurs mois déjà, alors que la Fabrique faisait abattre et brûler des quartiers de taudis entre la vieille cathédrale et Saint-Étienne afin de faire place au chantier. Leurs premières semaines, ils les avaient vécues dans l'odeur des fumées et des antiques poussières qui stagnaient dans l'air froid. Leur nouvelle existence débutait sous le signe de la destruction. Certaines nuits, ils s'éveillaient en sursaut dans un tonnerre d'avalanche : des hommes-fourmis démantelaient des pâtés de vieilles bicoques à la lueur des torches et des chevaux traînaient poutres et gravats par pleins tombereaux jusqu'au Terrain, cette corne de terre à la pointe amont de l'île où l'on entassait les détritus.

Vincent se décida à parler de la visite de maître Jean et de Barbedor, de sa rencontre avec André Jacquemin. Le père l'écoutait ou faisait semblant. Il s'assit sur une borne-montoir, les mains pendant entre ses cuisses, le menton sur la poitrine. La vie paraissait se retirer de lui lentement. Il semblait fixer entre ses savates éculées quelque chose que Vincent ne voyait pas : un brin d'herbe, un insecte ? Autour de Saint-Jean-le-Rond le vent remuait de bouleversantes odeurs végétales. Des chiens jaunes et squelettiques déboulèrent d'un jardin galeux, derrière une vieille chienne.

— Il faut partir, père, dit Vincent. Tu te reposeras à la maison.

Le Cloître des Chanoines était à deux pas. C'était un vaste enclos fermé de hautes murailles, où se tassaient une quarantaine de maisons canoniales, petite ville dans la ville avec ses portes gardées, ses jardins, ses rues, ses nids à rats où grouillaient d'obscures truanderies. Les chanoines de Notre-Dame régnaient là en maîtres et pouvaient interdire leurs portes à toutes les puissances, y compris le roi et l'évêque.

Ils arrivèrent alors que Mariette posait la soupe sur la table. C'était une femme fraîche encore malgré ses trente ans et ses dents gâtées ; elle se tenait propre avec un brin de coquetterie pour faire honneur au chanoine Hugues qui leur avait cédé le rez-de-chaussée de sa demeure moyennant l'entretien d'un modeste jardin potager et le service de quelques heures consenti par Mariette.

La petite Clémence dormait déjà dans sa beneste d'osier, ramenée de la lointaine province. La vente du char à banc et de la bourrique avait permis d'acquérir le strict nécessaire : une table, un lit de planches et quelques escabeaux. La pièce ne comportait pas de cheminée ; en guise de chauffage un poêle d'argile alimenté par la tourbe prise à la réserve du chanoine. Il y avait là les assises sommaires d'un bonheur qui n'arrivait pas à s'épanouir. L'avenir reposait sur le lien précaire qui rattachait encore Thomas à la vie, auquel il s'accrochait en se disant que son calvaire serait bref.

Thomas se laissa tomber sur son escabeau, mangea comme un aveugle, la bouche au ras de l'écuelle, tenant la cuillère de bois d'une main tremblante. Dans ce qui restait de bouillon, Mariette lui versa une large rasade de vin puis elle lui tailla un morceau de pain et de lard. Il mastiqua longuement, but à lentes gorgées et rota avant de repousser son écuelle. Sa tête tomba sur la table. C'était ainsi chaque soir. Il fallait le déshabiller et le glisser dans le lit. On aurait pu chanter, danser, rire, il était loin déjà, dans un rêve d'herbe et de vent et parfois, au milieu de son sommeil, il poussait les cris des labours et des moissons.

Un dimanche qu'il se reposait au soleil devant la porte du jardin, Mariette lui prit la main.

— Tu ne peux plus continuer, mon homme. Tu mourras dans ta fosse comme d'autres avant toi. Si tu veux, nous repartirons pour nous employer chez les moines de Grandmont.

Il secoua la tête. Bientôt, on n'aurait plus besoin de terrassiers mais de brassiers et de conducteurs d'attelages, et ça, c'était sa partie.

— Je peux tenir encore, tu sais.

Dans le jardin du chanoine, il avait planté quelques légumes, taillé pommiers et cerisiers et prenait plaisir à voir verdir les premières pousses. Parfois Hugues venait lui tenir compagnie. C'était un gros homme, jeune encore mais qui marchait en traînant la jambe et balançait les bras comme un sergent d'armes à la parade. Il apportait parfois à Mariette des reliefs du réfectoire, qu'il tenait d'un convers affecté aux cuisines. Il se plaisait dans la compagnie de ses locataires, prétendant avoir retrouvé une famille. Ils ne demandaient qu'à le croire car ils ne voulaient rien d'autre qu'un toit, du pain et un peu d'amitié.

Parfois, le jour du Seigneur, son office à Saint-Étienne achevé, Hugues arrivait encore tout imprégné d'odeurs d'encens, avec quelques gâteries dans la poche. Il acceptait de partager le dîner dominical et parlait beaucoup en mangeant. À la fin du repas, on voyait ses yeux se plisser, ses paupières rosir, ses belles mains grasses s'appuyer à la table. Il se levait en s'excusant d'avoir abusé des bienfaits du Seigneur et s'éloignait en titubant. Mariette le raccompagnait jusqu'à l'étage et tardait parfois à redescendre. On entendait marcher lourdement à l'étage, grincer le parquet puis le lit.

Thomas, lui, était déjà dans son jardin, remuant un carré de terre où le chiendent avait mordu, brisant les mottes à petits coups, semant ses graines et plantant ses salades. Il détendait ses reins en regardant passer les nuages légers du printemps à travers les branches et respirait un air qui lui rappelait ses campagnes.

À l'heure de vêpres, la famille se rendait à Saint-Germain-des-Prés, de préférence à Saint-Étienne où l'on respirait trop la présence du chantier. Cela faisait une promenade. On traversait la Seine par le Petit-Pont aux travées de bois animé par les facéties des écoliers assis devant les boutiques closes. Par des faubourgs de vignes et de jardins silencieux, on gagnait les campagnes de Saint-Germain.

Après la messe, c'était le retour au Cloître des Chanoines. Sans un mot Thomas bifurquait seul vers le Clos-du-Chardonnet, remontait la rive gauche en direction des îles, disparaissait derrière les peupliers.

À partir de là, c'était un homme perdu. Reviendrait-il ou pas ? Il se fondait dans un inconnu redoutable. Au niveau du Fort de la Tournelle, il empruntait une barque pour l'Île-aux-Vaches, pénétrait dans un cabaret à putains où il passerait une partie de la nuit à dilapider les piécettes qu'il gardait dans sa ceinture. Il rentrait tard, souvent au petit matin en veillant à échapper au guet, battait un peu Mariette qui reniflait ses larmes en l'aidant à se coucher et nettoyait ses vomissures.

C'était, tout compte fait, une sorte de bonheur.

2

HIC FAICIT

Il reste un peu de feu dans le poêle de terre. La chambre des traits a son air des dimanches lorsque la vie s'est retirée et qu'elle surnage comme une île échouée dans la vase.

Maître Jean l'aime ainsi, plongée dans une pénombre de sanctuaire et figée dans un silence d'angelus, encombrée de maquettes, d'échantillons de matériaux (bois et pierre), de modules, tapissée de parchemins où figurent plans et dessins, de planches enduites de plâtre pour les tracés et de cette corde à treize nœuds qui servait jadis aux Égyptiens pour construire leurs monuments et que maître Jean appelait le « lac d'amour ».

L'apprenti a laissé ses vêtements de travail en tas avec au-dessus un module de bois, comme s'ils pouvaient s'envoler. Il a oublié de balayer, de ranger les outils et maître Jean se dit qu'un jour il le battra pour lui apprendre la discipline.

L'ambiance de la semaine de travail se resserre autour de lui. Il y a eu sa querelle avec le Chapitre au sujet de cette rue qu'on n'en finit pas d'élargir pour laisser passer les fardiers, son entretien avec l'évêque toujours disposé à suspecter le maître d'œuvre de se lancer dans des dépenses excessives, son déjeuner avec les maîtres des différents métiers, toujours mécontents de leurs attributions en hommes et en matériel, sa visite du chantier avec l'aimable Barbedor et pour finir cette silhouette de terre qu'il a vue remonter par le plateau de la chèvre, et ce gamin qui se cachait si mal derrière un monceau de libages…

Maître Jean n'a plus envie de travailler. Sa semaine a été bien remplie. Il veut simplement regarder, respirer, toucher.

À quoi servent plans, maquettes, modules, dessins, schémas et cette pâtisserie géante de plâtre gris qui est le modèle réduit de la cathédrale ? À rien. L'œuvre, elle est déjà dans sa tête, achevée jusque dans ses moindres détails de construction et de décoration. Il pourrait répondre à toutes les questions, se promener par la pensée sous les voûtes géantes, sonder les profondeurs de la nef, en apprécier les perspectives. Il sait qu'il faudra gauchir la direction de la nef par rapport au sanctuaire pour aligner l'édifice sur la grande artère qui remplacera la rue des Sablons — mais qui le remarquera ?

L'œuvre qu'il a entreprise, il ne la verra pas achevée, ni aucun de ces enfants qui jouent le soir dans les gravats du Terrain, ni les enfants de leurs enfants. C'est pourtant d'elle dont il a toujours rêvé depuis son voyage à Jérusalem — celui que tout maître d'œuvre se doit d'entreprendre — et dans les grandes villes d'Occident. Combien de décennies, combien de siècles avant que les grandes roses déploient leurs roues lumineuses, que les flèches effleurent les nuages et fassent communiquer ciel et terre, qu'on ait recouvert d'une éblouissante palette le peuple des saints et des prophètes de la façade ?

Parfois, devant un apprenti, il se prend à songer qu'il sera peut-être là lorsqu'on aura achevé le chœur. Il retient l'envie qu'il a de poser sa main sur son épaule, de le conduire à la chambre des traits, ce sanctuaire quasi inviolable, de lui révéler une part de ses secrets, une toute petite part, juste suffisante pour que la graine de mystère germe et change sa curiosité en passion. S'asseoir près de lui, expliquer les nombres, l'étoile de David dont toute l'œuvre est issue, les rythmes du ciel qui s'imposent aux constructeurs et la multitude des petits secrets qui dorment dans les carrières et sur les chantiers.

La maquette de plâtre dont la dernière lumière du soir dessine les arêtes et accuse les courbes n'est plus à l'image de son rêve. C'est pourtant l'heure privilégiée où elle semble bouger et vivre.

À la faveur de la pénombre s'organisent les rondes des saints et des prophètes, la grande carole rigide des rois de Juda, les ballets des stryges et des diables cornus sur les bordures des galeries, où s'exaltent les rythmes des portails, où l'Ancien et le Nouveau Testament dressent les décors de leur théâtre. Tout est prêt, tout dort dans ces liasses de feuillets ramenés de tous les coins du monde et n'attend qu'un signe pour s'éveiller.

Cette grande fête, ce printemps des pierres, n'en connaîtra-t-il jamais, lui, le maître d'œuvre, que l'image idéale ou les austères structures ? Mourra-t-il avant que les premiers vitraux projettent leurs nébuleuses de lumières colorées sur les murs, les dallages, le labyrinthe ?

Il n'est pas bon de laisser mûrir de telles idées. Il faut s'arracher à leur obsession. Depuis qu'il a quitté sa maison natale de Chelles, il a lutté contre le vertige du temps, se répétant qu'il faut accepter de n'être que poussière, qu'instant dans l'éternité, goutte dans l'océan. Quelque trace qu'on laisse de son passage, elle sombrera dans le giron de Dieu.

Pourtant parfois, comme ce soir, il refuse l'inanité de son œuvre et de sa vie, la perspective d'une mort qui le surprendrait au milieu de sa tâche sans qu'il ait eu le temps d'apposer son paraphe sur le socle d'une colonne ou la volée d'un linteau.

Hic faicit...

Il est tard. Il est nuit. La lune de mars a gelé le chantier où se dressent les bras morts des palans, des louves, des chèvres qui semblent pêcher des monstres au fond d'un gouffre. La torche des sergents du Chapitre chancelle entre deux amoncellements de pierres équarries par ces hommes sans visage qui vivaient il y a des siècles.

Maître Jean a faim et soif mais regagner la solitude de son logis de la rue de la Licorne ne le tente guère. Il refuse le mariage comme une entrave à l'exercice de son art. D'autre part, l'évêque l'a prévenu : un concubinage notoire n'est pas compatible avec sa condition. Ce soir, il ne rentrera pas chez lui et n'y amènera aucune femme. Il ira souper dans une auberge et passera la nuit chez une fille. Il ne porte pas la tonsure et n'a pas prononcé ses vœux. Il n'est ni un clerc ni un saint.

— Ton père ne tiendra pas longtemps, dit Jacquemin. Je le regardais poser les pilotis. C'est à peine s'il tient sur ses jambes. Le contremaître ne le quittait pas de l'œil. À la moindre défaillance, il sera licencié.

Parfois Vincent avait l'impression que son père cherchait à toucher le fond de sa misère, à fixer un rendez-vous à la mort. Sa campagne lui manquait ; les gestes de son travail sur le chantier étaient les mêmes que ceux qu'il accomplissait là-bas, en Limousin, mais ils ne s'adaptaient ni aux outils, ni aux situations ; cette langue qui lui claquait aux oreilles comme un fouet n'était pas la sienne : il la comprenait mal et refusait de la parler.

Comble de malheur, Mariette était grosse. Et pas de ses œuvres. Il le savait. Il lui arrivait de plus en plus fréquemment de découcher, de se soûler à mort dans le bouge de l'Île-aux-Vaches et de battre Mariette.

Un soir, indisposé par ces querelles, le chanoine avait fait irruption, la chandelle à la main. Thomas l'avait accueilli avec la hachette à couper le bois.

— Toi, le curé, approche ! Nous avons un compte à régler !
Ce compte-là, Hugues préférait l'oublier. Il était remonté précipitamment s'enfermer dans sa chambre. Des voisins étaient intervenus au moment où le forcené s'acharnait sur la porte avec son arme.

Le lendemain, Thomas décréta qu'il partirait. Il resta mais ne rentrait guère que pour dormir sur le tas de paille où il se jetait tout habillé. Il buvait de plus en plus, parlait de moins en moins et passait ses dimanches on ne savait où. Son jardin ? Les herbes sauvages pouvaient bien l'envahir ! Le chanoine avait suggéré que Mariette quittât la maison ; elle avait refusé, menaçant, s'il la chassait, de faire un scandale. Thomas découchait ? Elle aussi, sauf qu'il lui suffisait de monter d'un étage.

— Qu'allez-vous faire ? demanda Jacquemin.

— Il faut que je trouve du travail, dit Vincent. Le dernier pain que nous avons mangé, je l'ai mendié dans la Cour-de-Mai.

Il s'était inscrit chez les écolâtres du Cloître pour compléter les rudiments d'instruction qu'il avait acquis dans son village, à l'école du presbytère.

— Travailler... Regarde-toi ! Tu pourrais à peine porter le bard.

— Tu travailles bien, toi, et tu n'es guère plus solide que moi.

— Ça ne durera guère. J'ai mon idée.

Il avait lié connaissance avec un étudiant allemand fortuné, fils d'un margrave de Saxe. Hans Schreiber passait le plus clair de son temps à courir la gueuse et à boire dans les tavernes. Il avait besoin d'un domestique et Jacquemin s'était proposé, mais il sentait l'eau croupie de la tranchée et la sueur et l'Allemand l'avait éconduit. Il ne perdait pas espoir : une bonne toilette aux bains publics, des vêtements décents feraient de lui un modèle de factotum.

— Tu veux travailler ? dit-il. Soit ! Mais ne t'aventure pas dans la fosse aux crapauds car tu n'en ressortirais pas vivant. Je parlerai de toi à maître Jean. Quoi qu'il en soit n'abandonne pas tes études.

Il l'invita à son domicile, dans les combles d'une maison de grainetier hantée par les rats et les chats, lui fit faire des exercices d'écriture, des commentaires de textes. Il déclamait avec emphase des poèmes de Virgile et d'Horace, montrait avec complaisance des projets d'ouvrages de philosophie plus chimériques les uns que les autres, qu'il commençait mais n'achevait jamais. C'était une tête un peu folle et qui avait le goût du théâtre.

Chaque soir, Vincent allait à la rencontre de son père comme aux devants d'un malade. Un devoir auquel il refusait de déroger. Maître Jean le surprit, assis sur la plate-forme d'une chèvre. Il lui demanda ce qu'il faisait là et lui fit observer que le chantier était interdit aux « étrangers ». Le mot fit sursauter Vincent. Il répondit qu'il attendait son père pour le ramener à la maison. Était-il aveugle ? C'était tout comme. La main du maître d'œuvre se posa sur l'épaule de Vincent.

— Les travaux de terrassement s'achèvent. Nous pourrons trouver un autre emploi pour ton père. Il va nous falloir des maçons...

Du bout de sa badine, il désigna des montagnes de pierres de réemploi et de carreaux tout neufs arrachés aux carrières de Saint-Jacques en expliquant qu'il faudrait presque autant de pierres pour les fondations que pour l'œuvre en surface. À deux reprises le mot « gigantesque » surgit dans ses propos.

— André Jacquemin m'a parlé de toi. Qu'aimerais-tu faire ?

Il le jaugea d'un œil sévère, tâta le gras de l'épaule et des cuisses comme un maquignon.

— Tu n'es pas très costaud, petit. La pierre et toi, vous ne feriez pas bon ménage. Pas plus que la forge. Reste le bois. Réfléchis et reviens me voir quand tu voudras. Et ne reste pas là, tu gênes la manœuvre.

À l'aigre sifflet qui se répercuta d'un bout à l'autre du chantier firent écho les grincement des treuils et des poulies remontant des profondeurs les ouvriers et leurs outils. Les échelles et les plans inclinés craquèrent lourdement. Ils émargeaient, ces Lazare, ces morts vivants, d'un bord à l'autre et sur toute la longueur de l'énorme excavation au fond de laquelle, sous le réseau ténu des échafaudages s'amorçaient, blanches comme des ossements, les premières assises des fondations qui devraient porter la cathédrale jusqu'à la fin des temps.

3

LE CYGNE DE PORT-LANDRY

Maître Pierre Thibaud n'aurait pas passé une journée sans aller visiter ses vignes et ses vergers.

Du Port-Landry installé au nord-est de la Cité au Clos-de-Thiron érigé sur la rive gauche, non loin de l'abbaye Saint-Victor, il fallait compter une demi-heure de marche. Maître Thibaud partait tôt le matin accompagné de deux serviteurs qui sentaient encore la sueur de la nuit et la paille où ils avaient dormi. Son premier repas de la journée, il le prenait là, assis sous le plus ancien pommier du clos qui rendait sa sève pruineuse par les gerçures de sa vieille peau d'arbre. Les jours de pluie, il se repliait dans une cabane de planches où parfois une servante complaisante venait le rejoindre.

Une bonne partie de la matinée, il surveillait ses jardiniers en rêvant qu'il s'appelait Thibaud du Clos (un château avait poussé durant la nuit au fond de son petit domaine ; chaque feuille devenait écusson et lui faisait des signes). Il n'était ni sot ni prétentieux, mais il avait de l'ambition et une pointe d'imagination dont il était le premier à se moquer.

Parfois un moinillon de Saint-Victor, un étudiant ou un vagabond pointait un regard au-dessus du mur et regardait ce bel homme à la trentaine fleurie qui portait en avant un ventre pommelé et faisait claquer ses mains dans son dos pour marquer sa jubilation.

Prendre un outil, aider ses jardiniers ? L'idée l'effleurait parfois mais il renonçait pour garder ses distances car c'était un homme de principes. D'ailleurs regarder lui suffisait et il s'y employait avec tant d'amour que le verger et la vigne s'épanouissaient sous son regard comme une fille en amour. Ce petit domaine était le mieux entretenu de l'espace de campagne situé entre Saint-Victor et Saint-Germain-des-Prés ; on y trouvait même des coquetteries de fleurs. Cette inaction contemplative n'était pas de la paresse mais le souci de ne pas compromettre un plaisir qui se suffisait à lui-même. L'âme d'un paysan, certes, mais ni les bras ni la volonté de se contraindre à un travail que d'autres accomplissaient mieux qu'il ne l'eût fait.

Il arpentait les allées, son bonnet sur les yeux, pieds nus lorsque le sol était sec, ses mains claquant dans son dos :

— Arrachez ces plantains ! Ne voyez-vous pas ce chiendent au pied du poirier ? Et ces orties, quand allez-vous les ôter ?

Un son de cloche l'avait amené là ; un autre l'arrachait à son plaisir. À contrecœur, suivi de ses jardiniers, il reprenait le chemin du Port-Landry où il arrivait à midi sonnant, frais comme un bourgeon, une brindille aux lèvres. C'était un autre homme que celui qui s'était couché la veille au soir près de dame Bernarde ; il avait une autre manière de se comporter dans tous les actes du quotidien et même une façon différente de penser.

Pour prolonger l'état de grâce et couper au tumulte des repas familiaux il se faisait servir parfois dans son cabinet de travail qui comportait, outre sa table, une chaise percée pour les nécessités et un lit de camp pour la sieste et pour le reste. D'une petite fenêtre, il embrassait la majeure partie du port et surveillait les allées et venues de ses embarcations qui portaient sa marque : un cygne peint en blanc coiffé d'un « T » en parasol.

Sa demeure ? Ni belle, ni grande, ni confortable, mais il y était si attaché qu'il lui aurait coûté d'aller vivre ailleurs et sur le train de ses pairs. Il y avait tressé depuis sa naissance un réseau d'habitudes qui lui donnaient, au milieu des aléas de son métier, un sentiment de force et d'équilibre. L'essentiel de ses affaires se traitait rive droite, en place de Grève et alentours mais il refusait obstinément de passer le fleuve comme la plupart des marchands de l'eau qui composaient la puissante hanse parisienne. Le quartier de Grève était bruyant, mal famé, éloigné du Clos-de-Thiron ; en revanche, il aimait le calme de la Cité, ces quartiers de petits boutiquiers, d'artisans laborieux, de gens d'église ; il ne se méfiait que de ces étudiants, tonsurés ou non, qui se prenaient trop souvent pour Abélard ou Aristote ; il les redoutait au point de changer d'itinéraire lorsqu'il voyait surgir un de leurs groupes. Pour ses dévotions, il n'avait que quelques pas à faire : il voyait le porche de Saint-Landry de sa fenêtre. Pour la distraction du dimanche il allait, après le bain public, visiter les chantiers de Notre-Dame, de l'évêché, de l'Hôtel-Dieu, de Saint-Julien-le-Pauvre ou apprendre à ses enfants l'Ancien et le Nouveau Testament aux porches des églises.

On l'appelait Thibaud le Riche et il l'était. Avec quelques autres : Hubert le Chartrain, Othon de la Grève, le Juif Edouin le Changeur, il tenait le haut du pavé dans la ghilde des marchands de l'eau, héritiers des nautes du temps de l'empereur Tibère qui avaient dans l'île leur lieu de culte proche du temple de Jupiter.

Homme de religion, assidu aux offices sans être bigot, maître Thibaud avait, dans sa jeunesse, accepté de s'inscrire à une confrérie de marchands. Comme toute entreprise qui lui incombait, il avait pris à cœur l'exercice de sa nouvelle dignité, respirant sans déplaisir le mystère dont s'enveloppaient les cérémonies, et notamment la « bevée », ces libations mystiques à la lumière des chandelles d'où l'on sortait ivre et ne jurant que par l'amitié. Il était jeune alors, sensible aux charmes du « convivium », au prestige des serments, des mains nouées, des chants aux jours de « grand siège », aux processions que l'on suivait à moitié ivre, aux plantureux repas qui n'avaient que peu de rapports avec ceux des confrères anglais où l'on se contentait de pain, de fromage et de bière, à la richesse de la livrée de velours passementée d'or.

Las de ces faux mystères et de ce décorum insolent, il avait jeté sa livrée aux orties. C'était l'année où la reine Aliénor, après son divorce d'avec le roi Louis, avait épousé Henri Plantagenêt, roi d'Angleterre, et jeté dans la corbeille de mariage la moitié du royaume de France.

Un an ou deux plus tard, il avait adhéré à la ghilde des marchands de l'eau, une organisation qui, par son importance, pouvait faire pièce à la Prévôté. Il s'était trouvé à son aise dans cet aréopage de graves personnages buveurs d'eau, de mœurs austères, du moins dans les manifestations de leur collégialité, et il ne regrettait pas le « convivium » débridé de la confrérie et ses dévotions démonstratives. Au milieu de ces gros matous aux yeux mi-clos sous le bonnet noir, éternuant et ronronnant dans leur fourrure, il se sentait porté par une fraternité poussée jusqu'à la connivence.

— Sybille ! C'était lui ? C'était encore cet affreux homme ?

Une fois de plus Sybille s'était éveillée en hurlant au milieu de la nuit, mettant en émoi les servantes, ses parents, suscitant à travers la demeure une procession de chandelles.

— Sybille ! Réponds-moi ! C'était encore lui ?

C'était lui. Sybille s'était endormie paisiblement, comme chaque soir, dans le grand lit qu'elle partageait avec ses frères, ses sœurs et les bâtards de maître Pierre Thibaud. Elle se laissait emporter par un rêve sans mémoire, séparée du paquet de sommeil qui grognait et bavait auprès d'elle. Et soudain, alors que rien ne l'annonçait, il surgissait, précédé d'un grincement de crécelle, puis son ombre se découpait, précisait ses contours qui étaient ceux de la tartarelle d'étoffe grise marquée à l'épaule d'une grosse patte d'oie ; le capuchon s'abaissait lentement, découvrait un visage sans yeux rongé par les vers du mal rouge, une bouche sans lèvres qui semblait crier un nom. Une main décharnée écartait le manteau et se tendait vers elle.

Le premier visage qui, chaque fois, apparaissait dans la lumière de la chandelle, était celui de la nourrice, Havoise, qui logeait dans le cabinet attenant. Une jolie Normande aux joues en cul d'ange.

— C'est encore lui, Sybille ? Le méchant homme !

Le visage de dame Bernarde apparaissait à son tour dans la lumière de la chandelle.

— Havoise, je t'avais pourtant recommandé d'éviter les lépreux lorsque tu accompagnes Sybille en promenade.

Havoise demeurait perplexe. Le matin, aux Champeaux, elles avaient bien aperçu un malade pédauque qui ne touchait les viandes et les poissons que de la pointe de sa baguette comme on lui en faisait obligation, mais c'était un lépreux blanc et c'est de lépreux rouges que rêvait Sybille. De ceux qu'on enfermait dans les lazarets et qu'on ne laissait jamais vagabonder en ville.

— Ne vous inquiétez pas, dit Havoise. Sybille va se rendormir sagement. Demain nous lui ferons prendre un bain de camomille.

4

PROMENADE EN FORÊT

Le Chapitre avait prévenu maître Jean : il aurait beaucoup de mal à trouver dans les environs de Paris le bois nécessaire à construire ses échafaudages, ses cintres et ses charpentes. L'extension de la capitale, l'accroissement considérable de la population qu'aucune épidémie, aucune guerre n'étaient venues décimer depuis de longues années, avaient restreint la superficie des forêts au bénéfice des terres labourables nécessaires à la subsistance des Parisiens. Il faudrait aller chercher le bois jusqu'en Normandie ou dans les collines du Morvan et là encore, les constructeurs de cathédrales et de bâtiments civils avaient creusé des coupes claires.

L'évêque Maurice de Sully s'était montré moins pessimiste.

— Cela me rappelle, dit-il, l'histoire que me raconta mon ami Suger, abbé de Saint-Denis, lorsqu'il décida de reconstruire sa basilique. Et vous savez les dimensions qu'il lui a données… Il avait beau envoyer ses moines courir la campagne, il ne parvenait pas à découvrir les magnifiques fûtaies dont il rêvait et sans lesquelles son projet demeurait lettre morte. Il ne se découragea pas, partit lui-même en campagne et finit par découvrir ce qu'il cherchait, non loin de Paris. Faites donc de même, mon ami. Le Ciel est avec vous.

L'été tirait à sa fin et le temps pressait. Les terrassiers avaient presque achevé leurs tranchées et les fondations de libages affleuraient au niveau du sol. Récupérer les poteaux, les travées et les clayonnages d'osier pour installer ailleurs les échafaudages, maître Jean y avait songé mais ce n'était pas suffisant.

Le maître d'œuvre laissa le chantier à la garde de son *operarius,* le chanoine Colin de Meaux, et s'absenta pour une durée indéterminée.

À cheval, accompagné de trois charpentiers choisis parmi les vétérans des chantiers de cathédrales, il parcourut tout ce qui restait de forêts d'Épinay à Sceaux et de Saint-Cloud à Vincennes. Un désastre ! Le tissu végétal s'était relâché au point qu'on n'eût pas trouvé de quoi construire trois cintres et cinquante pieds de charpente saine et de belle portée. Il découvrait bien, ici et là, quelques arbres au tronc puissant et droit mais si dispersés qu'il eût été difficile d'en exploiter la coupe.

Un jour, aux portes mêmes de Paris, à Saint-Maur, non loin de la Marne, il dînait dans le réfectoire des moines lorsque l'abbé lui indiqua la forêt où il trouverait ce qu'il cherchait, pratiquement sans bouger de place. Il y avait là en abondance de ces chênes « bons et gentils » qui valaient pour la construction les meilleurs bois d'Alemarche [1]. Le monastère tenait ce bien d'une châtelaine des environs, dépourvue de ressources depuis que son seigneur et maître jouait les sultans auprès des dames sarrazines.

— J'aurai besoin également de bûcherons, dit maître Jean. Il me les faut nombreux et pas manchots.

— Mes moines ne rechignent pas à la tâche, dit l'abbé et l'exercice leur fera le plus grand bien. Si nous les en prions au nom de la Vierge, ils ne se contenteront pas d'abattre les arbres que vous leur désignerez mais encore ils s'atteleront à vos madriers et vous les livreront gratis à domicile.

— Nous ne leur en demandons pas tant. Vos moines ne sont pas des bêtes de somme et, pour le transport, la Marne n'est pas loin.

De retour à Paris, le cœur léger, maître Jean, accompagné de Barbedor, pressentit quelques nautoniers qui déclinèrent avec embarras leur demande, prétextant que tous leurs navires étaient en service. Un seul se laissa convaincre, avec des réserves : Pierre Thibaud le Riche ; il avait déjà versé sa contribution au chévecier de la Fabrique mais, afin d'être agréable au Chapitre, il remettrait à flot trois péniches hors de service qui pourrissaient au Port-au-Foin. Il se chargeait de tout, demandant simplement qu'on lui amenât le fret sur la berge de la Marne ; si les eaux étaient portantes il conduirait les madriers jusqu'au Port-Landry sous la direction de ses meilleurs pilotes ; en échange il ne demandait qu'une indulgence à long terme, une rémission de tous ses pêchés et la permission de ne pas faire maigre au prochain Carême. Ce qui lui fut accordé.

---

1. Danemark.

— Toi, dit maître Jean en pointant sa badine vers Vincent, tu meurs d'envie de nous suivre. Ça se lit sur ta figure.

Vincent n'aimait guère l'*operarius* Richard de Meaux, se méfiait de ses colères imprévisibles, de ses manières fouineuses. L'idée de s'éloigner de lui quelque temps lui mettait une étincelle dans l'œil et cela n'avait pas échappé au maître d'œuvre.

— Tu me suivras donc. Tâche de ne rien oublier de ce que tu observeras. Il est important de savoir comment un arbre meurt à sa futaie pour renaître dans la « forêt » de la charpente ou dans les échafaudages et les cintres.

Ils partirent avec trois compagnons charpentiers de haute futaie et Barbedor sur la première des trois péniches halées de la berge par des attelages de chevaux. C'était un matin d'août brumeux et riche d'odeurs montant du fleuve et des terres dans un silence troublé par les coups de fouets et les éclats de voix des rouliers. Pierre Thibaud les avait suivis de l'œil avant d'aller faire brûler un cierge d'une livre à Saint-Landry comme il le faisait à chaque voyage de quelque importance. Puis il avait gagné à pas lents son jardin du Clos-de-Thiron.

Les moines n'avaient pas attendu l'arrivée du maître d'œuvre pour commencer l'abattage. Ils travaillaient avec cœur mais sans discernement. Maître Jean contint sa colère mais fit cesser ce zèle excessif et ce gâchis. Accompagné de l'abbé et des compagnons charpentiers, il parcourut la forêt, marquant chaque arbre qui, par sa conformation, son âge, ses dimensions, sa qualité, lui paraissait convenir. Miraculeusement épargnée par les bandes errantes et les troupes régulières qui incendiaient pour faire place nette, cette forêt paraissait pleine de ressources et riche en gibier — parfois les moines surprenaient des fuites de biches et de cerfs dans les profondeurs de l'été.

Vincent ne perdait rien du travail des bûcherons et des charpentiers. Depuis son départ du Limousin il n'avait pas pénétré dans une vraie forêt ; avec ravissement, il en retrouvait les bruits, les silences, les odeurs, les ombres et les lumières mouvantes. En levant les yeux vers les cimes, il songeait que la cathédrale que l'on édifiait ressemblerait à cette futaie ; il y cherchait la présence de Dieu et, dans la rumeur du vent, la modulation des psaumes.

On mangeait sur le pouce. On couchait dans des huttes de feuilles. Parfois des paysannes apportaient du pain, des volailles, des œufs et du vin ; certaines restaient jusqu'à l'heure de la sieste et les moines se signaient et se détournaient lorsqu'elles disparaissaient au bras des compagnons dans les fourrés. Le dimanche qui suivit, on alla assister à la messe et communier dans la chapelle du monastère. L'après-midi, les hommes jouèrent aux quilles.

On abattit en priorité les bois qui devaient servir dans l'immédiat pour les échafaudages et les cintres. Pour ceux que l'on destinait à la charpente, c'était une autre affaire : il faudrait venir les couper en octobre, au dernier quartier de la lune, si l'on voulait éviter que les vers ne s'y missent. Maître Jean les fit entailler jusqu'à la moitié du cœur afin qu'ils rendent leur sève. Une fois abattus et débités sur place pour éviter une charge de transport supplémentaire, ils iraient faire trempette dans la Mare-aux-Poutres, à Sevran, quelques années durant. Cela, c'était pour l'essentiel. Restaient de nombreux secrets.

Le jour de la Transfiguration, on vit arriver maître Thibaud.

Il débarqua avec sa famille d'une jolie barque à voile rouge et, précédé de deux servantes portant une panetière de victuailles, il fit une joyeuse entrée dans le village des bûcherons alors que ces derniers revenaient de la messe.

— Mes amis, dit-il, voici de quoi vous réjouir. Ce vin vient de ma vigne du Clos-de-Thiron et il est meilleur que celui de l'évêque. Quant à ces volailles bien grasses, vous ne trouveriez pas les mêmes aux étals des Champeaux. Et regardez ce pain ! Je viens de l'acheter sur le parvis de Notre-Dame à un boulanger que je connais.

Entre les huttes, sur les copeaux frais et la sciure, les servantes déployèrent une nappe autour de laquelle chacun vint prendre place. Le repas fut très gai. Au dessert : surprise ! Dame Bernarde servit elle-même les pâtisseries qu'elle avait confectionnées de sa main avec le concours de Sybille.

— Demoiselle Sybille, dit maître Jean, je vous fais compliment de vos talents. Vous auriez pu ne nous apporter que la lumière de votre présence et cela aurait suffi à notre plaisir, mais vous y joignez les délices de bouche…

Un peu ivre, il se sentait porté à la galanterie, aux mièvreries de trouvères, et il avait sur la langue un goût de poésie. Sybille rit un peu haut et posa la main sur sa bouche. Il se dit qu'elle était peut-être sotte et fouetta l'herbe de sa badine. Il s'absorba pour chercher ce qu'il pourrait encore lui dire sans s'empêtrer dans le badinage mais ne trouva rien. Sybille l'y encourageait pourtant par des regards et des sourires. Elle paraissait fascinée par les longues mains blanches qui conféraient de la grâce au moindre de ses gestes. Il eut conscience de cette attention et en joua. Il aimait troubler les filles, par pure vanité, et il y parvenait très souvent sans peine. En face de lui, Barbedor, coiffé d'un chapeau de feuilles, souriait discrètement.

— M'autorisez-vous à faire la sieste, monsieur le doyen ? demanda maître Pierre. Pendant que les servantes lèveront la nappe et feront le rangement, je vais me retirer dans un coin d'ombre.

Maître Jean proposa à Sybille, avec la permission de dame Bernarde, de lui montrer quelques beaux coins de la forêt. La dame leur fit signe d'aller en leur recommandant de ne pas trop s'éloigner.

— Prenez garde, dit finement Barbedor, ces forêts sont pleines de pièges. Qui s'y aventure risque de s'y perdre.

Maître Jean prit Sybille par la main. Le passage des ouvriers avait laissé des traces à travers les fougères, autour des ramures basses des baliveaux. Sybille retroussait sa robe verte sur ses pieds nus, lâchait la main de Jean, faisait mine de disparaître dans l'épaisseur végétale.

Elle poussa un cri, surgit avec entre les mains un vieux nid encore tapissé de duvet.

— Gardez-le en souvenir de moi, dit Jean.

Elle soupira :

— Ce fut une belle journée. Je ne l'oublierai jamais.

— Serait-elle déjà terminée ? Pour moi elle ne fait que commencer.

Elle était moins sotte qu'il n'y paraissait et plus jolie qu'il ne l'avait estimé, avec sa tresse de cheveux châtains qui lui faisait un diadème, son front dégagé, sa taille mince, ses petits seins haut placés, ses jambes un peu longues dont le mouvement se devinait sous la robe. Elle le fixait de ses yeux vifs et profonds, mouchetés d'étincelles vertes, lui disait :

— Vous allez donc abattre tous ces arbres ? N'est-ce pas trop pour une seule cathédrale ?

— Nous abattrons seulement ceux qui nous seront nécessaires. Nous les respectons car ce sont des créatures de Dieu. Je déteste les soldats ou les bandits qui mettent le feu à nos forêts. Je me ferais tuer pour les défendre.

Elle lui reprit la main hardiment. Le silence parut éclater autour d'eux et l'espace prendre des dimensions insolites. Il lui montra la mare aux cerfs. Au-dessus des plumets de phragmites frémissaient des vols de libellules. Ils s'assirent sous un bouquet de saules.

— Je vous connais mieux que vous ne pensez, dit-elle. Parfois je vous regarde aller et venir sur le chantier mais vous, vous ne me voyez pas. Je vous ai suivi un jour jusqu'à la *Cloche d'or* où vous allez dîner. On dit que vous fréquentez de mauvais lieux.

Il se leva brusquement.

— Partons ! Vos parents vont s'inquiéter.

Elle tenta de le retenir. Il se déroba. Elle dit avant de se lever :

— Je vous déteste.

La lumière devenait poudreuse. De très loin, comme venant d'un autre monde, sonna la cloche de vêpres. Sous les pieds nus de Sybille la terre commençait à sécréter sa fraîcheur de la nuit. Comme ils parvenaient aux abords du campement, il dit :

— Je suis un homme comme les autres, pétri de vertus et de vices. Le meilleur de moi, je le donne à Dieu et à l'œuvre que l'on m'a confiée. Le reste m'appartient et j'en fais ce que bon me semble, en veillant à ne pas susciter de scandale par ma conduite. J'ai refusé de vivre en concubinage car cela m'a été interdit par le Chapitre et de me marier parce que je ne suis qu'un vagabond sur cette terre depuis mon voyage à Jérusalem et dans toute l'Europe. Ne me placez pas trop haut, Sybille, vous seriez déçue. Aujourd'hui il ne s'est rien passé.

— C'est bien. Je m'efforcerai d'oublier cette promenade.

Elle jeta dans un buisson le nid qu'elle tenait à la main.

5

L'APPRENTI

Insensiblement, le potager du chanoine Hugues retournait à la sauvagerie.

Les légumes jaunissaient au milieu du chiendent et les limaces dévoraient les pommes oubliées au pied des arbres. Depuis que Thomas avait quitté le domicile, au début de septembre, sans un mot, sans une explication, plus personne n'y pénétrait, sauf Mariette et seulement pour étendre son linge.

Mariette avait d'abord pensé que Thomas était retourné en Limousin — il en parlait souvent entre d'interminables silences — mais Vincent l'avait aperçu en train de conduire une charrette de volailles rue du Coquillier, près de la Pointe Saint-Eustache ; il l'avait suivi un moment mais Thomas l'avait menacé de son fouet et l'attelage avait disparu dans le labyrinthe des Champeaux. Vincent l'avait aperçu une autre fois pénétrant dans un bouge de la place de Grève en compagnie d'hommes de vilaine apparence et l'avait vu ressortir en titubant ; il portait une barbe d'une semaine et un poignard pendu à sa ceinture. À bonne distance il l'avait suivi dans les quartiers louches, autour de la Grand'Rue Saint-Martin où les soldats du guet ne s'aventuraient qu'en rangs serrés.

Il n'en voulait pas à son père d'avoir abandonné le chantier et son foyer car la situation était devenue insupportable, mais comment Thomas pouvait-il lui tenir rigueur, à lui, son fils, de son infortune ? À l'idée que le père pourrait revenir de nuit et se venger par un massacre, il était saisi de terreur. Chaque soir, il vérifiait les fermetures et guettait les moindres bruits de la nuit.

Entre le chanoine et Mariette les scènes devenaient de plus en plus fréquentes et violentes. Hugues menaçait de la chasser, elle d'aller tout raconter à Barbedor. Leurs querelles ne s'apaisaient que le soir lorsque Mariette, tenant son ventre d'une main, la chandelle de l'autre, allait rejoindre le prélat.

Leur enfant naquit peu avant Noël. C'était un garçon. Mariette l'appela Milon. L'idée lui était venue de le déposer dans le tourniquet de l'Hôtel-Dieu mais c'était un bel enfant et elle y avait renoncé. Elle avait la certitude que le chanoine ne l'abandonnerait pas ; ils étaient crochetés l'un à l'autre par des sentiments plus forts que l'amour : la haine et la crainte.

Vincent n'avait pas à se plaindre du chanoine. Le dimanche, il lui glissait une pièce dans la main pour qu'il allât s'acheter des friandises au Marché Palu. À plusieurs reprises, Hugues avait tenté de se confier à lui mais les mots lui restaient dans la gorge. Les choses étaient ainsi : figées dans la peur du scandale pour Hugues, de l'abandon et de la misère pour Mariette. Le foyer était devenu un bloc de silence, chacun mangeant à part son pain de solitude.

Fini l'esclavage du chantier ! Finis la boue, le froid, l'eau verte !

André Jacquemin était parvenu à ses fins. Il avait quitté sans regret la « fosse aux crapauds », comme il disait, d'autant que, l'hiver venu, les travaux de fondations achevés, les premières assises recouvertes de paille et de fumier pour éviter le gel, l'immense espace était devenu un désert balayé par les vents noirs, les rafales de pluie et de neige, livré aux jeux des enfants et des chiens. La vie s'était réfugiée dans les loges où les compagnons tailleurs de pierre préparaient dans la lumière avare des quinquets à huile les éléments des maçonneries futures. Terrassiers, charpentiers, maçons, mortelliers étaient pour la plupart retournés dans leur province.

Hans Schreiber avait fini par le prendre à son service. À la fin de l'été, André avait transporté ses hardes et ses manuscrits dans le logement du *Pot d'étain* où il disposait d'une pièce comportant ce luxe rare : une cheminée qui donnait beaucoup de fumée pour peu de chaleur. La fenêtre ouvrait sur un jardin plein de jeux et de cris d'enfants ; en face, les contreforts de Saint-Germain-le-Vieux ; au loin, dans un créneau entre deux immeubles, les riches demeures bourgeoises qui s'entassaient sur le Petit-Pont.

— Que faut-il de plus à mon bonheur ? disait-il à Vincent. Hans n'est exigeant que pour sa tenue : il lui faut en permanence des vêtements propres et bien repassés, mais il rentre rarement pour manger et, mon service terminé, j'ai suffisamment de temps libre pour suivre mes cours et travailler à mes projets.

Ce qu'il acceptait de mauvaise grâce c'était, plusieurs fois par semaine, quand il rentrait ivre et glacé, l'obligation qu'il avait de coucher avec son maître, lequel ne se contentait pas de sa chaleur. Quant à ses « projets », c'était son secret. Il mettait un doigt sur ses lèvres : « Motus. »

Vincent s'éveillait à la cloche de Notre-Dame. Avec le manche du balai, il cognait au plafond pour éveiller sa mère.

Figée dans un froid de pierre, la demeure se reprenait lentement à vivre. Vincent jetait quelques copeaux sur les braises de la veille, soufflait avec un roseau, réchauffait la soupe ou la bouillie et faisait manger Clémence. En attendant que sa mère descende avec Milon dans ses bras, il regardait les moineaux se disputer des miettes de pain dans le jardin.

Le chantier lui avait été ouvert sans difficulté. Il y passait plusieurs heures chaque jour. Pas dans la chambre des traits sur laquelle, en l'absence de maître Jean, l'*operarius* Richard de Meaux veillait comme Cerbère. En revanche, il était bien accueilli dans le domaine des compagnons tailleurs de pierre.

Maître Jean avait quitté Paris pour quatre mois, en direction du sud, avec les deux chevaux que le Chapitre, par contrat, avait mis à sa disposition. Il s'était joint à une caravane de mules porteuses d'étain d'Angleterre destiné à Toulouse. Ces mois d'hiver, il les passerait à reconstruire une chapelle perdue dans les garrigues, en plein pays cathare, non loin de Carcassonne. Avant son départ, il avait dit à Vincent :

— Passer un hiver à Paris, dans le froid et l'inaction, je ne le supporterais pas.

Dans la loge des tailleurs de pierre, le poêle de terre ronflait sans discontinuer. Vincent y respirait cette odeur de poussière froide et de pierre à vif qui lui montait un peu à la tête. Il avait fini par s'habituer à l'aigre plainte des ciseaux grignotant les blocs à épanner ou à moulurer et les motifs à sculpter sur les modèles fournis par Richard de Meaux.

Les compagnons toléraient sa présence à condition qu'elle fût discrète. Parfois même on lui demandait un coup de main pour déplacer un carreau, garnir le poêle ou balayer, mais regarder lui suffisait et il ne s'en lassait jamais. Lorsqu'un attelage s'annonçait à coups de fouet et de gueule, il allait à ses devants et prêtait la main au déchargement des pierres coupées au passe-partout et équarries dans les carrières des environs : Saint-Jacques, Vaugirard, Montrouge. On les enlevait du fardier à huit roues à l'aide de pinces de fer et on les faisait rouler sur des rondins de bois en les poussant jusque devant la loge. C'étaient de grands moments très joyeux, une sorte de fête de cris, de jurons, d'altercations qui se terminaient autour d'une cruche de vin chaud.

Par temps clément, assis sur le timon, Vincent raccompagnait les conducteurs jusqu'aux carrières.

C'étaient des lieux d'une beauté grandiose, faits de falaises et de gouffres, de fantastiques tables de pierre et d'éboulis monstueux. Les bruits et les voix s'y multipliaient en échos.

— Tiens ! s'écriait le maître carrier de Vaugirard. Voilà l'ouvrier de la onzième heure…

Étienne Boual avait pris Vincent en amitié. Il travaillait pour la jolie veuve propriétaire de la carrière, Jeanne Bigue, que l'on disait douce et forte comme la vierge Lacoena, sauf qu'elle avait la réputation d'une dévoreuse d'hommes, ce dont elle ne faisait pas mystère. Ses apparitions dans le petit peuple de la carrière suscitait des frissons de crainte. Elle avait la voix puissante et le jugement tranchant. Malheur au paresseux qui se laissait surprendre au cours d'une sieste prolongée ou à l'arrogant qui lui envoyait quelques vérités au visage ! Jolie, au demeurant, avec ses cheveux plats, son teint de pain frais, son allure de Junon. Et jeune — la trentaine à peine entamée.

Sa première entrevue avec Vincent avait failli tourner à l'aigre.

Elle lui était tombée sur le dos comme un carreau de deux cents livres, ses deux mains plaquées sur ses épaules, alors que l'innocent bayait aux corneilles en balançant ses jambes sur le timon d'un fardier.

— Alors, fainéant, tu crois que je te paye pour surveiller les ouvriers ? Qui m'a foutu des jean-foutre pareils ! Tu peux faire ton baluchon, morveux !

L'orage passé, maître Étienne avait expliqué que Vincent Pasquier était le petit protégé de maître Jean et son apprenti.

— Possible ! riposta la Junon, mais j'aime pas voir des merdeux de cette espèce en train de se prélasser dans ma carrière. C'est un mauvais exemple. Alors, écoute bien, l'apprenti : si le métier t'intéresse, tu le dis et je te garde. Sinon, du vent !

Elle lui avait tâté les muscles, la poitrine, les reins et lui avait lâché avec une grimace :

— Qu'est-ce qu'on pourrait faire de toi, je me le demande ? Je te vois pas en train de manier le passe-partout, le pic ou la barre de levage. Ton âge ?

— Treize ans, madame. Bientôt quatorze.

Elle sourit et son visage s'en trouva illuminé.

— Dis donc, tu as une jolie voix et tu ne sembles pas sot. Reviens quand tu voudras.

Elle s'était éloignée non sans distribuer des coups de gueule et des bourrades.

— Ouf ! avait soupiré maître Étienne. Nous nous en tirons bien. Elle t'a à la bonne, la Jeanne.

Il avait ajouté en remettant son bonnet sur la tête :

— Prends garde tout de même, petit, si tu la revois. Des jeunots de ton genre ne lui font pas peur...

Passé Noël, il vint dans la loge des tailleurs de pierre un de ces moines « sachetins », ainsi nommés parce qu'ils se vêtaient de toile à sac et que rien ne les distinguait des « poudreux » si ce n'est leur tonsure et le crucifix de bois qui leur battait la poitrine. Celui-là voyageait sur une mule galeuse et squelettique.

À peine arrivé, le moine annonça solennellement qu'il allait organiser sur le chantier une prière publique. Devant la mine sceptique des compagnons, il tira de sa besace un torchon de parchemin couvert d'une écriture couleur de terre, indéchiffrable, auquel pendait un sceau. Ce document l'accréditait, affirma-t-il, pour ce genre d'office.

Richard de Meaux, alerté, lui montra les dents, prévint le Chapitre qui donna l'ordre de le laisser opérer.

— Suivez-moi tous ! dit le moine, et cessez de rire et de me regarder comme un saltimbanque. Je suis l'oint du Seigneur.

Malgré la pluie glacée, l'office eut lieu en plein air, au milieu du chantier, dans les flaques de purin coulant des revêtements de fumier dont on avait recouvert les assises de maçonnerie. Il le fit durer comme par plaisir. C'était d'ailleurs une folle cérémonie sans queue ni tête, qui tenait autant de la prédication que des spectacles de baladins sur le Grand-Pont.

La cérémonie terminée, le moine « sachetin » réclama de la nourriture et du vin. Assis le dos au poêle, il mangea à grandes bouchées et but à larges goulées. Indisposé par le bruit des outils, il se retira dans une resserre à brouettes et à bards et s'endormit sur la paille, enroulé dans la couverture qu'un compagnon lui céda de mauvaise grâce par crainte de la retrouver pouilleuse.

Le soir, après une courte promenade dans la Cité, il reparut à l'heure du repas, lui fit honneur et installa sa paillasse près du poêle en demandant qu'on ne le laissât pas s'éteindre.

Au matin, il avait disparu avec sa mule. Richard de Meaux entra en fureur en constatant que le gredin avait emporté le manteau de pluie de maître Jean ainsi qu'une copie de l'*Apocalypse* de Beatus, ornée de miniatures, dont le maître d'œuvre s'inspirait pour certains motifs de sculptures, et une boîte de fer contenant la cagnotte des ouvriers.

On le retrouva rue Coupe-Gueule, dans une auberge, en train de faire son numéro de prière collective. Les sergents du Chapitre l'enfermèrent dans le donjon de l'évêque, qui servait de prison, et l'on n'entendit plus parler de lui.

— Le printemps n'est pas loin, dit Richard de Meaux. Nous n'allons pas tarder à voir revenir maître Jean.

Il se tenait debout sur le seuil de la chambre des traits, le visage levé vers le soleil mou qui éclaboussait un brouillon de nuages roses par-dessus le mur du Cloître des Chanoines. Pâques approchait. La Seine troquait sa robe de boue jaune contre celle des beaux jours, d'un vert profond. Les averses pleuvaient bleu dans le soleil. Sur le marché des Champeaux, les marchands, qui n'avaient plus leur voix rauque de l'hiver, commençaient à crier les premiers légumes et les primevères.

— J'espère, dit l'*operarius,* que tu n'auras pas perdu ton temps en son absence et qu'après avoir tout observé tu seras en mesure de choisir. Ça fait des mois que tu traînes de chantier en carrière. Je connais bien maître Jean : il donne facilement son amitié mais tolère mal les indécis.

Vincent se sentit blêmir. Il avait, depuis un an, touché à tout sans être retenu par rien. Ce dont il était certain, en revanche, c'est que cette cathédrale porterait son empreinte, de quelque manière que ce fût. Il en avait tant rêvé, de cette gigantesque carcasse de pierre, qu'il ne concevait plus qu'elle se fît sans lui. Il n'ambitionnait pas la gloire d'un *hic faicit* gravé dans la pierre avec son nom, à laquelle maître Jean et ceux qui lui succéderaient comme maître d'œuvre pourraient prétendre ; il se contenterait d'une marque de tâcheron sur les carreaux de pierre qu'il façonnerait, sur les madriers de la forêt de charpente ou sur une modeste ferronnerie.

Vincent avait d'autres soucis : l'argent manquait au foyer.

Le chanoine prétextait la diminution de ses prébendes pour justifier la restriction des crédits qu'il octroyait à Mariette. L'après-midi, confiant les deux enfants à la garde d'une fille, elle allait s'employer dans une auberge, rue de la Barillerie, et ne rentrait pas toutes les nuits. Sou par sou, elle amassait l'argent nécessaire pour se passer de ce protecteur encombrant mais le logement était de plus en plus cher et rare et les moindres taudis étaient pris d'assaut par les étudiants.

Vincent l'aidait de son mieux. Chaque jour, il passait deux ou trois heures à vendre des marrons grillés ou des oublies dans les parages du Pont-au-Change. Le temps qui restait libre il le passait sur le chantier ou chez un écolâtre, attrapant au vol des rudiments d'écriture et d'arithmétique, traçant d'une main engourdie par le froid des mots et des chiffres sur une plaque de cire. Trompant la surveillance de Richard de Meaux, il pénétrait à la nuit tombée dans la chambre des traits dont la fermeture n'avait pas de secret pour lui.

Chaque fois, c'était le même battement de cœur, la même appréhension d'un mystère qui l'enveloppait et le pénétrait au point qu'il restait un moment sans bouger ni toucher à rien, oppressé par la crainte d'être surpris et chassé à tout jamais. Il respirait la présence du maître d'œuvre, imaginait sa longue silhouette penchée sur la table, jouant de l'équerre et du compas, lissant sa barbe blonde ou passant ses doigts écartés dans sa chevelure lorsqu'il achoppait à un problème ardu. Le poêle devenait l'athanor de l'alchimiste ; des mystères s'élaboraient dans l'air chargé d'odeurs composites ; des épures de cristal projetaient leurs géométries dans l'espace distendu ; personnages et animaux fabuleux, plantes étranges sortaient de l'*Apocalypse* de Beatus, escaladaient les voussures, les gâbles, les corniches, les flèches et ces visions fugitives s'annulaient et se recomposaient sans cesse alors que maître Jean les maîtrisait et concevait l'œuvre dans sa splendide totalité.

Après avoir occulté la fenêtre avec un parchemin, Vincent allumait la chandelle qu'il avait apportée, s'enveloppait du manteau du maître d'œuvre et s'asseyait à sa table. Le temps paraissait soudain suspendu. Il feuilletait les carnets de croquis ramenés de Jérusalem et de divers lieux d'Europe, s'attachait, sur une plaque de cire, avec le stylet du maître, à reproduire les visages triangulés, les personnages enclos dans un réseau de droites et de courbes, les monstres prisonniers d'une étoile.

À quelques pas de là, dans la loge des tailleurs de pierre, certains soirs, les compagnons tenaient des réunions secrètes, parlaient à voix basse, échangeaient les mystères du métier ou peut-être les confidences de leurs amours et de leurs ambitions. D'autres soirs, ils buvaient, se querellaient, se battaient. On entendait le piétinement lourd des sergents du Chapitre dans leur ronde de nuit à la lueur des torches, leurs sommations lorsqu'ils surprenaient des voleurs de chantier ou des vagabonds. Vincent soufflait la chandelle et laissait passer l'alerte.

Parfois il s'arrêtait dans ses exercices et songeait à la fille de Thibaud le Riche.

Il avait rencontré Sybille à plusieurs reprises, seule ou en compagnie de sa nourrice normande. La première fois, ils s'étaient salués cérémonieusement ; la deuxième, elle l'avait abordé pour lui demander des nouvelles du chantier, en fait désireuse d'en obtenir de maître Jean. Par forfanterie, il en inventait : maître Jean lui écrivait souvent, parlait de la construction de cette chapelle des garrigues, du soleil, des vents rudes, des lavandes qui embaumaient.

Sybille l'écoutait en hochant la tête. Son regard semblait dire : « Et moi ? Il ne t'a pas parlé de moi ? »

Un jour où, par jeu, pour l'éprouver, Vincent lui annonça que le maître avait l'intention de rompre son contrat avec le Chapitre pour aller construire une cathédrale en Hongrie, elle eut un sursaut et les larmes lui vinrent aux yeux.

— Tu mens !

— C'est vrai, mais tu devrais faire comme s'il n'allait pas revenir. Il vaut mieux ne rien attendre de lui.

Elle le traita de jaloux et faillit le gifler.

C'est par un gigantesque feu de joie que le chantier salua le printemps.

Richard de Meaux avait fait enlever des premières assises des fondations la paille et le fumier que trois jours de soleil avaient suffi à sécher. Les compagnons dansèrent autour et burent du vin. On vit dans les jours qui suivirent apparaître, seuls ou en groupes, des ouvriers maçons, charpentiers, forgerons, mortelliers venus demander de l'embauche. Avant même le retour de maître Jean, on avait commencé, sous la direction de l'*operarius*, à dresser des échafaudages aux endroits où les murs de fondations n'étaient pas achevés. Dans les tranchées, l'eau était encore gelée et la terre dure comme pierre.

Le visage bruni par le soleil d'Occitanie, maître Jean arriva quelques jours après Pâques et trouva le chantier bourdonnant d'activité.

Il se rendit à son domicile, dormit une nuit et une journée pleines puis une autre nuit, pour réparer les fatigues de l'interminable voyage. À l'aube, il se fit servir à l'auberge proche un solide matinel et, après une visite à Gautier Barbedor et un rapide tour de chantier avec Richard de Meaux, il se rendit dans la chambre des traits. Tout était en ordre : l'*Apocalypse* à main gauche, ses carnets à main droite, ses liasses de parchemin, ses tablettes de cire et ses stylets à côté. Son manteau de pluie était toujours accroché à la patère.

Du coffre qu'il avait ramené de son hiver en Occitanie, il sortit un bouquet de romarin et l'accrocha à une solive.

LIVRE II

La folie commence à posséder la ville. Il a suffi que, les fondations achevées, profondes et massives, la première colonne s'élève, pareille à une stèle colossale, dans les parages de ce qui sera plus tard le chœur, pour que les abords du chantier se garnissent de curieux. Le soubassement du mur amorce l'idée d'un espace clos à la dimension du sanctuaire. Le délire a débuté lorsque la première ogive a dessiné entre deux colonnes la forme de mains jointes pour la prière. Oubliés, les basses eaux verdâtres, les glaises stériles des origines, le froid, la boue ! On regarde s'épanouir l'arbre de pierre, bouger les fils ténus qui relient la base à la cime. Dieu est là. Comment pourrait-il se détourner du grand œuvre, de cette maison qui est la sienne, qui dépassera en beauté le temple de Salomon et en grandeur les ziggourats de Babylone, dont la flèche montera plus haut qu'aucun monument au monde ? On le cherche, on le respire, on suscite sa présence par la prière et la prière fait naître sur l'immense espace balayé par le vent, la pluie et le soleil du printemps, des lumières et des ombres, des silences et des rumeurs qui pourraient témoigner de sa présence. Les signes se multiplient : un lépreux blanc a désigné un endroit du chantier avant de tomber raide mort et personne n'a pu lui fermer les yeux ; des enfants qui jouaient aux osselets se sont interrompus, baignés dans un nuage lumineux où se dessinaient des mouvements bleus de voiles et la foule s'est précipitée pour faire brûler des cierges et entonner des cantiques d'action de grâce ; un aveugle a retrouvé la vue avant de devenir fou ; un enfant paralytique s'est mis en marche et on ne l'a plus retrouvé ; on a lapidé un chanoine qui prétendait avoir vu le diable sous la forme d'un scinipode unijambiste jouant de la vielle en proclamant que la cathédrale ne serait jamais terminée, que les vieux démons allaient secouer la terre et ne laisseraient pas pierre sur pierre ; un riche mercier à l'agonie a légué sa fortune à la Fabrique, s'est fait porter à l'emplacement du chœur avant de mourir avec la marque d'une croix sur le front ; deux filles folles de la rue Trousse-Putain ont prétendu avoir vu un ménestrel vêtu de violet chanter un hymne à la Vierge et s'élever dans le ciel avant de disparaître ; il est né dans une maison du Cloître des Chanoines, sur un tas de paille, un enfant doté d'une chevelure blonde et de toutes ses dents, qui parlait une langue mystérieuse et mourut dans une odeur ineffable. Ceux qui prétendent avoir aperçu des signes dans le ciel, on ne les écoute même plus tant ils sont nombreux. On vient quotidiennement porter au Chapitre des bijoux, des vêtements, des bourses pleines d'or ; on offre une forêt à Garches, une vigne à Bagneux, une demeure à Beau-Bourg. Les troncs placés aux alentours du chantier doivent être vidés chaque jour et vont remplir le coffre de la Fabrique. Un jeune Allemand retour de Palestine avec pour seul richesse un collier d'or destiné à sa fiancée, touché par un sermon de monseigneur Maurice de Sully, est allé déposer le joyau à ses pieds. Des filles du Val-d'Amour sont venues en délégation implorer auprès de Gautier Barbedor, comme une grâce, la permission d'offrir un vitrail. Et, un jour de juin, une grande rumeur de prières et de cantiques est montée aux abords du chantier et, ce jour-là, on a vraiment senti la présence de Dieu dans sa demeure…

1

JE T'OFFRE MA PEINE, SEIGNEUR

— C'est bien ce que je redoutais, dit maître Jean. Une journée perdue… Autant en prendre son parti.

Il fit ouvrir largement l'entrée du chantier qui donnait sur la rue Neuve-Notre-Dame récemment percée et, accompagné de Richard et de Vincent, se porta au-devant du cortège.

Aussi loin que portait le regard, la foule se déployait derrière un énorme fardier à huit roues pleines portant une charge de pierres. Pour le tirer, point de chevaux ni de bœufs mais des hommes et des femmes, une centaine ou plus, la corde à l'épaule, pliés en avant. Le cortège était précédé d'un moine de Saint-Germain-des-Prés porteur d'une croix de procession et suivi d'une foule dont les cantiques déferlaient en grondant d'un bout à l'autre de la Cité. Lorsqu'un homme ou une femme tombait, il s'en présentait dix pour prendre sa place. Un colosse menait le groupe des haleurs ; il s'était passé une corde autour des reins et de la poitrine et saignait tant qu'il paraissait vêtu d'une tunique rouge.

— J'ai assisté à la même scène à Chartres, dit maître Jean. Cette folie collective qui se prend pour une effusion de foi ne me dit rien qui vaille. Ce genre d'exemple est contagieux.

— Vous êtes sévère, dit Richard. Faisons bon visage à ces gens. Leur foi est sincère.

Par une issue latérale, l'évêque Maurice arrivait, précédant le Chapitre. Bras écartés, le visage bouleversé, il se porta vers les haleurs pour les bénir. Hommes et femmes tombèrent à genoux et le fardier s'immobilisa. Maître Jean, qui s'était rapproché, perçut quelques mots où il était question de « sacrifice collectif », de « foi ardente », de références aux « Rois » de l'Ancien Testament et à la construction du temple de Salomon. Suivirent une litanie en latin psalmodiée et une bénédiction.

Il ne restait qu'une courte distance à parcourir. Dans un concert de gémissements les haleurs retrouvèrent l'instrument de leur supplice et le lourd véhicule s'arracha de nouveau à la boue.

Tôt le matin, le cortège avait quitté la carrière de Montrouge. C'est Jeanne Bigue elle-même qui avait dirigé le chargement avant l'aube. Elle s'était attelée au fardier entre deux officiers de la Cour à qui elle menait la vie dure quand elle les voyait sur le point de demander grâce. On avançait pied à pied dans la chaleur de juin, avec des arrêts tous les quarts d'heure pour boire et reprendre haleine mais aussi pour chanter, prier et louer le Seigneur.

— Qui a bien pu avoir cette idée ? dit maître Jean.

— Comment le savoir ? répondit Richard. Elle était dans l'air comme à Chartres. Un signe après tant d'autres.

Un illuminé, peut-être, un de ces fous qui couraient la capitale avec la croix sur la poitrine en prêchant aux carrefours. Il n'avait pas dû lui être difficile de réunir quelques centaines d'autres fous pour aller déposer cette montagne de pierres équarries aux pieds de la Vierge. Peut-être Jeanne Bigue, désireuse de se faire pardonner ses péchés de chair. Peut-être ce colosse en habit de sang.

Le queux, officier de cuisine du Chapitre, arriva peu après. Avec l'aide des marguilliers et des custodes, il se mit à distribuer aux haleurs pain, fromage et vin mouillé d'eau, mais personne n'y toucha.

Triste spectacle. Tous : hommes, femmes, agenouillés, allongés dans la boue, rampant les uns vers les autres pour se retrouver et pour s'embrasser, semblaient incapables de se lever. Leurs souffles faisaient une rumeur de vent. Descendant de leurs échafaudages, sortant de leurs loges, remontant des dernières tranchées, tous les ouvriers du chantier se pressaient comme au spectacle d'un mystère.

Vincent, les bras chargés de victuailles, s'était porté à son tour dans les rangs des haleurs. Ils paraissaient peu à peu revivre, s'extraire de leur cocon de fatigue. Un à un, ils se remettaient sur pied, se prenaient à chanter et à rire. Une main se tendit vers Vincent ; elle sortait d'un petit tas de fatigue grise ; une tête défaite s'arracha à l'épaule sciée par la corde, sur laquelle elle pendait.

— Sybille ! Toi, ici...

Elle but avidement à la cruche, refusa le pain et le fromage, parvint à murmurer :

— Dis à maître Jean que je suis ici et que j'aimerais le voir.

Le maître arriva peu après, la mine revêche.

— Tu es folle ! dit-il en s'agenouillant. Tu n'es pourtant guère dévote d'ordinaire. Pourquoi es-tu là ?

— Pour toi, Jean. Seulement pour toi.

Il releva vers lui le petit visage couleur de cire, aux narines pincées, aux yeux rouges. Elle déchira de ses dents le fond de sa robe, en secoua la poussière, découvrit avec un gémissement de douleur ses épaules profondément entamées par la corde, épongea le sang qui avait coulé le long de sa poitrine. Elle tendit le chiffon à Jean.

— Pour toi, en gage de mon amour. Garde-le.

Il jeta le chiffon souillé d'un geste rageur.

— Suis-moi ! dit-il. Je vais te soigner. Nous avons ce qu'il faut.

Elle le repoussa comme il l'aidait à se relever, mais le suivit en boitillant, pliée en deux, les reins meurtris. Il la fit asseoir sur une pierre, près d'une des barriques d'eau servant aux ablutions des ouvriers et entreprit de laver les plaies avant de les enduire d'un onguent composé de blanc d'œuf qu'il alla quérir dans la loge. Impassible, elle se laissa faire. Il appliqua un bandage autour des épaules, soigna également les mains écorchées par la corde et les pieds gonflés, aux ongles arrachés.

— Tu peux être fière de toi ! dit-il. Tu sais que tu aurais pu en mourir ?

— Cela m'est bien égal.

— Vincent va te raccompagner. Tu en auras pour plusieurs jours à te remettre.

— Viendras-tu me rendre visite ?

— Je l'ignore. Nous avons beaucoup de travail et, cette journée perdue, il faudra la rattraper.

— Depuis ton départ je ne rêve plus du ladre rouge mais de toi. Toutes les nuits. Et le matin, lorsque je me réveille…

Il s'était éloigné de quelques pas. En se retournant, il lui jeta :

— Sottise ! Tu ne m'avais peut-être pas oublié. Moi, si.

Comme maître Jean l'avait redouté, ce fut une journée perdue et du mortier gâché.

Tous les travaux interrompus, une prière collective fut organisée sur le chantier, à l'emplacement du sanctuaire. Il y avait presque autant de fidèles que pour les Pâques de l'année précédente, lors de la visite du pape Alexandre III, chassé d'Italie par la guerre entre les Guelfes et les

Gibelins : une marée humaine impossible à contenir, tant à Saint-Germain-des-Prés, dont Sa Sainteté consacrait le chœur, que sur le chantier de Notre-Dame dont il bénissait la première pierre.

La cérémonie terminée, maître Jean aborda l'évêque qui regagnait ses pénates. C'était un homme long et mince, au visage à la fois doux et énergique, aux cheveux courts et déjà presque blancs bien qu'il eût à peine passé la quarantaine. Maître Jean exprima le souhait que de telles manifestations ne se renouvellent pas.

— Un chantier de cathédrale, dit-il, n'est pas une estrade de saltimbanques.

— Vous êtes trop sévère, répondit l'évêque, mais je tiendrai compte de votre souhait. Ces gens n'avaient pas pour but de se donner en spectacle. Vous les avez vus comme moi souffrir et saigner et cela ne vous a pas touché le cœur ? Soyez indulgent et réjouissez-vous que la foi soit toujours aussi vivace dans le cœur de ces gens dont on prétend qu'ils sont plus soucieux du volume de leur bourse que de la pureté de leur âme.

2

LE LANGAGE DES OISEAUX

Le chantier retrouva dès le lendemain son rythme normal.

Les caisses du Chapitre étaient bien garnies et le doyen Barbedor avait le sourire. La sécurité financière était assurée pour plusieurs mois et on allait pouvoir embaucher les meilleurs ouvriers et les maîtres les plus éminents. Seuls manquaient des charpentiers ; ils étaient embauchés à Laon, Soissons, Arras et semblaient s'être donné le mot pour déserter les chantiers de Paris.

L'évêque s'en plaignit à maître Jean qui protesta : il ne pouvait pas les sortir de sa poche !

A la mi-juin, il se présenta une équipe de jeunes ouvriers du bois. Tous blonds, minces, beaux et portant les mêmes signes distinctifs : leurs oreilles étaient dépourvues de lobes et ils portaient à l'épaule la patte d'oie des lépreux. Maître Jean reconnut en eux des cagots, descendants, disait-on, d'anciens lépreux qui venaient de lointains villages des Pyrénées. Il n'y avait pas de meilleurs charpentiers, si ce n'est les Anglais.

Le maître d'œuvre informa de leur venue l'évêque qui sursauta : la nuit précédente, il avait vu apparaître dans son rêve une légion de garçons beaux comme des anges, armés d'herminettes, qui venaient au nom du Ciel prendre en main la charpenterie de la cathédrale sur le sort de laquelle l'évêque se lamentait.

— C'est une chance pour toi, Vincent, dit maître Jean. Je vais te confier à eux. Tu ne trouveras personne de mieux qualifié pour t'initier à la charpenterie et au travail du bois en général. C'est leur spécialité. Ils y excellent, dit-on, parce que le bois n'est pas conducteur de la lèpre. Ils te sembleront peut-être étranges dans leur comportement, mais c'est qu'on ne les considère pas comme des gens normaux alors qu'ils sont sains de corps et d'esprit. En Languedoc, j'en avais souvent sous mes ordres. Je les connais bien.

— Mais ce sont des lépreux ! s'exclama Vincent.

— Des descendants, à ce qu'on dit, mais c'est sûrement une légende. Ce sont plutôt, à mon avis, des rejetons d'anciens barbares wisigoths chassés d'Espagne par les Maures et qui se sont cachés dans les montagnes. S'ils portent la patte d'oie des ladres c'est qu'on la leur a imposée, mais je n'ai jamais rencontré parmi eux un seul ladre rouge ou blanc, pas même un simple « rougneux », comme on dit là-bas. Sois aimable et tolérant envers eux. Je vais faire en sorte que les autres compagnons agissent de même.

Il ajouta :

— Pourtant je ne te cache pas que je crains le pire.

Les craintes de maître Jean ne tardèrent pas à se confirmer.

Se faisant le porte-parole des tailleurs de pierre, l'*operarius* refusa le voisinage immédiat des cagots, les compagnons menaçant de cesser le travail si on leur imposait cette présence impure. On leur assigna, sur l'autre bord du chantier, un emplacement où ils construisirent leur propre loge avec art et célérité. Ces gens-là, de toute évidence, savaient travailler le bois. Cette mesure discriminatoire ne leur fit pas perdre leur flegme et leur bonne humeur — ils en avaient l'habitude. Ils parlaient entre eux un langage impénétrable et communiquaient de loin par des coups de sifflet modulés que maître Jean appelait le « langage des oiseaux ».

Dominant sa répugnance, Vincent se mêla à leur équipe dès qu'ils reçurent les premiers éléments de charpentes et de cintrages. Le maître charpentier Guillaume Fayt, qui avait mal accepté leur intrusion, les observait à distance respectueuse, son bonnet sur l'œil, le ventre en avant, dirigeant leur travail à la baguette. Très vite, il admit que ces gaillards en savaient plus long que lui et eut la sagesse de se faire humble. Les cagots se faisaient traduire ses ordres par l'un des leurs qui avait travaillé à Toulouse puis à Chartres. Il se faisait appeler Rastro, mais ce n'était pas son nom véritable.

En leur compagnie, Vincent comprit que ce qu'il avait appris de maître Guillaume n'était rien en comparaison de ce qu'il allait apprendre d'eux sur les qualités et les défauts du bois et l'utilisation qu'il convenait de faire des différentes essences. Du regard et du toucher, ils pouvaient dire l'âge de l'arbre débité, apprécier sa robustesse, l'époque où l'arbre avait été abattu, le traitement qu'il avait subi et le meilleur usage qu'on pouvait en faire. Lorsqu'ils se penchaient sur un madrier, ils avaient dans le regard du respect et même une certaine amitié ; ils caressaient le bois, lui parlaient, semblaient le convier à un rite fraternel où le matériau aurait autant d'importance que le travail de l'homme.

En leur compagnie travailler devenait un acte d'amour.

— Thomas Pasquier ? Tu dis bien Thomas Pasquier ?

Le jeune sergent du chapitre était formel.

Midi venu, Vincent prit un morceau de pain et traversa la Seine qui roulait les dernières eaux verdâtres du printemps pour se rendre dans le quartier de Grève. Il y avait foule autour du pilori dont toutes les faces étaient occupées par des trognes de gueux parmi lesquels une femme.

Écartant les curieux, Vincent fit deux fois le tour avant de reconnaître son père dont le visage était maculé de sang, de boue et de légumes pourris que les gosses lui décochaient. Il s'approcha du garde de la Prévôté en grande tenue qui bombait le torse devant les filles et lui demanda si cet homme était bien Thomas Pasquier et ce qu'il avait fait pour mériter le supplice.

— Demande au Prévôt, petit. Moi j'ignore jusqu'à son nom. Je suis là pour veiller à ce qu'on n'abîme pas trop ces gredins avant que le bourreau fasse son office.

En se hâtant vers le Cloître des Chanoines, Vincent se répéta à plusieurs reprises que son père ne lui était plus rien. Un étranger. Il constatait avec une douloureuse surprise qu'il ne ressentait qu'une vague pitié pour cet homme qui avait choisi de se dissocier de sa famille.

Il trouva Hugues en train de se quereller avec la fille chargée de la garde des enfants en l'absence de Mariette. Elle refusait obstinément de le suivre dans sa chambre et de le servir au bain.

— Qu'est-ce qui t'amène ? demanda le chanoine, bougon.

— Mon père a été arrêté et mené au pilori de Grève. Je voudrais savoir pourquoi et quel sort on lui réserve.

— Tu t'intéresses donc à ce brigand ?

— Renseignez-vous auprès du Prévôt, je vous prie, et intervenez pour qu'on le libère dès que possible.

— Tant que nous y sommes, ironisa le chanoine, pourquoi ne pas déposer une supplique auprès du roi Louis ?

— J'insiste ! Ce « brigand », comme vous dites, est mon père, et vous occupez sa place dans ce foyer.

— Voyez l'impertinent ! gronda le chanoine. Sans moi vous seriez tous en train de mendier votre pain dans la Cour-de-Mai. Enfin, soit ! Je vais intervenir mais je ne promets rien.

Par chance, le cas de Thomas Pasquier relevait non de la « curia regis », la justice royale, mais de l'official de l'évêché. Il avait été surpris en train de fracturer l'un des troncs disposés dans les parages de Saint-Étienne pour la construction de la cathédrale. C'était la prison à vie dans le donjon de l'évêque, peut-être le gibet. Qu'il eût agi, comme il le prétendait, pour quelque prince galeux de la Truanderie n'atténuait guère sa culpabilité.

Sollicité par le chanoine Hugues et par Gautier Barbedor, l'évêque réduisit la peine à un an de cachot. Cette affaire laissa Mariette indifférente : elle était de nouveau enceinte sans savoir de qui, et plus seule que jamais.

La coquille du chœur se refermait lentement sur elle-même. Autour du sanctuaire proprement dit s'amorçaient les ailes des doubles collatéraux. Les murailles paraissaient s'envoler dans la dentelle du triforium et des hautes baies qui commençaient à donner à l'ensemble du chœur ses dimensions vertigineuses. Au-dessus du chevet, afin que le chantier pût continuer son activité malgré les intempéries, les cagots avaient jeté les premiers éléments de la « forêt » et l'on commençait à couler les lames de plomb qui composeraient la toiture.

La gorge nouée, Vincent regardait l'énorme madrier quitter le sol, amorcer son ascension au centre de l'édifice, frémir au bout de la corde de chanvre à chaque effort de traction du treuil. D'en bas, Rastro dirigeait la manœuvre et correspondait par des gestes et des sifflements de merle avec un autre charpentier cagot qui, du haut de l'échafaudage, veillait à ce que la pièce n'aille pas heurter les structures de pierre.

— Ce n'est rien, lui dit maître Guillaume. Tu verras lorsqu'il s'agira de faire grimper là-haut les cintres de la voûte !

La construction des premiers cintres — ceux des bas-côtés — avait commencé. C'était un travail extrêmement précis et d'une grande complexité. Vincent y avait travaillé durant des jours. Ses mains portaient encore la trace des outils dont il s'était servi : scie, vilebrequin, perçoir, rabot et herminette. Il ne les reconnaissait plus tant elles semblaient avoir pris au bois sa dureté et sa rugosité ; elles devenaient elles-mêmes outils, gagnaient en puissance et en finesse, semblaient se dissocier du reste du corps et lui devenir étrangères.

— Éloigne-toi, dit Rastro. La pièce est mal arrimée. Je n'aime pas cette manière qu'elle a de danser.

Il fit le merle et le treuil interrompit son tourniquet, le temps de laisser l'entrait capricieux se stabiliser. Un nouveau coup de sifflet et la pièce reprit sa course verticale. Elle atteignit son logement dans un concert de volière et les compagnons à la patte d'oie travaillèrent sur-le-champ à l'encastrer, de part et d'autre du chœur. Lorsqu'elle fut logée et solidement bloquée, Rastro brandit son bonnet.

— Ça s'est mieux passé que je le pensais, dit-il. Nous n'avions jamais travaillé dans d'aussi grandes dimensions. Adoniram, constructeur du temple de Salomon, notre maître à tous, serait fier de nous.

Il expliqua qu'il avait eu raison, pour hisser cette énorme travée, de préférer la traction humaine à celle du cheval dont on se servait parfois pour monter jusqu'aux échafaudages les gros blocs comme des chapiteaux ou des clefs de voûte. Elle était plus régulière et plus souple. Il la préférait même à la « cage aux écureuils » dont se servaient les maçons : un énorme tourniquet vertical dans lequel on avait installé un colosse aveugle qui devait peser deux cents livres de muscles — un procédé qui, selon lui, rabaissait l'homme au rang d'une bête de trait.

Travailleur rude et volontiers brutal, Rastro ne transigeait pas avec l'honneur du métier. Il portait au fond de lui, sous ses apparences de lutteur, une pureté de source et une dureté de cristal.

3

LA MAISON DE LA SIRÈNE

Jeanne Bigue sauta à terre, jeta des ordres très secs aux conducteurs du fardier, plaisanta grassement avec Rastro qui lui tourna le dos très dignement.

— Regardez ce jean-foutre ! cria-t-elle. Il se prend pour le roi des petits oiseaux depuis qu'il travaille à la « forêt ». Cagot de merde ! Ladre rouge !

Encore vibrante de colère, elle s'arrêta près de Vincent qui assistait à la pose du madrier, la main en visière.

— Et toi, traître ! C'est maintenant le bois qui t'intéresse. La pierre, tu craches dessus ! Regarde ces carreaux bien équarris qu'on est en train de décharger. C'est solide, c'est beau, c'est net et ça durera une éternité.

— Je ne méprise pas la pierre, répondit posément l'apprenti, mais le jour où on aura trouvé le moyen de construire une cathédrale sans utiliser du bois vous viendrez me chercher.

Jeanne le regarda avec un air mi-sérieux, mi-amusé, le prit par les épaules pour le faire pivoter face au soleil. Elle le dépassait de la tête et même un peu plus et elle était belle comme les femmes qui portent leurs sentiments à fleur de peau et dont le moindre geste est animé de passion.

— Tiens ! tiens ! fit-elle. Tu as déjà du poil follet au menton ?

Il se débarrassa comme d'une auge à mortier de ces mains qui lui pesaient aux épaules.

— Et vif avec ça, ce bout d'homme ! Tu sais que tu me plais ? Je serai chez moi ce soir. Viens donc me rejoindre.

Elle n'y allait pas par quatre chemins et il le lui fit remarquer.

— C'est vrai. C'est pas dans mes manières. Que veux-tu : l'habitude du commandement. Mais attention ! Je te commande pas. Tu viens si tu en as envie. J'habite rue Grenier-sur-l'Eau, derrière Saint-Gervais, rive droite. Tu verras : un amour de petite maison avec une sirène sculptée au-dessus de la porte. Tâche de venir avant le couvre-feu. Il y aura une bougie à la fenêtre. S'il n'y en a pas, c'est que la place sera prise. Nous ferons une dînette d'amoureux.

Le dernier crieur d'eau venait de tourner au coin de la rue lorsque Vincent, pomponné de frais, une feuille de menthe sous la langue, heurta l'huis d'une jolie porte toute fleurie de losanges de verre coloré. La sirène lui souriait au-dessus de la porte et la lumière de la bougie clignait de l'œil à la fenêtre. Les volets ouverts, une pluie de tendresse tomba sur lui.

— Entre, mon mignon, et barre la porte derrière toi. N'oublie pas de décrotter tes sabots.

Avant de trouver l'escalier, il nagea dans une ombre parfumée de cire fraîche. La porte découpée d'un fil de lumière s'ouvrit devant lui. La chambre lui souffla au visage sa chaleur d'étuve et son odeur de femme.

— J'ai ouvert la fenêtre du jardin pour donner un peu de fraîcheur, dit-elle. Eh bien, tu entres, oui ou non ?

Trois chandelles de cire verte brûlaient sur la table où était disposée la « dînette ». Autour, au milieu d'une molle palpitation d'ombre et de lumière, Jeanne Bigue se tenait debout, enveloppée d'une robe faite d'un léger samit d'Orient. À en juger par la liberté de ses mouvements, elle était nue dessous. Elle écrasa sa bouche sur celle de Vincent.

— J'ai cru que tu ne viendrais pas. D'un peu plus, je soufflais la chandelle. Tu hésitais, hein ? C'est ton premier rendez-vous galant !

Elle se mit soudain à le renifler.

— Tu sens encore le bois ! Va te laver tout de suite. Cette odeur de copeaux frais me lève le cœur.

— Je me suis pourtant lavé.

— Aux bains ?

— Non : chez moi.

— Il n'y a que les bains ! Passe dans la pièce d'à côté et déshabille-toi.

Dans le cabinet au plafond bas, la chaleur était insoutenable.

Vincent se plongea sans plaisir dans une eau tiédasse mais richement parfumée. Jeanne approcha la chandelle.

— Ah ! ce duvet de moustache et de barbe... Ça me rend folle ! Tiens voilà du savon dur, de celui qu'on ne trouve que chez les Génois. Il nettoie mieux que la pâte savonneuse. C'est le progrès. Tu veux que je t'aide ?

Avant qu'il ait pu répondre, elle lui plongea la tête sous l'eau, lui frotta le crâne avec énergie, s'enquit s'il avait des poux. Il s'en était débarrassé depuis le printemps. Ah ! la bonne heure... Elle aurait mal toléré la vermine. Sa main descendit jusqu'au bas-ventre, joua délicatement avec le sexe. Eh ! Eh ! ce petit bout d'homme n'avait pas fini de la surprendre. Elle gémit de plaisir, les yeux mi-clos, la bouche entrouverte, le fit se lever, s'agenouilla.

— Voyez ce petit coq ! C'est encore puceau et ça bande comme un ruffian ! Je vais te dévorer tout cru !

Il se délivra dans sa bouche et elle recula avec un cri.

— Quel gâchis ! Tu en avais très envie, hein, petit homme ? C'était la première fois, ça se sent. Sèche-toi à présent. Regardez comme il est mignon. J'aime tout en toi. Ça, et ça, et ça... Sauf tes mains. Elles sentent toujours le bois.

Ils mangèrent joyeusement et burent beaucoup. Vincent était un peu ivre, mais dans de merveilleuses dispositions lorsqu'elle lui prit la main pour l'entraîner vers le lit. C'était une sorte de monument encourtiné de velours rouge galonné d'or, très pompeux, fait pour une abondante nichée de marmots ou des lutteurs de foire. Un lit de prince de Babylone, doux et profond.

Jeanne garda près d'elle la chandelle allumée, se laissa admirer et caresser et pénétrer. Elle lui apprit les mots crus qui aident le plaisir. Puis elle s'allongea sur lui en gémissant.

— J'ai pas le droit, dit le gardien. Je risque ma place.

Vincent lui glissa une pièce dans la ceinture et la porte s'ouvrit. La torche piquée dans un fer de la muraille révéla une sentine barbouillée de glaires verdâtres, qui prenait jour par un soupirail. Thomas Pasquier, c'était cette forme allongée sur une paillasse. Il se redressa lentement, parvint à se mettre debout en s'accotant à la muraille. Mariette déposa sur le couvercle du seau servant aux nécessités un paquet enveloppé d'une touaille : quelques vivres et des vêtements.

— C'est bien toi ? dit-elle.

Elle avait du mal à le reconnaître. Cette barbe qui laissait apparaître quelques espaces de peau blafarde et un œil rouge (l'autre était mort)... Il murmura :

— Laissez-moi crever ! Foutez le camp !

— Nous te tirerons de ce cachot plus tôt que prévu, dit Vincent.

Il éprouvait soudain indulgence et pitié pour cet homme. De quel droit l'avait-il jugé et méprisé ? Thomas redressa fièrement la tête.

— Je suis bien, ici. Les rats sont mes compagnons. Nous sommes de la même race. Je leur donne à manger et ils me tiennent compagnie. Je les appelle par leur nom et ils descendent de ce soupirail. Vous, ne revenez pas. Ça sert à rien.

— Nous reviendrons, dit Vincent.

Ils se retiraient lorsqu'il demanda des nouvelles de Clémence. Elle avait eu une éruption de gale, mais elle allait mieux. Vincent crut voir s'esquisser un sourire dans la barbe et la crasse.

— Si vous revenez, portez du vin. C'est ce qui me manque le plus.

De tous les enfants de Thibaud le Riche c'est Sybille qui lui donnait le plus de souci.

C'était la première-née du ménage, au temps où dame Bernarde n'avait pas ces moustaches d'Allemand et cette taille de bouchère. Et c'était, de tous ses enfants légitimes et de ses bâtards, celui qu'il aimait le plus. En quelques mois Sybille avait beaucoup changé. Depuis cette promenade en forêt avec maître Jean, bien qu'il ne se fût rien passé entre eux, il en avait la certitude.

Dans les nuits de Sybille d'autres angoisses avaient succédé à l'obsession du ladre rouge dont les visites se faisaient rares. Les médecins demeuraient perplexes et prononçaient des mots savants, jamais les mêmes. Ils la saignaient, lui prescrivaient des décoctions. Elle en était, disaient-ils, au « temps des mélancolies ». Allez donc savoir ce qui traverse la tête, le corps et le cœur d'une fille ? Cela passerait avec l'âge. Ils ajoutaient discrètement qu'il faudrait peut-être songer à la marier.

Sybille sursautait. La marier ? À un de ces fils de bourgeois qui se pavanaient dans leurs robes de paille d'Alexandrie en faisant grincer le cuir de leurs chaussures et n'avaient aux lèvres, entre deux lourds compliments, que des banalités ?

Havoise était la seule à partager son secret, mais il était si lourd à porter qu'elles s'en déchargeaient sans relâche de l'une sur l'autre. Les insistances de dame Bernarde et de maître Pierre n'y avaient rien fait.

Heureusement la maison du Port-Landry regorgeait d'enfants, de commis, de servantes et les peines de Sybille s'y diluaient dans le vacarme. L'heure des repas, en revanche, était redoutable, avec ses face à face et ses silences. Pour ainsi dire, on s'y trouvait nu.

Pour voir maître Jean, même de loin, Sybille devait ruser.

Depuis quelques mois, elle s'était découvert une dévotion pour Saint-Denis-du-Pas. C'était une église de modestes dimensions située entre la cathédrale en construction et le Terrain. Les bruits du chantier accompagnaient ses prières. Elle les abrégeait, sortait par la ruelle du Port-l'Évêque, bifurquait au niveau de l'ancienne église Notre-Dame rasée pour faire place au chantier, longeait les clôtures de clayonnages, obligeait Havoise à marcher lentement et à s'arrêter souvent, là où les panneaux étaient éventrés. Elle semblait s'abîmer dans le spectacle du chœur qui commençait à arrondir sa demi-couronne, des colonnes et des piliers qui montaient d'un jet puissant avec parfois un homme en train de jouer les équilibristes au sommet, de l'ascension des carreaux et des madriers.

— Regarde ! disait-elle à Havoise. Je n'ai jamais rien vu d'aussi beau ni d'aussi grand. Et c'est l'œuvre de Jean...

Si seulement... Si seulement il consentait à distraire à son profit quelques heures de travail et quelques élans de passion ! S'il daignait, ce géant, regarder vivre et palpiter à ses pieds cette modeste plante qui se dépensait vainement en parfum et en couleurs !

L'été passa. Les premières tourmentes de l'automne balayèrent Paris. Sybille songeait que maître Jean n'allait pas tarder, le chantier abandonné, à descendre vers ses garrigues. Elle se disait qu'elle ne supporterait pas un nouvel hiver sans lui.

— Je trouverai un moyen de lui faire savoir que, s'il part, j'en mourrai. Je vais lui écrire.

Havoise haussait les épaules.

— Tu lui as déjà écrit. T'a-t-il seulement répondu ? C'est à peine s'il s'aperçoit de ta présence ! Hier, souviens-toi, il a à peine daigné répondre à ton salut. Tâche de renoncer.

Renoncer ? Plutôt mourir ! Elle se jetterait dans la Seine à la tombée du jour et on ne la retrouverait jamais. Ou alors elle grimperait de nuit, en escaladant la clôture, dans les hautes œuvres de la cathédrale et l'on retrouverait seulement le matin son corps disloqué. « On » : Jean, bien sûr.

Hardiment, elle demanda, par l'intermédiaire d'Havoise qui regimba, à voir maître Jean.

Lasse de ces folies qui ne menaient à rien, Havoise résolut d'en avoir le cœur net et, à l'insu de sa maîtresse, demanda maître Jean au poste de garde du chantier.

Il sortit en bougonnant de la chambre des traits. Depuis quelques jours, la mauvaise humeur ne le quittait pas. Encore une histoire de cagots. Deux d'entre eux, las des brimades qu'on leur infligeait, avaient quitté le chantier de Notre-Dame pour celui de l'évêché dont on achevait la construction en même temps que celle de l'Hôtel-Dieu. À la suite d'une querelle avec Rastro, un maçon était mort dans des conditions suspectes et les soupçons se portaient sur les cagots. Des rixes éclataient pour des vétilles entre maçons et charpentiers. Pour comble, un nommé Pierre le Chantre, dignitaire du Chapitre, reprenant les arguments de Bernard de Clairvaux sur les dimensions exagérées et le luxe insolent des cathédrales, était parti en guerre contre maître Jean et ceux de la Fabrique. Il est vrai qu'après quelques mois d'euphorie, on commençait à voir le fond du coffre...

— Si vous venez pour me parler de cette jeune folle, dit-il d'un ton rogue, vous perdez votre temps et me faites perdre le mien.

— Vous mésestimez la gravité de l'affaire, maître. Sybille est folle, mais de vous. Persistez à la dédaigner et elle se tuera. Sa décision est prise.

— C'est un banal chantage. Je n'ai que faire de ces humeurs de fille.

— Soit. Mais vous voilà prévenu, monsieur l'indifférent.

— Que puis-je faire ? Je vous accorde que Sybille est jolie, point sotte et de famille honorable mais je dois me méfier de ce genre de passion. Quant à envisager une union, autant prétendre enfermer le vent dans une cage.

Il ajouta en se grattant la barbe, soudain perplexe.

— Vous qui êtes sage, quel conseil me donnez-vous ?

— Acceptez de la rencontrer avant votre départ. Tâchez de lui faire comprendre que toute liaison est impossible et, si vous la sentez touchée au cœur, recommandez-lui d'attendre sagement votre retour. Écrivez-lui de là-bas. Je vous indiquerai le moyen.

— Mon Dieu, que d'embarras en perspective ! Je vous promets de réfléchir à votre proposition. Revenez avec Sybille dans trois jours, à l'heure de vêpres. Tenez-vous à Saint-Denis-du-Pas.

Havoise le regarda partir, les épaules lourdes, traînant la jambe. C'était un homme assez ordinaire. Grand, certes, et mince, et beau d'une certaine manière. Intelligent ? Sans doute. Sans cœur ? Sûrement. Havoise tourna le dos en se disant que, décidément, l'amour et la raison vont rarement le même chemin et qu'au bout de la route on ne trouve guère que brouillard ou désillusion.

André Jacquemin avait parlé. Hans Schreiber et tous ses camarades étudiants étaient au courant de l'aventure de Vincent et de la jolie veuve. Et d'en rire !

Une nuit, alors que Vincent dormait avec Jeanne, ils furent réveillés par un tumulte de tambours, de trompettes et de chants obscènes. Des cailloux heurtèrent les fenêtres, des volées de terre et d'excréments souillèrent la porte et l'image de la sirène.

Jeanne saisit l'épée d'un de ses défunts, s'enveloppa d'une cape et il fallut l'intervention de Vincent pour qu'elle abandonnât l'idée d'aller affronter la meute.

— Ils ne sont pas méchants, dit-il. Ils veulent simplement se moquer de nous.

Jacquemin avait bien tenté de les faire renoncer à cette expédition, mais Hans tenait à son idée. L'automne était morne et il ne se passait rien dans la capitale ; on allait réveiller cette morte. L'intermède avait été brillant mais de courte durée et l'on avait évité le pire, Hans ayant médité dans sa caboche d'Allemand de mettre le feu à la maison pour en déloger les tourtereaux. Acht ! la veuve courant dans la rue avec le feu aux fesses…

— Pardonne-moi, Vincent, dit Jacquemin. J'ai essayé de les dissuader et ils ont failli me rosser. Ils ne reviendront pas de sitôt. Il ne manque pas de veuves folles dans Paris, à qui aller faire ce genre de sérénade à l'espagnole.

L'affaire avait marqué Vincent. Il devinait confusément que son aventure ne durerait guère. La belle flamme des premiers jours perdait de son éclat et de sa chaleur. Dans les lourdes nuits d'automne, lorsqu'il s'allongeait près de Jeanne, il lui semblait respirer sur sa peau l'odeur de tous les hommes qu'elle avait connus, parfois la veille, parfois le jour même ; il en éprouvait de la répugnance et le sentiment d'une faute que ne venait pas tempérer l'excuse de la passion. À peine l'avait-il possédée, souvent sans désir véritable, qu'il lui prenait l'envie de se rhabiller et de partir, mais il était trop lâche. Jeanne le gâtait, le divertissait, l'installait dans une sécurité nouvelle pour lui. Elle lui donnait l'impression d'accéder à la maturité. Dans le comportement de la veuve, il entrait une part de sentiment maternel qui atténuait ses remords sans les annuler lorsqu'elle lui avouait une passade avec un de ses carriers. Elle lui prenait la tête, la plongeait entre ses seins, dans cet espace de peau toujours chaud et humide. Elle lui disait :

— Les hommes, je ne les prends que pour le plaisir, mais ce plaisir m'est nécessaire. Par la Coiffe-Dieu, tu le sais que je n'ai pas un tempérament de nonne ! Sans hommes, je crève. Toi, tu es mignon et j'aime bien quand tu me fais l'amour mais c'est de la friandise et j'ai trop d'appétit pour m'en satisfaire. Alors, pars si tu veux, mais je souhaite que tu restes.

Avant de s'endormir, ils parlaient longtemps. D'eux et des autres. Une chandelle brûlait en permanence près du lit. « Je veux te voir, mon Vincent. Tu es beau comme un saint de portail », disait-elle. Ils écoutaient le pas lourd du guet piétinant la gadoue où les porcs s'étaient vautrés tout le jour : il venait de la rue Saint-Antoine, tournait autour de Saint-Gervais avant de prendre par la rue Grenier-sur-l'Eau. Les hommes juraient sous les bourrasques de pluie ou de neige, cognaient aux portes des auberges encore éclairées, sifflaient sous les fenêtres des bordels pour faire sortir les filles aux fenêtres puis, brusquement, se lançaient à la poursuite d'un groupe d'étudiants qui les narguaient.

Vincent les regardait déambuler, des éclats de torches sur leurs casques et leurs armes, derrière le sergent à cheval qui ne manquait pas d'observer une pause devant le montjoie brûlant à l'angle d'une rue tandis que certains soldats en profitaient pour pisser contre une borne-montoir ou la boutique d'un marchand. Frissonnant, Vincent songeait que, s'il devenait tailleur de pierre ou imagier, il ne serait pas, comme ces bourgeois et artisans qui passaient en somnolant sous sa fenêtre, soumis aux obligations des patrouilles du guet.

— Reviens te coucher ! grognait Jeanne. Tu vas prendre froid.

Elle l'enveloppait de son corps, le caressait, soufflait sur ses épaules pour les réchauffer et ils s'endormaient dans un silence de jardin sous la neige.

4

GRANDEUR ET HUMILITÉ

Pierre le Chantre était présent lorsque Guichard s'était fait éconduire par maître Jean.

C'était un boulanger fournisseur du Palais qui, pris d'un accès de foi, venait offrir ses services au Chapitre, aussi longtemps qu'on le voudrait, pour la construction de la cathédrale. Gautier Barbedor l'avait adressé à maître Jean.

— Savez-vous tailler la pierre ? Et le bois ? Êtes-vous forgeron ? Auriez-vous la force suffisante pour animer un treuil, coltiner des auges de mortier et des carreaux de cent livres sur le bard ?

Tout penaud, l'homme avoua qu'il n'était que boulanger. Son fils ayant pris sa suite au four et sa femme à la boutique, il était libre de son temps. Certes, il n'était pas très costaud, mais il avait une bonne résistance et surtout une foi toute fraîche qui décuplerait ses forces.

— Alors, maître Guichard, continuez de prier et de donner votre argent. Nous n'avons pas besoin de vous sur le chantier.

Des illuminés comme celui-là il en venait presque chaque jour depuis le grand spectacle des haleurs. Des hommes, des femmes, des moines gyrovagues, des putains, des truands qui venaient préparer leur salut. Toujours la même réponse : « Vous ne seriez d'aucune utilité... »

— Vous avez tort de vous montrer aussi intransigeant, dit Pierre le Chantre. Si vous voulez mener cette œuvre à bien, vous ne pouvez vous permettre de refuser le moindre secours bénévole. D'ici peu nous n'aurons peut-être plus de quoi payer les ouvriers et nous serons bien heureux de nous rabattre sur ces bonnes volontés.

— Alors il faudra trouver également un maître d'œuvre qui travaillera au rabais ou gratis car vous ne devrez plus compter sur moi.

Pierre le Chantre se mit à tourner autour du maître d'œuvre en battant des ailes comme un papillon. C'était un petit homme très sec, au visage long piqué d'une pointe de barbe grise, qui prenait feu très facilement. Il détestait maître Jean qu'il accusait ouvertement d'inciter le Chapitre aux idées de grandeur. Il retardait de quelques décennies sur son temps et refusait le projet d'une cathédrale géante pouvant contenir toute la population de Paris. Maître Jean avait beau lui expliquer qu'elle servirait à de multiples usages : fêtes religieuses et laïques, réunions de marchands, assemblées populaires et qu'en l'occurrence on ne saurait voir trop grand, il se bouchait les oreilles. Ce que Bernard de Clairvaux reprochait à Suger lors de la construction de la nouvelle basilique de Saint-Denis avec une éloquence qui forçait le respect sinon la persuasion, il en accablait maître Jean et ses collègues du Chapitre dans un style qui sentait le vinaigre.

— Personne ne vous retiendra, monsieur. Vous vous croyez donc indispensable ? Je n'irai pas, comme certains de vos compagnons, jusqu'à vous reprocher d'éviter de salir vos blanches mains aux besognes viles puisque le contrat que vous avez signé ne vous y oblige pas, mais dites-vous bien que votre départ ne peinerait personne.

— Je partirai le jour où le Chapitre aura décidé de rompre notre contrat, mais il y réfléchira à deux fois car cela lui coûterait fort cher. Sinon je mènerai mon œuvre jusqu'au terme que Dieu voudra bien m'assigner et telle qu'elle agréera à monseigneur Maurice.

L'indignation plaquait du rouge sur le visage du Chantre. Il gesticulait, trépignait :

— Vous nous menez à la ruine ! Par votre faute, nos prébendes sont devenues squelettiques ! Où s'arrêteront votre prétention et votre orgueil ? Qui donc vous inspire de telles folies ? Le Christ ? Sûrement pas, lui qui était tout humilité. La Vierge ? Elle n'eut jamais comme demeure que l'atelier de Joseph et la grange de Bethléem. Dans ces immenses et somptueuses bâtisses, ils se sentiraient étrangers.

Son poing tendu décrivait un demi-cercle à fleur d'horizon.

— Et le peuple qui crie sa faim, y avez-vous songé ? Êtes-vous allé ces temps derniers à la Cour-de-Mai ? Si vous aviez eu cette curiosité vous auriez vu des foules en train de mendier un morceau de pain. Une seule de vos pierres taillées leur permettrait de vivre un mois, une de vos colonnes un an et plus ! Avec ce que coûtera cette cathédrale nous pourrions nourrir tous les miséreux de Paris durant deux ou trois générations. Lorsque vous aurez des comptes à rendre à Celui qui nous jugera tous vous n'aurez pas une prière de moi.

Maître Jean s'efforça de garder son flegme.

— Vos prières, je m'en passerai si, venant prier en ces lieux, quelques fidèles ont une pensée pour celui qui a conçu cet édifice et ceux qui l'ont construit de leurs mains. Même si mon nom leur est inconnu, ils me béniront.

— Ne jouez pas les modestes ! Je connais bien les gens de votre espèce. Vous ferez en sorte que votre signature figure en lettres d'or au fronton du temple ou votre image au portail du Jugement, à la droite du Christ !

— Ce portail, monsieur le chanoine, ni vous ni moi ne le verrons achevé. Vous me cherchez une mauvaise querelle et j'ai bien envie d'en référer au Chapitre.

— Comme il vous plaira ! Je vous répondrai comme à Barbedor qu'en Israël il n'y avait qu'un temple, un tabernacle, un offertoire. Et vous et les jeunes fous du Chapitre qui soutiennent les idées nouvelles, vous couvrez la France de ces monuments d'orgueil que Dieu balaiera du souffle de sa colère.

Ce n'était pas la première fois que le Chantre s'en prenait au maître d'œuvre ou aux « jeunes fous » du Chapitre. Le bruit des querelles qu'il suscitait éclatait dans toutes les périodes difficiles et l'évêque devait s'interposer pour qu'elles ne dégénèrent pas en rixe. Après tout cette œuvre était SON œuvre ; c'est lui, Maurice de Sully, qui avait eu l'idée et avait pris la décision de donner à la capitale de la France une basilique digne de la foi qui animait la ville et de l'importance qu'elle prenait au centre du monde occidental. Elle était le noyau de feu d'une étoile qui rayonnait aux quatre coins de la chrétienté. Sans désavouer trop violemment Pierre le Chantre, il prenait le parti de Barbedor et de maître Jean, mais ce diable de chanoine faisait un tel tapage qu'il avait fini par s'attirer de solides sympathies.

Maître Jean se retira encore tout animé de la colère qu'il s'était refusé à laisser éclater. Il écarta sans un mot Richard qui travaillait au compas sur un module de fleuron selon ses indications et se dit que le chanoine Pierre n'était jamais allé aussi loin dans l'invective. La misère du peuple… Jean la connaissait. Il y avait baigné dans sa jeunesse, à Chelles, et il n'y était jamais resté indifférent. Ces colonnes d'affamés qui se pressaient aux portes des bourgeois généreux, il s'y était heurté dans toutes les grandes villes d'Europe et chaque fois le spectacle lui serrait le cœur et il avait souvent partagé son pain avec eux. Il avait beau se répéter qu'il n'était pas responsable de cette misère, il ne pouvait effacer en lui ce sentiment de connivence involontaire avec les puissances tutélaires qui faisaient de la marche du monde une course impitoyable où les plus forts bousculaient et écrasaient les canards boiteux. Aurait-il eu le souci de freiner cette force aveugle qui le poussait en avant, de tendre la main à ceux qui le suivaient, qu'il ne l'aurait pu. On ne résiste pas à la fortune quand elle vous fait sa cour, à moins d'être un saint. De tels scrupules demeuraient affaire de conscience et ne sortaient du nid douillet que le temps d'une aumône. Il est vraiment trop facile de se justifier avec d'aussi bonnes raisons.

Barbedor, dont il s'était fait un ami, lui avait dit un jour :

— Croyez-vous que je n'aie pas moi-même ce genre de scrupules ? Mais que deviendrait une société où les valeurs s'immoleraient sur l'autel du repentir, où les puissances qui nous poussent vers la lumière seraient sacrifiées à tout ce qui freine son ascension ? Il y aura toujours des pauvres mais nous nous consolons, nous, les favorisés, en songeant qu'ils auront leur place en paradis alors que bien des riches feront le pied de grue aux portes de saint Pierre.

Il avait ajouté :

— Vous êtes l'élu appelé au grand œuvre non pour votre satisfaction et celle de quelques privilégiés mais pour le bien de tous. Notre cathédrale sera le refuge des pauvres aussi bien que des riches et personne n'en sera exclu. Les hommes passent mais leur œuvre demeure et c'est cela qui les rapproche de Dieu.

Les gants blancs, la baguette et le compas, insignes de son autorité, maître Jean avait eu parfois, en regardant les mains saignantes des tailleurs de pierre, celles brûlées par la chaux des maçons, les yeux purulents des carriers, envie de les jeter à la boue. Il ne l'avait pas fait et il avait de bonnes raisons : cela n'aurait servi à rien ni à personne, et surtout pas aux pauvres.

Jean et Sybille se retrouvèrent à Saint-Denis-du-Pas un jour de grosse pluie.

Recouverts de toile à sac, les manœuvres achevaient la destruction à coups de pic d'une partie de la muraille romaine qui entourait l'Île de la Cité afin d'en prélever les pierres qui, mélangées à de la chaux, à des pièces de bois et des chaînages, constitueraient les blocages entre les parements.

Sybille se tenait près d'Havoise, adossée à un pilier du chœur, dans une pénombre qui annonçait l'angelus. Il s'avança derrière elles et attendit. Un prêtre traversa le transept, s'agenouilla, disparut en marmonnant. L'église était déserte, hormis des groupes de gueux qui somnolaient et des malades couchés sur des paillasses, qui, depuis des jours, attendaient une guérison miraculeuse.

Avec ses cheveux relevés en tresse autour de son front bombé, Sybille dégageait une grâce touchante. Entre les cheveux et la capuche quelques boucles frisottaient sur la nuque d'une blancheur de lait. Qu'une femme peut être émouvante, surprise ainsi, vulnérable, abandonnée, livrée ! Il ne l'avait jamais vue ainsi et souhaita qu'elle ne se retournât pas d'un moment. Elle hésitait. À plusieurs reprises son regard se porta à droite et à gauche. La ligne aiguë du nez répondait à celle des lèvres entrouvertes. Havoise lui avait signalé la présence de Jean, mais Sybille hésitait encore à se retourner comme si elle prenait plaisir à se laisser admirer.

Jean fit demi-tour et regagna le chantier, bouleversé. La nuit suivante, il s'abstint d'aller chez les filles. La journée fut longue. Il guetta le passage des deux femmes à l'heure habituelle et se chercha de bonnes raisons de ne pas s'absenter du chantier. On commençait à démonter les échafaudages et à recouvrir de paille et de fumier les assises à vif. Puis il se décida brusquement et confia la surveillance des travaux à Richard de Meaux.

Sybille se trouvait à la même place. Elle prit la main d'Havoise et Jean crut qu'elle allait se retirer mais elle se plaça derrière lui, assez près pour se faire entendre d'un murmure. Elle lui dit des choses désagréables, le traitant de pleutre, de vaniteux, d'ambitieux. Il ne répondit rien, ne se retourna même pas. La voix de Sybille l'enveloppait plus qu'elle ne le blessait et même cette colère lui faisait du bien. Aucune femme ne lui avait jamais parlé ainsi. Elle lui jeta :

— Sois demain ici, à la même heure !

Il était là avant l'heure prévue. Personne. Au gueux qui s'avançait en rampant comme un crapaud, traînant ses jambes mortes derrière lui, il fit l'aumône. Le temps se figea. Sur le chantier de démolition des manœuvres s'injuriaient. Sybille ne viendrait pas ; elle s'était moquée de lui. En songeant qu'il ne la verrait pas non plus le lendemain, qui était le dimanche du Christ-Roi, il eut un moment de désespoir.

Le lundi suivant elle lui avoua qu'elle avait souhaité l'éprouver

— Tu as gagné, dit-il. Toi et moi, nous allons être très malheureux. Où est Havoise ?

— Sous le porche. J'ai voulu être seule avec toi. Ce que je t'ai dit l'autre jour, oublie-le. Si je me montre coléreuse et vulgaire, c'est parce que je suis atrocement jalouse : de tout et de tous, des murs qui t'abritent, des objets que tu touches, de tes amis, de tes putains, de ceux qui vont t'accompagner dans ce voyage en Languedoc.

Elle ajouta d'une voix suppliante :

— Je t'en conjure : ne pars pas.

Il lui prit la main.

— Tu es folle ! Il faut que je parte. J'ai des engagements à honorer et je supporterais très mal un hiver à Paris.

— Alors écris-moi. Sans nouvelles de toi, je mourrai.

Elle lui glissa un billet dans la ceinture, lui embrassa les mains.

— Je te retrouverai chez toi demain soir. Il me sera facile de m'absenter. Du Port-Landry à la rue de la Licorne, le trajet n'est pas important et le quartier est paisible. Tu m'attendras, dis ?

Il sentit ses jambes mollir sous le coup d'un vertige. Il aurait voulu la retenir, lui dire que c'était impossible, mais elle était déjà partie. Décidément elle était plus folle encore qu'il ne pensait. Comment lui faire savoir qu'il ne serait pas au rendez-vous ?

Le reste de la soirée, il déambula autour de la demeure des Thibaud, du moulin sur la Seine au petit port où se prélassaient sous la pluie les chalands marqués du cygne qui semblaient faire leur cour à une jolie kogge hanséatique aux voiles rouges qui sentait encore le hareng. Il resta là jusqu'à la nuit, écoutant jouer un groupe de ménétriers sur l'autre rive, en place de Grève. « Je ne rentrerai pas chez moi demain soir, se dit-il. Elle trouvera porte close. De quel droit me fixe-t-elle des rendez-vous, cette... »

Il jeta le billet à la Seine et rentra directement rue de la Licorne. L'appartement était froid et gris. La nuit y tassait des haillons dans les coins. Il alluma des chandelles, entreprit de faire du feu, effectua quelque rangement et changea ses draps. Dans le poêle qui commençait à ronfler, il jeta un ruban de cheveux, cadeau d'une fille, puis il vérifia la propreté du parquet et des meubles. Il savait que Sybille avait horreur de la saleté.

LIVRE III

L'immense vaisseau de la cathédrale se dégage d'une nuit de glaise froide, prend possession de l'espace gagné sur le vieux sanctuaire et les demeures du peuple et des bourgeois. Il semble que cette place lui ait été concédée pour l'éternité et que nul ne viendra jamais la lui contester. L'architecture découpe le ciel en ogives, balaie l'espace d'alentour d'ombres colossales, domine déjà de sa puissance et de sa majesté les douze autres lieux saints de la Cité et même le Palais du roi. Lorsque l'on porte le regard vers le sommet de ce squelette de pierre et de bois on ne peut se défendre d'une impression de défi. Dieu, c'est vrai, n'en demandait pas tant, lui dont le Fils est né dans une étable et a passé son enfance dans l'atelier d'un charpentier. Ne va-t-il pas punir ce mouvement d'orgueil en ébranlant comme Samson les colonnes de sa maison ? Est-ce raisonnable de pousser la hardiesse jusqu'au point ultime où Dieu pourrait toucher la main qui se tend vers lui ? La cathédrale prend possession d'un espace encore peuplé de peurs ancestrales qu'elle domine, qu'elle écrase, qu'elle nie. Elle témoigne de l'audace de l'homme qui ose regarder Dieu en face, refuse de ployer la tête dans la prière sous les voûtes en berceau des époques révolues, écarte les murailles aveugles et pesantes, cherche la voie de la lumière qui le conduira à la vérité. Dieu est évidence et cette évidence, à quoi bon jouer à la dissimuler comme on l'a fait pendant des siècles, à la confiner, à la nier en posant entre Dieu et l'homme ces lourds appareils de pierre, de nuit et de silence ? L'homme des temps nouveaux au contraire nie la pierre, mensonge nécessaire dont il n'use qu'avec circonspection. S'il pouvait s'en passer, il le ferait. S'il lui était possible de construire une cathédrale qui soit une bulle d'air irisé il n'hésiterait pas. Cet homme est amoureux de la transparence, de la lumière, de la couleur, des musiques et des chants amplifiés par un espace sans limite. Amoureux de la vie. Épris de Dieu comme on l'est d'une femme. Il dialogue avec Lui, Le tutoie, Le brocarde avec tendresse, refuse la peur de la main-foudre et de la voix-tonnerre. En se libérant de la terreur ancestrale, il libère Dieu de ses obligations punitives. Dieu est toujours le Père, mais on Le loge dans une maison si belle, si vaste, si haute que le fouet lui tombera des mains. L'homme des cathédrales lui dit : « Père, la voici, Ta maison ! Pour l'édifier nous avons saigné, nous avons passé des nuits blanches et des jours difficiles. Nous sommes allés jusqu'au bout de nous-mêmes, jusqu'à ce mur de verre au-delà duquel commence le domaine interdit, celui auquel nul homme n'aura jamais accès : celui de l'impossible. On a beau tenter de T'imaginer à travers des dimensions exceptionnelles, des audaces folles, toute œuvre qui T'est consacrée demeure dérisoire. Nous n'avons à Te présenter que le brouillon d'un enfant stupide. Sans Ton indulgence, sans Ta clémence, nous renoncerions à poursuivre cette œuvre indigne de Toi, nous ririons de nos prétentions, nous détruirions ce que nous avons entrepris, nous renoncerions même à vivre. Cette maison elle n'est belle, vaste, haute qu'aux yeux des hommes, mais les hommes sont Tes créatures et la frontière transparente que Tu as assignée à nos ambitions est, demeure et sera dans l'éternité le signe de nos limites.

1

BOURGEOIS DE PARIS

Parfois, par la rue Neuve, on voyait déambuler un cortège scintillant au soleil ou sous la pluie comme une pêche répandue sur la grève. Le roi Louis VII était en promenade.

Entouré de ses gardes, le souverain reposait dans une litière encourtinée d'où seul dépassait un visage pâlot et grêle, coiffé d'un bonnet rouge, et deux mains accrochées à la bordure de velours. Aux environs de la cinquantaine, c'était déjà un vieillard. Le peuple l'avait si longtemps surnommé « Louis le cocu » qu'il semblait lui en être resté, même longtemps après son divorce d'avec la reine Aliénor, des traces sur le visage et dans son comportement. L'âge et les fatigues des chevauchées contre son vieil ennemi Henri Plantagenêt, roi d'Angleterre, lui pesait aux épaules et lui plantait des couteaux dans les reins. On l'avait vu quelques années auparavant, ce roi-moine, pleurer devant les autels de Paris, bras écartés, à genoux, implorant Dieu que sa nouvelle épouse, Adèle de Champagne, lui donnât un fils. L'enfant l'attendait au terme de ce désert de larmes ; on le prénomma Philippe et, comme il était né au mois d'août, on lui donnerait plus tard le surnom d'Auguste.

On aidait le roi à descendre de sa litière. On le conduisait jusqu'au cœur vivant du chantier en le tenant sous les aisselles. Le regard de ses yeux rouges ne laissait rien au hasard ; il hochait la tête, réunissait autour de lui l'évêque Maurice, Gautier Barbedor, une partie du Chapitre et tenait conseil en plein air, assis sur une pierre. Il s'informait de la marche des travaux, de l'état des finances, promettant une aide supplémentaire, demandant à s'entretenir avec le maître d'œuvre et l'écoutant avec respect comme il écoutait jadis son ministre Suger lui parler de la reconstruction de Saint-Denis.

Parfois le roi se retournait vers un humble clerc au visage féminin qu'il appelait familièrement « mon cher Thomas » pour lui demander avis et Thomas Becket, chassé d'Angleterre à la suite de son différend avec le roi, ne cachait pas son admiration.

Un jour, le roi dit à maître Jean :

— Qui est ce bel enfant qui ne vous quitte pas ? Il semble fort éveillé.

— C'est mon apprenti et, si j'ose dire, mon élève, sire. Il se nomme Vincent Pasquier. Il passera sa maîtrise sans tarder.

Maître Jean fit signe à Vincent d'avancer et une expression d'affolement passa sur le visage de l'apprenti. Il s'agenouilla. On le pria de se relever. Le roi parlait si doucement qu'il fallait tendre l'oreille. Derrière lui, un clerc traduisait par le geste et la parole. De ce brouillon de mots, Vincent ne retint que peu de chose, si ce n'est, sur la fin, le mot « cœur » ou « chœur »...

— Sa Majesté, dit le clerc, compte sur vous pour hâter les travaux. Il souhaite ne pas mourir avant la consécration du chœur.

— Il faut savoir choisir, dit maître Jean. Tes amours avec ta jolie veuve n'ont rien pour me déplaire mais elle prend trop de ton temps et de tes forces. Les nuits que vous passez ensemble tu devrais en retrancher une bonne part pour travailler. La chambre des traits t'est désormais ouverte de jour et de nuit. C'est une faveur enviable dont tu ne sais pas profiter. Je n'aime pas ces yeux battus, ces traits tirés, cette allure trébuchante du petit matin. Si tu refuses de te donner davantage à l'œuvre, mieux vaut renoncer et revenir vendre des oublies sur le Grand-Pont.

La semonce porta ses fruits.

Sa journée terminée, toilette faite, Vincent allait prendre un peu de distraction avec des écoliers qui se tenaient en groupes sur le Grand-Pont, au-dessus de l'arche maîtresse dite « Faute du Pont » parce qu'elle n'était pas surmontée de bâtiments de commerce et d'habitation et qu'on y avait une belle vue sur la batellerie du fleuve et les moulins. Il s'y distrayait et y apprenait certaines manières de s'exprimer avec quelques notions fragmentaires de philosophie, de latin ou de théologie lorsque les discussions prenaient un tour sérieux.

À la nuit tombante, il retournait sur le chantier avec dans la poche un morceau de pain et de fromage. D'un petit coffre que maître Jean lui avait affecté, il sortait ses liasses, ses plaquettes de cire, ses mines et ses stylets, son compas et son équerre et se mettait au travail à la lumière d'une chandelle.

Percés certains mystères, il avançait dans une clarté éblouissante. Il avait mis longtemps à comprendre l'avantage de la construction des voûtes en croisée d'ogives sur la voûte romane traditionnelle qui faisait peser sur les fidèles une ombre et un silence de crypte.

— C'est la grande découverte de notre temps, lui disait maître Jean. Jadis on construisait lourd et bas. La voûte s'appuyant sur les murs interdisait tout élan qui eût fait s'écarter les parois, aussi puissantes et contrebutées soient-elles. La croisée d'ogives, elle, fait porter cette poussée sur les colonnes, les piliers et les fondations. C'est ainsi que nous pourrions presque nous passer des murs et que nous y aménageons autant d'ouvertures qu'il nous convient. Désormais nous pouvons presque bâtir aussi haut que nous le souhaitons. N'en déplaise à Pierre le Chantre, nous voulons pour l'homme de demain des cathédrales lumineuses, des édifices qui respirent et exaltent la prière au lieu de l'étouffer. Comment un tel choix pourrait-il déplaire à Dieu ?

Il avait assisté à la consécration du chœur de la cathédrale de Senlis et en était revenu ébloui et désespéré. Ferait-on mieux ou même aussi bien ? Lorsqu'il parlait de ce gigantesque vaisseau de pierre où les murs semblaient transparents et la lumière éthérée, il était comme ivre.

Tard dans la soirée, Vincent rangeait ses esquisses dans son coffre, soufflait la chandelle, laissait se refermer sur lui l'ombre et le silence, les yeux clos sur une danse phosphorescente, la tête sonore d'une sarabande de formes et de chiffres.

Un soir, sur le coup d'une illumination, alors que la fatigue l'avait presque plongé dans le sommeil, il avait vu s'ériger une gigantesque colonne de lumière dont la base reposait sur un nœud de serpents. Il avait vu dans cette image la victoire de Dieu sur les puissances occultes de la terre. Reprenant son stylet, il avait tracé ce motif sur une plaque de cire. On y voyait des serpents au corps épais entourant le tore du dernier tambour sur ses quatre côtés. Le lendemain, il soumettait son esquisse à maître Jean.

— Où as-tu pris cette idée ?

— Elle m'est venue comme dans un rêve.

— C'est une très bonne idée. Fais-en un dessin complet.

Vincent avait fait mieux. Il avait modelé un motif en plâtre. Les serpents semblaient vivre encore et souffrir, prisonniers de la pierre qui les écrasait. Il lui semblait en les contemplant que quelque chose souffrait et mourait en lui.

Jeanne Bigue était dans sa splendeur.

La maturité, une certaine opulence de chair lui donnaient du fruit. Il semblait couler d'elle, même lorsqu'elle jouait à se mettre en colère, des épaisseurs de miel. Il lui était venu un sentiment de vanité ; elle préférait se laisser aimer qu'aimer elle-même. Elle ne boudait pas son plaisir mais veillait surtout à la perfection pour son partenaire. Elle avait des langueurs de chatte sans les brusques détentes et les imprévisibles coups de griffes. « Je te préférais avant », lui disait Vincent. Elle regardait avec curiosité ce garçon, presque un homme déjà, très beau avec ses cheveux raides mais épais, son visage aigu liséré d'une barbe légère, ses épaules encore raides et maigres, ses cuisses longues. Elle ne répondait rien — elle ne se souvenait pas comment elle était — et se demandait pourquoi Vincent partageait toujours son lit : ce n'était pas un amant exceptionnel ; il était jaloux ou feignait de l'être ; il parlait peu.

Sa « jolie veuve », il avait failli à plusieurs reprises renoncer à elle mais il en récoltait tant d'avantages qu'il avait changé d'idée. Certes, il la trouvait sotte, maternelle, agaçante avec cette manie de mêler les sentiments à leurs ébats, molle comme un fruit et fondante comme une cire entre ses bras avec des odeurs qu'il supportait mal, mais comment renoncer aux repas qu'elle lui servait, aux pièces qu'elle glissait dans sa ceinture, à l'invite de cette porte toujours ouverte ?

Elle était curieuse de tout. Le moindre événement du chantier l'intéressait. Pourquoi avait-on licencié ce forgeron ? Comment maître Jean avait-il pu remplacer les deux cagots qui avaient déserté le chantier après une dispute avec les maçons ? Avait-on commencé la pose des lames de plomb sur la charpente ? Était-il vrai que Thomas Becket s'apprêtait à retourner en Angleterre affronter le roi ?

— Où en sont les amours de maître Jean et de Sybille ?

Jean... Sybille... On ne les voyait jamais ensemble. Au vide de leurs relations, on suppléait par des hypothèses et Jean ne se livrait pas. Vincent les savait épris l'un de l'autre, surtout depuis le retour du maître d'œuvre de son chantier du Languedoc. Quand se voyaient-ils ? Où avaient lieu leurs rendez-vous ? Autant de mystères.

Ces mystères, maître Thibaud semblait s'en accommoder après avoir vainement tenté de ramener sa fille à la raison. Il avait d'autres chats à fouetter.

Depuis deux ans, il avait renoncé à sa censive ecclésiastique du Clos-de-Thiron, à ses rendez-vous avec sa vigne et son jardin, ce qui lui avait été pénible. Il se consolait en se disant qu'il aurait dû, de toute manière, abandonner ce domaine pour laisser la place aux nouveaux quartiers que le roi souhaitait voir construire sur la rive gauche. La Cité commençait à éclater ; artisans et commerçants désertaient ses ruelles sombres et puantes, le remue-ménage des chantiers, pour s'installer sur la rive droite, autour de Saint-Jacques et des Champeaux, la rive gauche restant un espace rural avec ses deux bourgs étalés autour de Saint-Germain-des-Prés et de Sainte-Geneviève.

L'aventure de la rive droite tentait maître Pierre. La quarantaine proche il se sentait une âme de pionnier. Il avait lancé une troupe de défricheurs dans les ronciers et les bourbiers d'un terrain qu'il avait acquis des moines de Thiron, au-delà de la vieille enceinte du nord et du cimetière Saint-Jean, proche de l'antique porte Baudoyer.

C'était la pleine campagne et cela lui convenait. Il flânait volontiers sous les saules et les peupliers qu'il avait épargnés, regardait les grenouilles sauter dans les dernières mares et des renards courir dans les herbes jaunes de l'été. Il apprivoisait l'espace, le morcelait. Là serait sa maison, plus vaste, plus belle que celle de Port-Landry (le « Fumier-Landry » comme on disait) ; là son jardin ; plus loin ses entrepôts, près du fleuve. Il tracerait ici un chemin ; là une rue autour de laquelle s'agglutineraient des maisons d'habitation. Il avait cessé de rêver au titre de Thibaud du Clos mais parlait déjà du Clos-Thibaud ou — plus ambitieusement — du Bourg-Thibaud.

Il avait rénové sa flottille et l'avait augmentée de quelques unités. Ses embarcations remontaient jusqu'à Rouen et à l'estuaire, en revenaient avec des cargaisons de sel, de harengs, de laines anglaises. D'autres ramenaient au Port-Landry des vins de Bourgogne et des bois du Morvan. Dans la hanse de Paris, Thibaud faisait figure honorable. Le roi l'avait invité à l'occasion de la naissance du prince Philippe.

À l'essor de ses affaires la paix de son foyer aurait dû faire un écho harmonieux.

La dame Bernarde avait cessé de lui donner des enfants, ce dont il ne souffrait guère, sa descendance était assurée. Un garçon lui était né trois ans après le début du chantier de Notre-Dame. Pour remercier la

Providence qui le comblait, maître Pierre avait fait don d'un cens annuel de quatre sous sur une maison qu'il avait acquise derrière la synagogue, au bénéfice des lépreux de Saint-Lazare. Depuis longtemps, sa fille Sybille avait cessé de rêver du ladre rouge mais elle lui donnait d'autres soucis. Interrogée sur ses rapports avec le maître d'œuvre, elle se repliait dans un silence têtu et niait jusqu'à l'évidence. Maître Pierre avait beau se répéter que « cela passerait comme une coqueluche », cela ne passait pas. Sybille se dérobait lorsqu'on faisait allusion à son mariage. Elle n'était occupée que de cette ombre vivante dont on ne parlait qu'à demi-mots et qui tournait au-dessus de la maison comme une nuée d'orage.

L'atmosphère sur le chantier de Notre-Dame était toujours aussi tendue.

Les maçons et les tailleurs de pierre accusaient les cagots de tous les maux qui survenaient : un échaufaudage rompu, une pierre qui dégringolait, un bac de mortier qui prenait mal, un accident, un vol, tout était prétexte à les accuser de porter le mauvais œil.

L'*operarius* Richard surenchérissait auprès du maître d'œuvre :

— Pensez ce que vous voulez, maître : depuis que ces « pédauques » sont arrivés, les ennuis se multiplient et l'ouvrage n'avance pas comme il devrait. Pourquoi ne pas leur donner congé ? Il ne manque pas de bons charpentiers dans Paris.

— Ceux-là sont les meilleurs et je ne crois pas aux fables qu'on colporte à leur sujet. D'ailleurs l'évêque n'accepterait pas qu'on les renvoie. Il est plus tolérant et moins superstitieux que toi !

Rien n'aurait pu décider Richard à changer d'avis. Certes, les compagnons de Rastro n'étaient guère différents des autres travailleurs, mais ils avaient des comportements insolites : leur manie de communiquer en sifflant comme des merles, les séances de copulation collective auxquelles ils se livraient, sans compter l'onanisme et la sorcellerie. Maître Jean ignorait-il qu'ils faisaient pourrir les fruits rien qu'au toucher, que l'herbe qu'ils piétinaient ne repoussait pas, qu'il se dégageait de leur loge des odeurs repoussantes ?

C'était au tour de maître Jean de hausser les épaules. Il n'avait rien observé de tel, hormis les sifflements modulés, mais un dilemme s'imposait : accepter cet état de fait ou renvoyer les « pédauques ». Pour combler les vides laissés par des cagots écœurés par certaines brimades, il avait embauché des charpentiers à la louée mais les hommes de Rastro avaient menacé de déserter en bloc le chantier.

L'intervention sévère de l'évêque avait ramené une paix précaire.

Richard se contentait de les mépriser ; il n'en était pas de même des autres.

Un certain Rigal, ancien corroyeur de la rue Troussevache, employé comme manœuvre, s'était fait le champion des mécontents. Un jour où il avait glissé sur un plan incliné en laissant choir l'auge de mortier qu'il portait à l'épaule, on lui avait glissé à l'oreille :

— Tu devrais corriger ce bougre qui te regardait d'un drôle d'œil.

Rigal s'était fait désigner le « bougre » en question : un adolescent affecté de strabisme. Il lui avait fait signe d'approcher et ne s'était pas contenté de lui tirer les oreilles : il les lui avait arrachées à coups de dents. Quelques jours plus tard on découvrit Rigal à l'ouverture du chantier le visage tuméfié, le corps zébré de coups de verges.

Maître Jean s'informa, mais renonça à élucider l'affaire. On lui fit comprendre qu'il n'avait pas à s'en occuper. Il eut peu après une nouvelle occasion d'intervenir.

Rigal n'attendait qu'une occasion de se venger. Un dimanche matin, pris de vin, il avait pénétré dans la loge des charpentiers alors que les cagots étaient Dieu sait où. Armé d'une hache, il avait rompu les aîtres après avoir tout mis en pièces, sans se soucier si cette sentine était aussi puante qu'on l'affirmait. La loge s'était affaissée sur lui et il avait eu bien du mal à s'en dépêtrer.

Le lendemain, arrivé le premier sur le chantier, Vincent avait constaté le désastre.

— Cette fois, dit Rastro, la coupe est pleine. Qu'on nous traite de « pédauques » à cause de cette patte d'oie que nous sommes obligés de porter, qu'on nous maudisse comme notre prétendu ancêtre, le Juif Ghézi, qu'on se détourne de nous en se bouchant le nez, passe encore : nous avons l'habitude. Mais qu'on cherche à attenter à notre existence et à nos biens, c'est plus que nous ne pouvons en supporter. Nous allons quitter Paris et retourner chez nous.

Les cagots paraissaient désespérés. Ils dégageaient les débris de leur loge, rassemblaient les objets et les outils. Certains pleuraient.

— Ici tout le monde nous déteste, nous méprise ou nous redoute. Toi-même, Vincent… Ne le nie pas !

La protestation de Vincent lui resta dans la gorge. Faire du tort à ces exclus lui paraissait odieux, mais il avait toujours évité, au temps où ils lui apprenaient le métier de charpentier — et Dieu sait qu'ils n'étaient pas avares de leurs connaissances ! — le contact de leurs mains et le souffle de leur haleine.

Rigal jeté dans la prison de l'évêque, Rastro avait accepté, au nom de ses compagnons, de rester jusqu'à l'automne. L'été se passa sans incident. Lorsque l'on amena à pleins tombereaux la paille et le fumier destinés à préserver les assises du gel, ils firent leurs bagages et repartirent vers le sud.

Ils précédaient de peu maître Jean qui allait se replonger dans ses garrigues.

2

LA CHAMBRE DES TRAITS

Plus il progressait dans le domaine de la connaissance, plus Vincent s'y sentait prisonnier. Elle l'aspirait et le dévorait. Il s'imaginait condamné à une quête perpétuelle que rien ne pourrait arrêter tant qu'il resterait sain de corps et d'esprit, avec en lui cette curiosité jamais satisfaite. Une découverte en amenait une autre. Le monde dans lequel il avait pénétré sur les traces du maître était un piège sans fond. Il croyait avoir atteint le terme ; ce n'était qu'un commencement.

Maître Jean lui avait dit avant de quitter Paris :

— Cette chambre des traits est ta maison. Tu y seras seul. Veille sur elle. Ne la laisse jamais ouverte derrière toi quand tu la quitteras. N'y introduis personne et n'en fais rien sortir.

Il lui avait tendu une clé d'argent.

— Je te la confie. Elle ouvre ce coffre que je n'ai encore ouvert devant personne. Tu y trouveras des écrits, des schémas, le fruit de mes observations et de mes déductions. Toute mon expérience, toutes mes connaissances sont là. Ne te laisse pas rebuter par l'aspect austère de ces documents. Ils te paraîtront obscurs au début mais tu verras petit à petit surgir la lumière si tu sais être patient et attentif.

Avant de s'éloigner avec ses deux chevaux, ses bagages et un valet qu'il avait loué pour la saison, il avait embrassé Vincent.

— J'ai confiance en toi. Lorsque je reviendrai il faut que je te trouve aussi savant qu'Adoniram, notre maître à tous.

Vincent titubait dans le jardin des symboles, ivre de cet encens de connaissance qui lui flattait les narines avant de le griser.

Chaque cathédrale que maître Jean avait visitée à travers l'Europe était un petit univers où toute science, toute religion étaient contenues. Il y avait lu comme dans un livre. Après avoir observé la cohérence de ces gigantesques monuments, il avait découvert que le moindre détail avait son importance. Il disait : « Montre-moi un simple élément d'une de ces cathédrales et je me fais fort de la situer, d'en donner l'ordonnance et les dimensions. » Il exagérait à peine.

Le nez sur les grimoires dans la lumière froide de l'hiver, les reins chauffés par le poêle abondamment alimenté avec les débris du chantier, Vincent jouait à reconstituer des vaisseaux géants à partir d'un détail. Il se trompait neuf fois sur dix mais quelle fête quand il tombait juste ! Les heures passaient. Les cloches sonnaient une heure tardive dans le ciel rosâtre. Du fleuve proche montaient les derniers appels des mariniers et les meuglements sourds des cornes de brume. De la loge des maçons venaient des chants incertains et des martellements de caroles.

Vincent allumait sa chandelle au poêle, ponçait un parchemin griffonné, mêlait un trait nouveau au palimpseste, dessinait une Vierge en veillant à ne la déhancher que juste ce qu'il fallait, dans l'attitude qu'il avait observée chez sa mère lorsqu'elle portait le petit Milon sur son bras. Pour que l'image fût réussie, il fallait qu'il sentît lui-même, physiquement, le poids de cet enfant, un tiraillement dans ses reins, la gêne de la cambrure. Il s'attachait ensuite à enfermer l'image dans un cercle ou dans les rayons d'une étoile jusqu'à ce qu'il eût atteint la perfection de l'équilibre.

Aux alentours de Noël, il entreprit de dessiner une cathédrale imaginaire, d'inventer de nouvelles proportions, de nouveaux styles de décoration. Il y travailla dans la fièvre durant plusieurs jours, de la règle et du compas, ne s'interrompant que pour manger et dormir. Il s'éveillait en sursaut pour noter un détail qui lui était venu durant son sommeil et se rendormait sur son croquis. Lorsqu'il entreprit de calculer la capacité de résistance de l'édifice à la poussée des voûtes, il suffoqua : ainsi construite sa cathédrale se fût écroulée à peine achevée malgré les contreforts coiffés de jolis pinacles dont il l'avait dotée. Il se dit que trop d'ambition mène à la folie.

Son trait, il en avait conscience, manquait de maîtrise. Il avait trop tendance à enjoliver au détriment de la vérité et de la rigueur.

Il ne se déplaçait jamais sans une liasse de feuillets achetés chez les parcheminiers, qu'il portait dans une poche de cuir attachée à sa ceinture. André Jacquemin s'émerveillait de cette nouvelle manie et s'extasiait sur les talents de son ami. Il le regardait crayonner un porteur d'eau, une servante d'auberge, un marchand de charbon avec son sac sur l'épaule, une fille plantée devant une boutique, un chien ou un ours apprivoisé.

— C'est très bien, disait André qui lui-même s'amusait à crayonner, mais ce qui te manque c'est la pleine maîtrise du trait. Avant de travailler sur le vif, inspire-toi de ceux qui t'ont précédé. Pourquoi ne pas aller visiter Chartres ?

L'idée plut à Vincent. Il s'était vu attribuer par le Chapitre, sur les instances de maître Jean, un modeste pécule qui lui suffisait pour vivre pendant le fermeture du chantier.

Il partit peu avant Noël, alors que la Fête des Fous s'apprêtait dans la vieille basilique Saint-Étienne. Il marcha dans la neige et la boue en compagnie de pèlerins qui se rendaient à Rocamadour et à Sainte-Foy de Conques. À Chartres, il vécut dans une sorte de délire, se ruina en parchemin, faillit mourir de froid dans une grange et contracta une forte fièvre.

Après la forêt de la connaissance, celle des symboles.

Vincent s'efforçait de rester en lisière, comme au seuil d'un sanctuaire interdit, résistant à l'attirance de ce monde fascinant où les dimensions, les formes, les images avaient un sens secret, perceptible aux seuls initiés. Au fur et à mesure qu'il hasardait ses pas dans ce monde mystérieux, se défaisait en lui un réseau de perceptions et de conceptions périmées. Il se sentait à la fois très vieux et soulevé par un élan de jeunesse. Le labyrinthe de Chartres, où il avait vu des pèlerins processionner à genoux, le hantait ; cet itinéraire initiatique constituait le fondement de tout un système où le moindre détail avait sa signification, était sujet à la loi des Nombres qui règle l'harmonie de l'univers, relie la terre au cosmos et l'homme à Dieu.

Maître Jean lui avait fait un cadeau redoutable. Il louait son initiateur et le maudissait, lui qui coulait des jours paisibles sur ses collines de lavande, dans ce pays cathare où bouillonnait l'hérésie.

Un jour de février, sans savoir comment ni pourquoi il se trouvait là, Vincent s'éveilla dans un décor inconnu. Barbedor se tenait à son chevet, un bol de tisane entre les mains. Derrière lui, se dressait un homme de haute taille.

— Monseigneur Maurice a tenu à te rendre visite, dit Barbedor. Quand nous t'avons recueilli dans la chambre des traits, tu étais raide de froid au point que nous avons cru que tu avais cessé de vivre. Nous t'avons fait transporter dans cette chambre de l'évêché où tu es resté longtemps à délirer. Qu'est-ce que c'est que cette histoire de « chiffres divins » et de « chiffres de la matière » dont tu nous a rebattu les oreilles ? Tu n'es pas un peu sorcier ? Tiens, bois.

L'évêque s'approcha du lit.

— Tu prends ton ouvrage trop à cœur, dit-il. La fatigue et les privations ont failli t'être fatales. Promets-moi d'être plus raisonnable à l'avenir et de ne pas t'enfermer dans la chambre des traits comme dans une cellule de dément à l'Hôtel-Dieu.

— La chambre des traits, balbutia Vincent, l'a-t-on fermée à clé ?

Barbedor sourit. Tout était en ordre et bien clos.

Vincent se sentait à l'aise comme dans un cocon de plume, la tête vide et légère, le goût du miel et de la tisane dans la gorge. On l'avait laissé seul avec un vieux chanoine tout mité assis sur un escabeau près de la porte, son capuchon sur le nez, les mains dans ses manches. Un brasero rougeoyait près du lit.

Il ne se souvenait décidément de rien. Qu'est-ce que Barbedor avait bien pu vouloir dire avec cette histoire de chiffres ? Avait-il vraiment frisé la folie ? Il s'endormit, s'éveilla pour uriner dans un seau que le vieux chanoine lui tendit au bord du lit. Le bruit d'une querelle montait du rez-de-chaussée. Il se rendormit, sursauta lorsqu'on lui toucha l'épaule. Il venait de rêver à maître Jean et se demanda si c'était lui. Lorsqu'il avait pénétré pour la dernière fois dans la chambre des traits, il restait un peu moins d'une semaine avant son retour. Il rouvrit les yeux. C'était bien lui.

— Vos clés, dit Vincent, elles sont dans ma ceinture. Tout est en ordre. J'ai beaucoup travaillé.

— Beaucoup trop. Barbedor m'a tout raconté. Jeune fou ! Tu n'apprendras donc jamais à te modérer ? Remets-toi vite car je vais avoir besoin de tes services.

Debout au bord du lit, il paraissait d'une taille prodigieuse. Le soleil des garrigues lui avait bruni le teint. Il avait raccourci sa barbe et coupé ses cheveux qui passaient à petits flocons sous le bonnet. Il sentait la pluie.

— Ta jolie veuve te réclame, dit-il. Elle est venue tout à l'heure sur le chantier, criant qu'on te séquestrait mais qu'elle saurait bien te retrouver. Quelqu'un d'autre est venu ce matin, un Juif nommé Ezra. Il prétend que tu as croqué sa fille, Jacoba, devant une boutique, rue de la Juiverie. Il aimerait acheter cette esquisse. La fille était belle ?

Vincent sourit. Ce n'était qu'une adolescente mais avec des yeux noirs très vifs. Pas très belle, non…

— Les clés de la chambre des traits, ajouta maître Jean, je les ai retrouvées dans ta ceinture. J'ai feuilleté tes esquisses. Si je comprends bien, tu veux réinventer le monde ?

3

LA PIERRE CRIE

L'enfant n'était pas malheureux. Maître Thibaud le traitait comme ceux qu'il avait eus de dame Bernarde et de ses servantes, sans faire de différence, du moins dans son comportement, et il avait exigé que tous fissent de même.

C'était un garçon. On l'avait prénommé Robin, comme le père de maître Pierre. La ventrière avait peiné pour l'arracher à la mère, car Sybille était étroite et contractée comme si elle avait voulu garder son fruit pour elle et mourir avec lui. On avait donné à la femme une somme double de ses appointements afin qu'elle gardât le silence.

Robin avait été ondoyé au baptistère de Saint-Jean-le-Rond, en secret, aux aurores et, là encore, il avait fallu graisser la patte au prêtre et au bedeau.

L'orage qui était passé sur la maison de Port-Landry y avait laissé une atmosphère de cendre. L'harmonie qui donnait l'image d'une sorte de bonheur semblait révolue. Maître Pierre s'était enfermé dans une solitude cimentée de longs silences. Quand il avait appris la liaison de sa fille avec le maître d'œuvre et surtout lorsque Sybille s'était enfuie pour rejoindre son amant, grosse de plusieurs mois, lui si calme il avait éclaté. Après s'être renseigné de l'endroit où se trouvait le suborneur, il avait pris la route et avait rattrapé sa fille peu après Limoges, dans une auberge, délestée de son argent, de ses bijoux et de sa mule. Il avait tant ruminé sa colère à l'aller qu'il ne lui restait au retour qu'une grosse boule d'amertume sur le cœur. Il n'avait pas un mot pour elle, pas un geste de tendresse. Il chevauchait devant, les épaules voûtées, tenant, accrochée au pommeau de sa selle, la bride de la mule qu'il avait achetée à Limoges pour le retour, comme s'il redoutait que Sybille s'échappât de nouveau.

Tout l'hiver, elle resta cloîtrée. On lui permettait seulement des promenades dans le jardin. Elle brodait interminablement. Sa vue se brouilla, son teint se ternit. Parfois Havoise la voyait se détendre en arrière pour décontracter ses reins et rester la tête levée vers le plafond, bouche ouverte comme pour mieux jouir d'une pluie fraîche de souvenirs.

Elle et Jean, ils s'étaient aimés pendant quatre ans. Quatre printemps, quatre étés, quatre automnes. L'hiver venu, elle le regardait partir sans angoisse sachant qu'il reviendrait. Dans son sommeil, elle l'imaginait perdu dans ces terres mystérieuses du Sud qu'elle ne parvenait pas à imaginer, elle qui n'avait jamais quitté Paris ; on les disait infectées d'une de ces hérésies purulentes qui gangrènent parfois le flanc blessé de l'Église. De temps à autre, elle voyait reparaître le ladre rouge de ses cauchemars d'enfant.

Le chantier réorganisé, la grande ruche de nouveau bourdonnante, maître Jean s'inquiéta. Sybille aurait dû lui faire parvenir un billet, envoyer Havoise aux nouvelles.

Le troisième jour après son retour, il alla flâner avec Vincent au Port-Landry où les peupliers commençaient à verdir. Vincent s'amusait de ce manège mais n'en montrait rien, trop heureux de la promesse que lui avait faite son ami de l'amener avec lui l'hiver suivant pour une campagne de travaux de restauration à Maguelonne.

Le lendemain, maître Jean reçut la viste d'Havoise. Elle paraissait folle d'inquiétude.

— Que s'est-il passé, Havoise ?

— Un malheur, monsieur. Voici un billet qui vous dira tout.

Maître Jean eut du mal à reconnaître l'écriture de Sybille dans ce brouillon griffonné au dos d'un effet de commerce périmé et s'y prit à deux fois pour en dégager le sens. Il apprit que Sybille lui avait donné un enfant, qu'elle n'avait pas cessé de l'aimer et de l'attendre, qu'elle souhaitait le revoir sans tarder. Mais comment y parvenir ?

Maître Jean fut pris comme d'un vertige. Il ne s'était jamais senti aussi indifférent, comme si cette passion concernait quelqu'un d'autre. Ils s'étaient aimés quatre années durant. Pour elle, il avait transgressé les décrets du Chapitre et pratiqué un concubinage discret mais notoire. Et pourtant c'était un sentiment qui résistait mal à l'absence.

À chacun de ses départs, il devinait qu'il l'aimait moins qu'auparavant ; à chacun de ses retours, c'était une certitude.

Il imaginait volontiers l'amour de Sybille comme une magnifique voûte d'ogive hardiment lancée dans le ciel mais qui, sans piliers pour la soutenir, paraissait flotter dans les nuages. Il se reprochait cette indifférence, mais qu'y pouvait-il ? On ne force ni sa nature ni ses sentiments. Il était bien contraint de s'avouer que, s'il était allé rôder à Port-Landry, c'était par curiosité plus que par amour. S'il n'y avait pas eu cet enfant, il aurait renoncé à Sybille tôt ou tard.

— C'est un bel enfant, dit Havoise. Et précoce. Il avait des cheveux à sa naissance et même une dent qui perçait.

Il aurait aimé le voir. C'était impossible. Havoise le lui affirma en notant qu'il n'avait pas eu un mot pour Sybille. Elle dit :

— Ma maîtresse se ronge de vous savoir si près d'elle et ne pouvoir vous rencontrer. Et vous qui faites comme si elle n'existait pas !

— Que puis-je faire ?

— Parler à maître Thibaud. Il ne fera pas d'esclandre, car il est trop occupé de son chagrin pour éprouver de la colère contre vous.

Maître Jean frémit. Parler à maître Thibaud, c'était, implicitement accepter l'idée du mariage. Il ne pouvait s'y résoudre. À sa faute — son concubinage — s'ajoutait la crainte d'une erreur : le mariage était incompatible avec son état.

— J'irai voir maître Thibaud, finit-il par répondre à contrecœur, mais auparavant j'ai besoin de réfléchir.

Vincent aimait ces matinées de printemps, lorsque l'aube vient à peine de déserter le ciel derrière les peupliers rabougris du Terrain. Les senteurs froides des jardins de chanoines se donnaient rendez-vous sur le chantier.

On trouvait encore le matin des pellicules de glace sur les réserves d'eau et les pas faisaient craquer la terre gelée. Le chantier s'éveillait lentement, évacuait les rêves et les fantômes dont on avait découvert les images dans les fondations. Les premières chaleurs tombèrent du ciel à grands souffles à travers des rémiges de lumière et de fumée. La joie gagnait les compagnons. Il suffisait que l'un d'eux, sur son échafaudage, tel autre dans sa loge, se mît à plaisanter, à chanter, à brocarder un chanoine ou un sergent du Chapitre pour que la bonne humeur et l'entrain gagnent tout le chantier, même la loge des forgerons qui passaient pourtant pour des êtres taciturnes.

Ce premier contact quotidien avec la pierre, Vincent l'avait souhaité et imaginé depuis son réveil. Ses mains gardaient encore la forme de l'outil et une pellicule de cal aux endroits qui étreignaient le plus étroitement le manche du maillet ou le ciseau de fer. À peine sortait-il de la maison canoniale de Hugues, de la chambre de Jeanne Bigue ou de celle des traits, qu'il avait déjà dans l'oreille le premier cri de la pierre.

Maître Jean lui avait dit :

— Bientôt tu reconnaîtras la qualité d'une pierre à son cri. Elles ont toutes leur manière de crier, de parler, de chanter selon leur nature et la façon dont tu les traites. Une pierre, tu peux la faire hurler de douleur ou gémir de plaisir. Si tu lui donnes beaucoup d'amour elle t'en remercieras. Traite-la avec maladresse ou mépris, elle se vengera.

Il raconta l'histoire de ce tailleur de pierre qui œuvrait sur un chantier de Toulouse : un ivrogne qui maltraitait souvent la matière qu'il travaillait, l'injuriant, lui crachant dessus. Un matin qu'il s'était montré particulièrement agressif, le chapiteau qu'il était en train de sculpter s'était ouvert comme une tranche de fromage mou. Le maître d'œuvre avait fait recouvrir d'un voile noir la pièce manquée puis, après l'avoir hissée sur un fardier, lui avait fait faire le tour du chantier, le tailleur de pierre attelé à elle, torse nu, fouetté au sang par ses compagnons. C'était la coutume.

— La pierre est vivante. Elle peut souffrir comme nous. Certaines regrettent de quitter leur lit où Dieu les a placées au commencement du monde. D'autres s'épanouissent à la lumière. Pour comprendre cela, Vincent, il faut des années d'apprentissage et d'amour.

Sur le chantier de Jeanne Bigue, à Montrouge, Vincent avait connu un maître carrier barbu et poilu comme un tronc d'arbre rongé de mousse et de lichen. Cet homme savait, malgré ses yeux malades et purulents, reconnaître au premier regard, au toucher, au choc, la qualité et les propriétés d'un bloc, estimer la profondeur d'un lit et quelle quantité de carreaux de telle et telle dimension on pourrait en extraire. Il avait appris à distinguer le « beau et franc liais de Paris » que l'on arrachait aux carrières de Montrouge pour les parements des blocs traîtres de Saint-Jacques qui avaient souvent mauvaise mine en sortant de leur lit. Sa règle d'or : pour éviter les tassements, il était nécessaire que les carreaux d'un ensemble fussent de même nature et de qualité identique. Il estimait de l'œil un banc dans sa hauteur et dans sa profondeur et, quand il disait : « Allez-y, les gars, il y en a en suffisance », on pouvait manier le pic, la pioche et le coin. Il manifestait une rigueur implacable quant aux dimensions imposées aux compagnons du passe-partout : huit pouces de parement de long, six d'épaisseurs, huit de lit… « Enlevez ! » Comme il avait eu très jeune les poumons et les yeux brûlés par la poussière, il se contentait de l'estime et du contrôle mais on pouvait lui faire confiance. Lorsque des pierres nobles arrivaient comme des princesses sur des chalands de Normandie — celles dont on ferait des colonnes et des piliers —, il était appelé en consultation et se montrait incorruptible.

Jeanne Bigue, qui payait l'ordinaire de ses compagnons à la toise — et fort mal, disait-on — avait pour ce vieux maître des révérences de propos et des générosités. Pour le Christ-Roi, elle lui donnait un muid de vin de ses vignes du Laas et, pour Noël et Pâques, trois chapons. Comme à un seigneur. Et c'en était un, d'une certaine manière.

Ce qu'il préférait, de la pierre, du bois ou de la forge où il avait fait un long séjour, Vincent eût été encore incapable de le dire.

Les cagots lui avaient inculqué pour le bois ce que le maître carrier lui avait enseigné pour la pierre et le forgeron les secrets du feu, tous avec la même passion. Maître Jean lui disait :

— Il n'est pas bon de te décider trop rapidement. Si le *famulus* que tu es veut devenir le maître d'œuvre que je suis, il est préférable que tu suives tous les chemins. Je commence à connaître ta nature : curieux de tout mais pas pour butiner à la légère et passionné pour tout ce que tu entreprends. J'aime bien ces serpents que tu as dessinés et modelés. À présent, tâche de trouver des motifs de fleurs et de feuilles pour nos chapiteaux. Mais pas n'importe quoi. Promène-toi dans les campagnes de Saint-Germain ou de Sainte-Geneviève, là où il y a du vert. Observe et reviens avec des croquis. Je ne veux pas que dans mille ans on puisse dire : « Drôle de sculpteur qui ne savait pas distinguer le frêne du hêtre ! »

4

L'ORME CRÈVE-CŒUR

Le lieu favori d'observation de Vincent se situait dans les parages de Saint-Marcel, sur la rive gauche.

Il partait tôt le matin, traversait des espaces de jardins couverts de rosée, où déjà bourdonnaient des abeilles, il regardait, par-dessus les palissades de bois et le fossé, se dresser dans la lumière du printemps l'abbaye de Sainte-Geneviève, s'arrêtait pour voir tourner les moulins sur la Butte-aux-Cailles ou sur le canal de Bièvre, en amont du quartier des tanneurs.

Le cloître de Saint-Marcel était à deux pas.

Proche de l'entrée, dans un joli décor de jardins et de vignes ecclésiastiques acensées à des bourgeois, se dressait un arbre connu sous le nom d'orme Crève-Cœur parce qu'il était le lieu de rendez-vous des amoureux et le témoin de bien des chagrins. Vincent faisait sa cueillette de plantes, les disposait sur une planche devant lui et, assis dans l'herbe, crayonnait à la mine sur des bouts de parchemin en y prenant beaucoup de plaisir.

Un matin, il se sentit observé par-dessus la palissade clôturant une censive de vigne et de potager où travaillait un vieil homme coiffé d'un chapeau de joncs verts. Il redressa la tête et surprit une crinière noire disparaissant sous un figuier. Il reprit ses études de feuilles, un œil sur son ouvrage et un autre sur le figuier quand il vit monter par une petite échelle à moitié dissimulée par les feuilles une sorte d'oriflamme rouge qui était une robe de fille. La demoiselle s'installa sur le dernier échelon, immobile et narquoise comme un chat haut perché et qui se sait hors d'atteinte. Elle avait de très beaux cheveux bruns qui jouaient librement sur ses épaules.

Soudain Vincent songea qu'il n'avait pas encore dessiné de feuille de figuier. Il lança à la fille :

— Dis, tu m'en donnes une ?

— Elles ne sont pas mûres.

— Je parle des feuilles. Une ou deux. Des grandes.

Elle lui en jeta tout un bouquet.

— Qu'est-ce que tu veux en faire ?

— Les dessiner pour la cathédrale Notre-Dame. Tu les verras peut-être un jour et tu penseras à moi.

Il ajouta en tapotant sa lèvre inférieure avec la mine :

— Je te connais. Tu es la fille de ce médecin juif qui habite la Petite-Madian : maître Ezra.

— C'est juste. Je te connais aussi. Tu m'as prise comme modèle, il y a longtemps, mais tu faisais comme si tu dessinais une potiche. Tu m'aurais jetée après usage si tu avais osé.

Il se souvint que maître Ezra lui avait fait demander le croquis. Il avait oublié et s'en excusa. Elle rit.

— C'est sans importance. Je ne suis pas très belle. Tu vois : tu m'avais oubliée.

C'était vrai. Elle était maigre, avec des traits un peu forts, un nez lourd mais d'admirables yeux noirs et une peau très blanche sous les cheveux d'un brun-bleuté de nuit d'août. Elle avait quatorze ans mais en paraissait seize. Elle serrait sous son aisselle un petit livre à couverture brunâtre en espérant sans doute qu'il lui demanderait ce qu'elle lisait. Il le lui demanda. C'étaient de petits fabliaux imités de l'antique. Elle en parla avec feu puis elle dit :

— Je m'appelle Jacoba. Et toi ?

— Vincent Pasquier. Qui est ce vieil homme dans le potager ?

— Mon père. Il est toujours fourré là dès qu'il a un moment. Quand il fait beau, je l'accompagne. Qu'est-ce que tu dessines à présent ?

Il se leva, lui tendit la feuille. Elle étouffa un rire. Il l'avait embellie. Il lui dit qu'elle pouvait garder ce portrait et elle le rangea dans son livre, fit de la main un signe pour dire à la fois merci et au revoir. De loin elle cria :

— Tu reviendras ?

Il ferma les yeux et garda sur sa rétine le feu de la robe rouge qui se fondait dans le soleil.

C'était l'année où Thomas Becket fut assassiné sur les marches de l'autel, à Canterbury, le crâne fracassé par les sbires du roi Henri d'Angleterre qui, depuis son divorce d'avec Aliénor, se vautrait dans le lit de Rosamonde. Ce meurtre avait tué le roi aussi, mais d'une mort plus insidieuse, qui mettrait des années à s'accomplir dans cet abîme de turpitude qu'était le Plantagenêt.

C'est cette même année que le roi Louis donna le monopole de la navigation fluviale sur la Seine, en amont de Paris et en aval de Mantes, à la ghilde des marchands de l'eau. Pour maître Thibaud ce fut un regain de richesse ; il quitta le « Fumier-Landry » pour la rive droite, en amont du Grand-Pont. Il n'était pas enclin à la réussite par une volonté de puissance comme la plupart de ses collègues de la hanse parisienne, mais par une sorte de fatalité qui semblait étrangère à lui-même, compensation involontaire aux malheurs qui accablaient sa maison.

Il se tenait sur la berge, près d'un commis qui comptait les barils de harengs déchargés par des débardeurs au torse nu. Une main dans le dos, l'autre en visière, les reins cambrés et le ventre en avant. Jean le regarda de loin, impressionné par le calme de cet homme frappé par l'adversité. Quand il se décida à l'aborder, il ne retrouva plus les belles phrases qu'il avait préparées.

— Vous avez bien tardé à venir, dit Thibaud.

— Pardonnez-moi, bredouilla Jean. Il ne m'a pas été facile de me décider.

Ils traversèrent des espaces de barils et de cordages et pénétrèrent dans une cabane ouverte largement sur le port, baignée d'une odeur composite de frets divers. Thibaud pria le commis qui griffonnait des paperasses d'aller veiller au transbordement et indiqua un siège à son visiteur, lui-même restant debout, tourné vers les navires amarrés, les mains dans le dos.

— Je suppose, dit-il sans perdre de sa sérénité, que vous ne venez pas simplement faire amende honorable. Quelles sont vos intentions ? Ne parlons pas d'« honneur bafoué », de « honte inexpiable » et autres balivernes. Je n'aime pas les grands mots. De même je vous prie de m'épargner le spectacle de vos remords et de votre contrition car il ne saurait me toucher. Ce qui compte ce n'est pas vous ni moi mais elle et aussi cet enfant que vous lui avez fait. Je n'exige pas de réparation car je vous sais homme d'honneur et capable d'en décider par vous-même.

Un bruit de dispute éclata sur le fleuve. Thibaud ouvrit la porte pour mieux entendre. Cette attitude en apparence passive n'était pas celle que Jean attendait et elle le désarçonnait. Il s'était armé pour affronter un père agressif, hérissé de reproches et de menaces et il se trouvait désarmé devant cette molle effigie de la détresse qui gardait sa dignité, son calme et n'exigeait rien. C'était pire que l'engagement qu'il avait prévu. Il s'entendit déclarer comme si quelqu'un d'autre eût parlé à sa place :

— J'ai décidé de réparer ma faute et d'épouser Sybille si vous y consentez.

Il fallut convenir avec l'officialité du Chapitre des modalités de cette union. Elle fut célébrée en la petite église de Sainte-Marine, entre la Porte du Cloître et la rue des Marmousets, de très bonne heure. C'est un anneau de paille qui scella cette union hâtive et discrète. Sybille pleurait mais personne n'aurait su dire si c'était de joie ou de peine, et Jean demeura de glace.

Il garda son petit hôtel de la rue de la Licorne où de temps à autre la fille qui criait les foins venait le retrouver. Trois ou quatre fois par semaine, pour préserver les apparences, il allait passer la nuit dans le vaste immeuble que maître Thibaud avait fait construire rive droite, au cœur de son nouveau domaine proche de la Porte Baudoyer. Il daignait à peine regarder son petit Robin, faisait sans passion l'amour à Sybille et repartait tôt le matin. Il n'avait presque rien changé à ses habitudes.

La compagnie de son beau-père ne lui était pas désagréable ; ils avaient même de longues conversations, les soirs d'été, sous les jeunes peupliers qui bordaient la demeure, en buvant une cruche de vin frais. Jean s'intéressait à l'expansion de la ghilde des marchands de l'eau et au commerce de la ville en général ; Pierre Thibaud se passionnait pour la construction de la cathédrale et souhaitait, avec ses pairs, financer un vitrail.

Malgré ses précautions, Sybille était de nouveau enceinte. Lorsqu'elle se promenait en ville, Havoise prenait soin de lui éviter la vue des ladres et des rougneux de toute espèce car ses terreurs nocturnes l'avaient reprises.

La grossesse lui allait bien. Elle s'était épanouie ; ses joues avaient repris leurs couleurs ; elle portait avec orgueil son ventre en avant, ce qui déplaisait fort à Jean lorsqu'elle venait le visiter sur le chantier. Il flottait autour d'elle un air de bonheur depuis son mariage, mais cela tenait davantage à une volonté ardente d'oublier ses rebuffades qu'à son état véritable.

Elle accoucha en décembre en l'absence de Jean, parti pour Maguelonne avec Vincent Pasquier. L'enfant mourut dans les premiers jours de janvier, aux alentours de la Fête des Fous. C'était une fille. La fatigue de l'accouchement et la peine causée par cette mort mirent Sybille au bord de la folie.

Elle décida de partir pour Maguelonne. On dut l'enfermer et la forcer à boire des tisanes pour la calmer.

Il lui était venu au flanc une vilaine tache rouge.

5

LA VIERGE HANCHÉE

Il était arrivé quelques mois auparavant, venant de Jérusalem en compagnie du chanoine de Notre-Dame Josse de Londres, qui était allé pèleriner en Terre Sainte. On ne connaissait ni son nom ni ses origines. Il s'intitulait orgueilleusement « magister lathomus » et se faisait appeler Jonathan, un nom qu'il avait adopté après le second baptême qui avait fait de lui un « enfant de Salomon », ce roi de l'antiquité biblique devenu le patron des tailleurs de pierre pour avoir fait construire un temple au Dieu des Juifs. Jonathan était lourd, un peu vulgaire dans ses manières et son langage, mais jovial et excellent ouvrier.

Tandis que Josse de Londres entreprenait des démarches pour créer à ses frais, dans la Cité, un hôtel destiné aux pauvres écoliers, Jonathan s'était fait embaucher sur le chantier de Notre-Dame, grâce aux recommandations expresses du chanoine. Il ramenait d'Orient des images et des rêves plein les yeux et plein le cœur et de la passion jusqu'au bout des doigts. Il parlait… Il parlait… Il prétendait avoir vu les ruines du temple de Salomon, le tombeau du Christ, l'arche sacrée qui contenait la verge d'Aaron, le phare d'Alexandrie qui plonge profond dans la mer ses assises de cristal bleu, les grandes pyramides et cent autres merveilles.

Avec les autres compagnons imagiers il parlait parfois un jargon ponctué de cris, prétendant qu'il s'agissait du langage des initiés. Ses pierres taillées, il les signait d'une étoile. Il saluait en tenant droits le majeur et l'index. Ceux qui avaient commencé par rire de ce comportement qu'on prenait pour des excentricités d'Anglais finirent par l'écouter d'une oreille plus attentive et à former le cercle autour de lui pour l'entendre parler de ses pérégrinations et de son métier qu'il avait appris en courant les routes.

Les réunions avaient lieu le soir, à la chandelle, à l'abri de la loge des maçons, dans un demi-secret. Il se tenait là, disait-on, de mystérieuses cérémonies dont personne ne voulait ou ne pouvait révéler la nature. Sollicité, maître Jean s'abstint. Le Chapitre, après s'être assuré qu'il ne s'y faisait rien de contraire aux bonnes mœurs et à la religion, laissa faire.

Devenu bachelier, l'apprenti Vincent Pasquier réalisa son chef-d'œuvre et accéda au grade d'assistant. Profitant des dernières lumières de l'été, il avait à la veillée sculpté une Vierge hanchée, portant un enfant dans ses bras dans un bloc qu'il s'était fait offrir par Jeanne Bigue. Les plis majestueux et d'un bel élan semblaient soulever à la fois l'enfant Jésus et le bras qui le portait. L'expression sereine et proche de l'indifférence était copiée sur celle de Sybille lorsqu'elle promenait Robin sur le chantier.

Maître Jean se montra critique :

— Tu as donné trop d'importance au drapé de la robe. On ne voit que lui. Le déhanchement du corps est exagéré. Le visage manque d'expression. On devrait y lire le ravissement ; on n'y voit qu'un sourire pincé. Ta Vierge ressemble à une nourrice.

Vincent l'écouta sans sourciller. Maître Jean acceptait mal qu'il se fût inspiré de Sybille sans l'en avertir.

En revanche Barbedor ne tarissait pas d'éloge. Cette œuvre était la plus réussie jamais réalisée sur le chantier. Et l'auteur n'avait pas vingt ans ! Il fit attribuer une prime à Vincent, l'invita à sa table, lui prédit entre deux rasades de vin des vignes épiscopales une grande destinée. À moitié ivre, Vincent pleura de joie.

Devenu par sa promotion tailleur de pierre et imagier, Vincent, selon la coutume, offrit aux maîtres des divers métiers une paire de gants et un repas à tous, ouvriers et manœuvres. La libéralité accordée par le doyen n'y suffit pas ; ses économies s'y fondirent et il dut même emprunter à Jeanne Bigue de quoi régler le vin.

Sur les instances de Barbedor, Thomas Pasquier quitta sa geôle le Noël suivant. Il n'avait pu survivre que grâce aux subsistances que Vincent parvenait à lui faire passer en secret.

C'était un très vieil homme. Le corps ravagé par la gale, il clignait de son œil unique dans le soleil retrouvé, se tenait voûté, respirait mal et vomissait les mets trop riches auxquels il était désaccoutumé. Mariette refusa de le recevoir ; elle vivait en concubinage, après le divorce qu'elle avait obtenu sans peine, avec un tavernier et ne faisait que de rares visites à la maison canoniale pour réclamer de l'argent à maître Hugues ou à Vincent.

Thomas trouva de l'embauche chez les religieux de Sainte-Opportune qui avaient entrepris de vastes opérations de défrichage dans les marais de Chaillot. On le payait douze deniers l'arpent. Il revenait le soir, fourbu, crotté jusqu'aux yeux, dans la cabane de jardinier du Cloître des Chanoines qu'on lui avait abandonnée. Il n'avait jamais autant gagné. Soignée à la poix grecque mélangée à des herbes, sa gale avait disparu. Il avait repris ses habitudes d'intempérance mais sans excès. Vincent lui rendait visite avec sa sœur Clémence qui était devenu une jolie fillette un peu gâtée par l'ambiance de la taverne, mais il les regardait à peine. Il était devenu très sauvage.

Jeanne Bigue avait opéré une reconversion singulière.

Les compagnons tailleurs de pierre qui formaient autour de Jonathan, dans la loge, une sorte de groupe ésotérique l'avaient choisie comme « mère » ; elle leur devait secours et assistance ; ils s'obligeaient à la respecter.

C'était maintenant une grosse femme au visage couperosé par l'abus des bons vins. Elle avait renoncé, sauf exception, à ouvrir sa chambre au tout-venant et ne recevait guère plus, dans la maison de la Sirène, en tout bien tout honneur, que les compagnons de la loge : ceux des chantiers de Notre-Dame, du palais épiscopal, de l'Hôtel-Dieu et de Saint-Julien-le-Pauvre ; les « poudreux », arpenteurs de routes, devaient montrer patte blanche et dire les mots convenus ; pour eux, elle tenait table ouverte et lit préparé — pas le sien qui devenait peu à peu un sanctuaire inviolable après avoir été aussi fréquenté que les « clapiers » du Val-d'Amour.

Quand elle rencontrait Vincent sur le chantier où ses fardiers continuaient à déverser des montagnes de pierres, elle le serrait dans ses bras, l'embrassait comme une mère et parfois lui barbouillait la joue d'une larme attendrie entre une bourrade et une grosse plaisanterie. Elle était devenue bigote et faisait chaque jour brûler un cierge à Saint-Gervais pour la rédemption de son âme pécheresse.

Elle gourmandait Vincent :

— Qu'attends-tu pour rejoindre Jonathan et ses compagnons ? Ils t'apprendraient les secrets que tu ignores. Tu t'es promené trop longtemps le nez en l'air, petit jean-foutre ! Il est temp de prendre la « route aux étoiles », comme ils disent.

Vincent hésitait. Il n'aimait que les routes droites et sans mystères. Le savoir que lui dispensait maître Jean lui suffisait. Les rituels, les cérémonies secrètes ne le tentaient guère ; il n'éprouvait nul besoin d'obtenir des réponses à des questions qu'il n'avait pas envie de se poser et se suffisait d'une double exigence : la santé de son âme et l'habileté de ses mains. Le reste n'était que billevesées.

Son premier chapiteau réalisé après des semaines d'étude et de travail sur plâtre, Vincent l'avait installé au sommet des douze tambours taillés par les compagnons de Jonathan, qui composaient le fût de la colonne, veillant à ce que les pierres fussent de même origine, de même qualité, de résistance identique. Il récusa l'une d'elles : un tambour taillé en délit, ce qui faillit provoquer un affrontement avec Jeanne Bigue.

Le chapiteau était dérivé du corynthien, avec ses feuilles recourbées qui, vues d'en bas, donnaient un bel effet de vagues déferlantes. Malgré les compliments de maître Jean, Vincent n'était guère satisfait de son œuvre car n'importe quel tailleur de pierre tant soit peu habile aurait pu réaliser sur module le même travail. Il enviait les imagiers des époques révolues qui mettaient foi, imagination et fantaisie dans la réalisation des chapiteaux. Le sien était froid, banal, sans rien en lui qui pût retenir le regard et stimuler l'esprit et la foi.

— Les images, lui dit maître Jean, c'est à l'extérieur qu'on pourra les voir et les admirer. C'est là que les fidèles liront les hauts faits du Livre, qu'ils apprendront à reconnaître les saints, les prophètes et les rois, les saisons et les métiers, les monstres de l'enfer et les signes du zodiaque. L'intérieur appartient à Dieu et à la lumière ; il demande silence et recueillement. L'homme qui franchira les portails ne devra être occupé que de son âme et non d'images. La façade de l'église est tournée vers le monde et l'intérieur est ouvert à Dieu.

Il avait ajouté :

— Ce chapiteau constituait pour toi un exercice nécessaire. Il t'a appris la rigueur et l'humilité. L'artiste doit s'effacer derrière l'œuvre. S'il n'avait tenu qu'à moi j'aurais poussé plus loin encore le dépouillement comme les moines blancs de Cîteaux. J'aurais prévu de simples astragales en haut des colonnes et des bases nues, mais le Chapitre en a décidé autrement. En revanche, nous allons couvrir les murs extérieurs d'une véritable fête de la pierre et tu auras part à cette œuvre puisque ta nature semble t'y destiner. Plus tard la couleur viendra tempérer et rehausser l'austérité de la nef et du sanctuaire.

Vincent souffrait de ne travailler au grand œuvre que par bribes. On lui disait : « Taille cette pierre de telle et telle manière » et il s'exécutait, tantôt avec intérêt, le plus souvent avec indifférence, rarement avec passion comme cela avait été le cas pour sa Vierge hanchée. Il aurait aimé, comme maître Jean, accéder d'emblée à la maîtrise totale de l'œuvre, connaître l'emplacement de la moindre pierre, la nature, la signification, le symbole du moindre motif, nier les hasards et les improvisations, posséder la cathédrale, la VOIR telle qu'elle serait une fois achevée.

Il lui semblait parfois que maître Jean n'était pas tout à fait de ce monde.

Ils étaient restés un long hiver sans se voir : Jacoba à Paris, Vincent à Maguelonne.

Avril revenu, ils s'étaient retrouvés sous l'orme Crève-Cœur. Elle lui apportait les premières feuilles et des fleurs toutes neuves qu'il dessinait tandis que le vieux médecin continuait à peiner sous son chapeau de joncs dans ses vignes et son potager.

Jacoba s'enveloppait dans une adolescence pleine de charmes où s'estompaient les reliquats d'une enfance ingrate. Tandis qu'il dessinait, jetant parfois un profil parmi ses feuilles et ses fleurs, elle lui lisait des poèmes de Virgile qu'elle traduisait à mesure. Elle était savante comme Héloïse, ayant eu très jeune un précepteur laïque qui pouvait réciter par cœur et à voix haute des textes de Bernard de Clairvaux et à voix basse des pages du *Cantique* ou des poèmes de trouvères. Elle connaissait aussi l'hébreu qu'elle avait appris en famille et parlait à la synagogue les jours de sabbat. Elle surprenait Vincent lorsqu'elle déclamait les strophes fulgurantes d'Isaïe, les vers fervents de Jérémie, qu'elle scandait les rythmes ardents d'Ezéchiel. Sa voix se faisait rauque, douce, brûlante, se modulait dans sa gorge. Le *Cantique* lui était interdit mais elle avait retrouvé la cachette et recopié des passages qu'elle savourait en secret. Vincent, moite d'émotion, l'écoutait :

> « *Qu'il me baise des baisers de sa bouche*
> *car son amour est plus délicieux que le vin*
> *et le parfum des onguents que tous les aromates...* »

Durant tout l'été qui suivit ils n'eurent pas d'autre lieu de rencontre, et encore se voyaient-ils peu, Vincent n'ayant plus la permission d'aller dessiner dans la campagne. Il devait tricher pour la retrouver, mais maître Jean n'était pas dupe ; il le laissait aller en lui faisant promettre de ne pas s'attarder. L'idée ne leur venait pas de se retrouver dans la foule anonyme du Grand-Pond ou du Pont-au-Change. L'ombre du Crève-Cœur était leur domaine. Il ne passait là que des ânes chargés de sacs de farine ou de blé, de ballots de peaux fraîches destinées aux tanneries, des chanoines occupés à lire leur bréviaire, des jardiniers, des vignerons et quelques écoliers solitaires répétant le *Quadrivium*.

Elle lui fit promettre de lui montrer sa Vierge. Le dimanche suivant, elle franchissait en secret la clôture du chantier et se retrouvait dans la loge des maçons. Il souleva des planches, écarta le nid de paille. Elle caressa la pierre du regard et de la main, s'attardant sur le visage.

— Il me semble connaître ton modèle, mais j'hésite.

Elle eut un sursaut lorsqu'il prononça le nom de Sybille.

— Tu en es un peu amoureux ?

Il rit. Il avait surpris Sybille appuyée à un carreau sur le chantier avec le petit Robin sur son bras et il avait entendu dans la tête comme un bourdonnement de cantique. Il l'avait longuement observée et en avait fait plusieurs ébauches à la mine.

— Un jour, tu me serviras aussi de modèle, si tu veux bien.

— Oh, moi... Je suis trop laide.

Il ouvrit son coffre, lui montra ses croquis réalisés sur des déchets récupérés dans le dépotoir des parcheminiers. Il y en avait tant qu'il aurait pu construire une cathédrale, mais si disparates et si confus que sa cathédrale aurait ressemblé à l'ancienne basilique Notre-Dame qu'on avait construite sous les rois barbares de bric et de broc.

Elle lui jeta en riant un baiser sur la joue.

— C'est bien, mon Vincent ! Un jour, tu la construiras, ta cathédrale.

— Je n'en aurai pas le temps. Celle que nous bâtissons, je mourrai avant de voir la nef achevée. Le transept, la façade avec ses tours géantes, la flèche, je ne peux que les imaginer. Mon œuvre sera plus modeste. C'est ce chœur et ce ne sera peut-être pas autre chose. Parfois je me sens déjà vieux et fatigué.

Elle lui prit la main, la mit entre ses seins.

— Je t'aiderai, Vincent.

LIVRE IV

Le temps de l'exaltation est venu. L'œuvre a jailli de terre et révélé ses structures. Les premiers murs, les premières colonnes ont surgi dans un printemps d'alleluias et de miracles. Ils ont percé la paille et le fumier pour s'épanouir dans l'air acide de mars. C'est le printemps des pierres. Il s'est installé partout en France. Dieu ne peut plus se perdre en ce pays : toutes ces églises, toutes ces cathédrales sont pour lui autant de repères. S'il était aveugle il pourrait se guider en tâtant de ses grandes mains de nuage telle ou telle muraille qui sent encore le mortier frais, exhaussée au-dessus des toits des villes et des bourgs. Dieu est heureux ; il baigne dans ce printemps comme dans un lit de chaleur et de lumière et il écoute monter autour de lui ce silence des pierres qui n'est pas celui du désert mais un tissu léger de cantiques. Dieu peut faire sa sieste dans les paisibles campagnes de France. Il semble que les hommes aient renoncé à la guerre. Louis à Paris, enfoui dans la pénombre de ses sanctuaires, priant et somnolant ; Henri en Angleterre, occupé de ses amours avec Rosamonde, de ses regrets d'Aliénor, de ses terreurs devant ces petits fauves roux qui sont ses fils, de ses remords lorsqu'il songe aux marches sanglantes de Canterbury. Les vieux démons de la guerre sont rentrés sous terre ; ils en sortent parfois comme des loups affamés, se jettent sur une ville, retournent dans leur tanière pour s'y endormir, mais ce n'est pas vraiment la guerre : plutôt une sorte de maladie dont l'homme ne parviendra jamais à se débarrasser, une épidémie qui, profitant de ce que Dieu est occupé ailleurs, surgit, ravage et disparaît. Construire des églises et des cathédrales est peut-être pour l'homme un moyen d'exorciser la fatalité. Dieu fait confiance à ses créatures qu'il surveille d'un œil après les avoir lâchées dans l'univers où fermentent les mondes à naître. « Finalement, se dit Dieu, la France sera peut-être mon domaine favori. Je n'aime guère les papes, ces gros chats qui ronronnent leurs prières dans leur luxe païen, dans ce palais de marbre et d'or où je mourrais d'ennui, moi qui n'aime que la gloire des jardins et la paix des champs. Je suis trop vieux pour me promener dans les galaxies. Il est temps que l'univers engendre dans ses bouillonnements et ses révolutions, ses fusions, ses vapeurs et ses geysers un autre Dieu qui prendra ma succession. » Dieu s'étire, bâille, frotte ses jambes lourdes, se penche sur Paris. Personne ne peut le voir, car il est à la fois présence et transparence, mais il est là. Des hommes crient parfois au miracle en voyant un visage à la barbe de feu s'inscrire dans les continents de nuages crépusculaires ou sur le charbon ardent des orages. Ce n'est qu'une illusion. Il y a longtemps que les yeux des hommes se sont déshabitués de le voir. Dieu se penche sur la cité. Ils ont bien travaillé, ces petits hommes ! Ils ont donné leur foi, leur sueur, leur sang, leur vie parfois pour mettre pierre sur pierre et bâtir le Temple. Salomon, Adoniram seraient fiers de ces maîtres d'œuvre et de ces ouvriers. Dieu n'est pas pressé. Il sait que, dans moins de deux siècles, la maison de Dieu sera terminée et qu'il pourra s'y reposer. Deux cents ans, pour Dieu, c'est quoi ? Rien. Le temps d'un petit somme. Et il ferme de nouveau les yeux.

1

MICRA-MADIANA

La chaleur était atroce. Il n'avait pas plu depuis l'octave de l'Ascension et deux mois avaient passé. Parfois des nuées d'orage entassaient à l'horizon leurs pierres d'ardoise, envahissaient un crépuscule qui sentait la poix froide et le soufre, se jetaient sur la ville et disparaissaient dans un rire de tonnerre sans libérer la moindre goutte.

Sur le chantier les ouvriers dormaient à même le sol. Il fallait puiser à la Seine de quoi mouiller le mortier. De mémoire d'homme, on n'avait jamais vu le fleuve aussi bas. On repêchait dans ses vases de vieux cadavres la pierre au cou, des armes rouillées, des monnaies où se détachaient des profils d'empereurs dont on avait oublié le nom, des pierres gravées de signes mystérieux. Des bancs de poissons morts descendaient en procession le cours du fleuve entre de petites îles vertes. Les moulins s'étaient arrêtés.

Le soir, les campagnes soufflaient sur la ville une haleine de cendre. Les arbres dépérissaient et perdaient leurs feuilles sur l'herbe jaune. On arrachait au sol des légumes rachitiques. Sur les pentes de la montagne Sainte-Geneviève les vignes déroulaient un manteau grisâtre, râpé et, sur les plaines du Laas et de Saint-Victor, elles paraissaient mortes sur pied. Dans le lit de la Bièvre, autour des tanneries, les enfants regardaient les rats se battre dans les flaques d'eau croupie.

Les églises recevaient beaucoup de fidèles, autant pour la prière que pour la fraîcheur. On faisait brûler des cierges pour demander la pluie. Les taverniers faisaient des affaires et les ivrognes avaient beau jeu de prétendre que l'eau était plus rare et presque aussi chère que le vin. Les cris des marchands d'eau avaient cessé et l'on n'entendait pas non plus la sonnette des crieurs de bains, la plupart de ces établissements ayant fermé leurs portes.

L'un des rares endroits où l'on pût trouver verdure et fraîcheur était le jardin du roi, à la pointe aval de l'île de la Cité. Arrosés d'abondance, les arbres et les pelouses faisaient une tâche verte dans la grisaille de la ville ; la nuit des gens du palais y transportaient leurs pénates et y donnaient des fêtes.

La Faculté parlait sous cape d'épidémie et examinait les cadavres d'un œil soupçonneux. C'est alors que l'évêque Maurice de Sully décida d'organiser une procession pour implorer Dieu de faire cesser la canicule.

Elle fut décidée pour début juillet, le dimanche du Précieux Sang. Les reliques de sainte Geneviève furent retirées de la basilique dans une chaleur de four, descendues sur les épaules des moines au milieu des vignes brûlées. Elles traversèrent des espaces de jardins poudreux avant de rejoindre la foule massée aux alentours du Petit-Pont, à l'ombre du Châtelet. Dans le grondement des cantiques, précédée de l'évêque et du corps canonial, la châsse pénétra dans la Cité par le Marché-Palu, prit à droite par la rue Neuve qui aboutissait au chantier de Notre-Dame. Un nuage pulvérulent montait sous les pas de la multitude, se dissipait à hauteur des premiers encorbellements sous les assauts d'un petit vent rageur qui montait du fleuve, chargé de pestilences. Derrière cette haleine brutale, on devinait une odeur indéfinissable, oubliée depuis longtemps, qui était celle de la pluie. Le ciel, lorsque la procession fit halte devant le chantier de la cathédrale, avait pris une sorte de tain grisâtre qui s'assombrissait au-dessus du palais royal où stagnait une brume.

La première goutte claqua sur la mitre de l'évêque au moment du *Sanctus*. Il écarta les bras, tourna son visage vers le ciel et une deuxième goutte le frappa à la joue. Il murmura un *Deo gratias*. Autour de lui, cette mer de visages tendus vers les nuages n'attendaient pas le souffle de Dieu mais l'haleine de la pluie. Chaque goutte suscitait un cri. Lorsque l'averse éclata, grise et tiède, ce fut du délire. Des hommes, des femmes se dépouillaient de leurs vêtements pour mieux sentir glisser sur eux les mains de la pluie.

— Au lieu de découvrir votre peau, clamait Gautier Barbedor, ouvrez donc vos cœurs aux bienfaits de Dieu ! Hosanna ! Hosanna !

L'évêque entama un chant qui lui resta dans la gorge. L'orage venait de crever subitement dans un air d'une densité et d'une couleur de plomb. On le voyait déjà effectuer une danse sauvage au-dessus des marais de Chaillot. Un bourgeois jeta sa tunique sur la châsse qu'on amena prestement à l'abri.

C'est alors qu'on entendit l'aigre zinzin d'une musette. Et la fête commença.

— Elle remonte ! s'écria joyeusement Ezra. Regardez !

Il se tenait penché sur la margelle du puits encastré entre les deux maisons, son voisin Daoud occupant l'autre côté. Ils contemplaient avec ravissement cette petite lunule de verre enfouie profond et qui paraissait vivante.

— Loué soit Dieu, murmura Daoud. Nous aurons de nouveau à satiété cette belle eau claire qui nous faisait tant défaut.

— Loué soit Dieu ! répondit Ezra.

Il se retourna vers le jardin, cria :

— Jacoba ! L'eau remonte dans le puits. Viens voir !

Il avait plu toute la nuit sans discontinuer. Depuis l'aube, il stagnait sur Paris une brume tiédasse qui ruisselait sur les arbres et les toits et sentait l'automne. On se serait cru transporté dans un autre monde.

Ce jour-là, en retournant chez lui, Ezra se sentait soulagé d'années et de décennies de souffrances et d'inquiétudes. Il avait trouvé le roi radieux et en bonne santé. Il ne se lassait pas de regarder la pluie sur ses jardins et de louer Dieu. Ezra l'interrompit pour le sermonner : le souverain n'avait pas été raisonnable ces temps derniers ; il avait passé des heures de nuit en prière dans sa chapelle. « Je vous en conjure, sire, priez le jour, soit, mais dormez la nuit ! » Le roi se prenait à plaisanter : « Et si je veux, moi, prier la nuit ! Si vous saviez comme il faisait bon et frais dans ma chapelle... »

Ezra avait tenu à rassurer Daoud, l'apothicaire. Il s'était entretenu avec un fonctionnaire du Palais : les mesures dont on menaçait la communauté juive n'avaient pas eu l'agrément du roi. En revanche, cet enfant qui s'accrochait à la tunique de son père ne lui disait rien qui vaille ; le prince Philippe, le « mal peigné » comme on disait dans le peuple, détestait les Juifs. Inspiré par qui ? Voilà ce que le médecin du roi ignorait.

— Ce matin encore, Daoud, il a craché sur mes chausses !

Contrairement à l'ensemble de la communauté, Ezra se refusait à prendre une période de tranquillité pour les prémices d'une paix définitive. Comment oublier que, dans les époques passées, leurs ancêtres vivaient dans la menace permanente de la spoliation et de la Diaspora ? Des rois les avaient contraints par la force à se convertir et ceux qui avaient refusé avaient été chassés nus hors de Paris ou avaient eu les yeux crevés. Les descendants des exilés qui avaient osé reparaître à la faveur d'une grâce se faisaient appeler « lombards » ou « vénitiens », mais leur réussite les rendait suspects et leur richesse les désignait aux envieux. Ils étaient condamnés soit à vivre au-dessous de leurs mérites et de leurs talents, soit à s'attirer la vindicte des jaloux.

Ezra n'étalait pas sa réussite. Des études à l'université de Montpellier, où il avait eu pour maîtres des Arabes hispanisés, lui avaient attiré les faveurs du roi et de son père, Louis le Gros. Sans ostentation, sans esprit de lucre, il était devenu l'un des médecins favoris des souverains. Il aurait pu prétendre à une charge mais préférait son indépendance aux faveurs. Le temps qu'il n'accordait pas au service du palais, il le consacrait aux pauvres malades et, s'il lui en restait, à son petit domaine de Bièvre. Il avait acquis dans le quartier de la Petite-Madian (Micra-Madiana), qui s'étendait le long du fleuve, sur la rive nord de l'île, entre les deux ponts, une modeste maison enclose de murs. Sa demeure, comme celle de maître Daoud, avançait sur la Seine par un encorbellement supporté par des pilotis. On dominait le trafic du fleuve, l'activité de la hanse et des moulins. Le jardin ouvrait par un portail sur la ruelle du Port-aux-Œufs qui plongeait vers le fleuve sous une voûte de saules. Il vivait là avec Jacoba depuis la mort de son épouse et voyait sans angoisse venir le temps où il se retrouverait seul.

Une nuit, au cœur de l'été, Vincent s'éveilla en sursaut.

C'était à quelque temps d'un voyage en Normandie qu'il avait effectué en compagnie de maître Jean et de l'assistant qui avait remplacé Richard de Meaux, victime d'une chute. Ils avaient poussé jusqu'à un village côtier, Étretat, un endroit de la côte qui, par la verticalité et l'ampleur de ses falaises, rappelait étrangement les flancs d'une cathédrale. Comme pour les contrebuter, de gigantesques arcs-boutants plongeaient dans la mer.

Vincent se dit que le songe qu'il venait de faire était un signe de Dieu. Il se leva, ralluma la chandelle, griffonna un croquis. Le lendemain il montra son ébauche à maître Jean qui se gratta la barbe.

— Drôle d'idée ! Tu vois notre cathédrale flanquée de ces appuis ? Elle ressemblerait à une araignée...

Vincent insista. Outre leur efficacité, ces appuis donneraient plus de légèreté à l'édifice. Il fallait laisser à la vue le temps de s'y habituer.

— Ce qui est laid est laid ! protesta maître Jean. Oublie cette idée absurde. D'ailleurs jamais la Fabrique n'acceptera cette dépense supplémentaire.

À quelques jours de là, Jacoba se pencha sur la maquette de plâtre qui représentait un pan du chœur flanqué de ce que Vincent appelait des arcs-boutants. Elle hocha la tête. Ces gros muscles de pierre n'étaient pas très élégants...

Jonathan s'esclaffa. Le doyen Barbedor sourit complaisamment mais se montra catégorique : la Fabrique refuserait. Seul André Jacquemin s'enflamma mais il avait l'enthousiasme facile des naïfs.

« Je crains que l'avenir donne raison à mon projet », songeait Vincent. Tel qu'il était conçu, le chœur ne supporterait pas la pesée des voûtes, malgré les contreforts dont il était flanqué et les doubles bas-côtés qui le ceinturaient. Il était persuadé que maître Jean en avait conscience mais se refusait à admettre ses erreurs de calcul. Démolir ce que l'on avait construit, reprendre les travaux avec des dimensions plus raisonnables, cette idée lui était intolérable et de toute manière irréalisable.

— Seule mon idée pourrait le sauver, dit Vincent à Jacoba, mais il la repousse par orgueil. Il y mettra le temps qu'il faudra, mais je sais qu'il y viendra. On n'a pas admis d'emblée la voûte à croisée d'ogives et peut-être a-t-on tourné en dérision celui qui l'a imaginée.

Il ajoutait en regardant fixement Jacoba :

— Si je ne peux faire admettre cette conception à Paris, je partirai. J'irai construire des cathédrales en Scandinavie. Me suivras-tu ?

Unir leur destinée, ils le souhaitaient l'un et l'autre mais ils se heurtaient à la loi : un chrétien n'épouse pas une Juive, de même qu'un enfant juif ne peut avoir une nourrice chrétienne et vice-versa. Se séparer ? Ils ne l'avaient pas même envisagé. Condamnés au concubinage et à la clandestinité, ils mèneraient en marge une vie commune, maître Ezra leur ayant donné sa bénédiction tacite. Depuis le temps de l'orme Crève-Cœur ils ne s'étaient quittés que le temps d'un hiver qui leur avait paru interminable.

Vincent s'était installé chez Ezra. Il y retrouvait Jacoba chaque nuit. À la chandelle, il se faisait lire les *Psaumes* de David et les *Géorgiques* de Virgile dont il se délectait *(« Je vais dire maintenant les qualités singulières que Jupiter accorda aux abeilles, pour reconnaître les soins qu'elles prirent de nourrir le Roi du Ciel dans l'antre du mont Dicté, où le son des cymbales les assembla autour de son bercau... »).* Ils s'endormaient dans les bras l'un de l'autre, la tête hantée de collines sonores de vent et d'abeilles, faisaient l'amour avec une ardeur tempérée de vieux amants, s'éveillaient à la cloche de Saint-Barthélemy ou de Saint-Pierre-des-Arcis.

La nouvelle d'une grossesse de Jacoba mit un comble à leur bonheur. Ezra accueillit la révélation avec réticence. À des signes inquiétants, il devinait que la prospérité de la communauté juive de la Petite-Madian risquait de toucher rapidement à son terme.

Des moines féroces, stipendiés par d'obscurs personnages de la Cour, parcouraient les carrefours de la capitale pour rappeler que la misère et les épidémies surviennent en expiation des crimes d'Israël. Les Juifs étaient venus de toutes les contrées d'Occident pour reconquérir Paris ; ils possédaient plus de la moitié de la ville, pratiquaient l'usure, s'entouraient de serviteurs chrétiens qu'ils « judaïsaient » à leur contact ; ils buvaient dans les vases sacrés qui leur étaient confiés à titre de caution par des gens d'Église, se livraient à des sabbats, niaient publiquement la divinité du Christ ! Il n'y avait pas de pire ennemi pour la chrétienté, si ce n'est cette engeance hérétique qui avait envahi les provinces du comté de Toulouse. Ces prédicateurs avaient accès au Palais et y répandaient avec le même zèle la bonne parole. Le roi les écoutait d'une oreille distraite : celle d'un vieillard égrotant qui n'a cure que de son mal, mais ils trouvaient dans le prince Philippe un auditeur attentif.

Un matin, David Ezra trouva le portail de son jardin barbouillé d'excréments. Une nuit on lança des pierres dans ses fenêtres. La semaine suivante, toutes les maisons de la Petite-Madian et de la rue de la Juiverie habitées par des fidèles d'Israël furent barbouillées de signes infamants.

2

JUIVERIES

— Prends garde, dit maître Jean. Je t'ai défendu autant que je l'ai pu, mais mon pouvoir ne dépasse pas les limites de ce chantier. Il faut renoncer à cette fille. Tu n'es pas marié ; cela simplifiera la rupture.

Vincent releva vivement la tête, posa ses outils près de la pierre.

— Vous en parlez à votre aise. Que j'aime Jacoba vous importe peu. Et cet enfant qu'elle va me donner, dois-je le renier ?

— Ne sois pas injuste. J'ai fait l'impossible. Barbedor aussi t'a soutenu mais, depuis l'incident que tu sais, le Chapitre est fort monté contre ce médecin juif et cherche à l'atteindre à travers toi et Jacoba.

Ezra avait soigné à l'Hôtel-Dieu un jeune chanoine atteint d'une maladie en apparence bénigne. Les remèdes qu'il lui avait administrés semblaient avoir eu un effet bénéfique mais, un matin, on le trouva mort, le visage vert et la langue pendante. Le médecin attaché à l'Hôtel-Dieu parla de poison et de préméditation. En l'absence de preuves, on s'était contenté de fermer les portes de l'établissement au médecin juif. Tout cela n'était qu'une sordide affaire de jalousie, Ezra passant pour l'un des meilleurs médecins de Paris. On se chargerait de lui faire interdire l'exercice de son art au palais.

— J'ai la conviction qu'Ezra est innocent, poursuivit maître Jean, mais la majorité du Chapitre ne m'a pas suivi. Quant à l'évêque, malgré son sens de la justice, il répugne à s'opposer à son Chapitre.

— Jamais je n'accepterai de renoncer volontairement à Jacoba, dit fermement Vincent. Plutôt aller avec elle et notre enfant nous réfugier à Toulouse ou à Bordeaux où les esprits sont plus tolérants.

— Cherchons plutôt comment arranger cette affaire. J'ai besoin de toi ici. Tu es le seul à pouvoir t'égaler aux tailleurs de pierre et aux meilleurs ouvriers dans tous les corps de métier. J'aime ton esprit inventif. Cette machine de levage tournante que tu as imaginée est une fameuse idée. J'ai longuement réfléchi à ces arcs-boutants que tu préconises. Tu as raison et je m'efforcerai de convaincre la Fabrique. Alors, plutôt que de quitter Paris, éloigne Jacoba de quelques lieues et pour un temps illimité. Je connais à Chelles des gens qui pourraient l'héberger.

— Je refuse, maître. Jacoba m'es devenue indispensable.

— Alors le Chapitre te signifiera ton congé. C'est ce que tu souhaites ? Tu étais pourtant attaché à notre grand œuvre ?

— Je le suis toujours, et plus peut-être que je ne l'ai jamais été, mais je ne puis lui sacrifier ma vie. Et ma vie, c'est Jacoba.

La convocation du Chapitre ne tarda guère.

Vincent s'y présenta dans une tenue sobre mais soignée. Il était passé chez le barbier avant de se présenter dans la vaste demeure du Cloître, proche des Écoles, où se tenaient les assemblées. Il faisait un temps gris. De la salle où il attendait, il pouvait voir, cachée à demi par un bouquet de saules, la demeure du chanoine Hugues. À l'extrémité de la rue qui y conduisait se profilait la charpente du chœur, déjà presque achevée, qu'il avait contribué à construire alors qu'il travaillait dans l'équipe des cagots.

Malgré les conseils de modération de maître Jean, Vincent se sentait d'une humeur de dogue. Figés dans leur morgue, les mains glissées dans leurs manches, la tête inclinée, les chanoines écoutaient Pierre le Mangeur, personnage chafouin qui mélangeait latin et langue vulgaire au point que l'exorde devenait incompréhensible. Il fit le procès d'Israël, montrant de temps à autre la croix qui surmontait la tribune où se tenait le doyen Gautier Barbedor, entouré de Pierre le Chantre et de plusieurs dignitaires du Chapitre. La péroraison relatant les faits reprochés au coupable était d'un latin de haute volée.

— Entendez-vous le latin ? demanda le prévôt du Chapitre.

— Fort peu, répondit Vincent.

Pierre le Mangeur traduisit en langue vulgaire la fin de son réquisitoire. Quand il eut terminé, les questions tombèrent comme grêle sur le prévenu. N'avait-il pas lui-même du sang juif dans les veines ? Savait-il, au début de sa liaison, que la fille était « de la tribu » ? Ne s'était-il pas « judaïsé » à son contact ? Avait-il assisté ou participé à des « infamies » dans la demeure du « soi-disant médecin » ? Ignorait-il que la religion catholique interdit les rapports entre chrétiens et Juifs et que la copulation avec une fille d'Israël constitue un péché grave ?

La gorge nouée, Vincent répondait tantôt par des vérités, tantôt par des mensonges. En écoutant les voix glacées qui le harcelaient, il avait l'impression d'être poursuivi par une meute, au point qu'il renonça à répondre. On lui demanda s'il était souffrant et s'il voulait que l'on remît à plus tard cet interrogatoire. Il souhaitait en finir au plus vite. Il regardait ses mains moites qui tenaient son bonnet et s'étonnait qu'elles ne fussent point liées de cordes.

Barbedor présenta sa défense une fois que la meute se fut apaisée. Il rappela que Pasquier était un excellent ouvrier promis à un bel avenir ; il avait dû se laisser abuser par les « sortilèges de la juiverie ». Qu'il accepte de faire amende honorable et de renoncer à ses erreurs et le tribunal ferait preuve de mansuétude.

Vincent se sentait de plus en plus étranger à ce théâtre ennuyeux. Les propos de ses juges lui parvenaient à travers des épaisseurs d'indifférence. Quand Barbedor lui demanda s'il se repentait et s'il avait l'intention de s'amender, il se sentit submergé par un sentiment d'effroi, hésita, répondit par l'affirmative comme si quelqu'un d'autre le faisait à sa place. Il ne s'appartenait plus. À son corps défendant on l'avait poussé dans l'appareil impitoyable d'un système d'oppression dont il mesurait mal les limites mais dont il sentait l'influence jusque dans ses pensées les plus secrètes.

— C'est bien. Allez maintenant, dit Barbedor.

La pluie de mai fouettait les petits losanges de verre glauque. De nouveau libre, il se sentait lié de chaînes, dépendant, enfermé dans un cercle sans issue. Il se demanda en se retrouvant au-dehors quel péché venu du fin fond des origines on pouvait bien le contraindre à assumer. Il reposait dans le creux d'une grande main qui se refermait lentement sur lui.

Jacoba lisait les poèmes d'Horace.

Assise dans l'embrasure d'une fenêtre donnant sur la Seine, elle leva à peine la tête lorsqu'elle l'entendit entrer. À son mutisme, à son air absent, elle comprit que tout était perdu. Il s'arrêta devant le berceau que Jacoba avait commencé à orner de franfreluches, semblant y chercher une réponse à des questions qui le dépassaient.

— J'ai compris, dit-elle. Ils t'ont forcé à céder. C'est donc fini ?

Il sursauta, passa ses mains sur son visage comme s'il s'éveillait, puis il vint s'asseoir près d'elle, lui ôta le livre des mains, caressa le ventre arrondi puis le visage de Jacoba. Elle eut une expression de détresse. Vincent paraissait sortir de prison et traîner des boulets de honte et de repentir.

— Je ne sais pas ce qui s'est passé, dit-il. J'ai répondu n'importe quoi à des questions qui n'avaient aucun sens. Si j'avais opposé la moindre révolte, c'était la prison. Je crois qu'en cédant j'ai préservé l'essentiel : la liberté qui me permettra de te revoir en cachette. À la longue tout s'arrangera. Nous partirons, si c'est toujours ton idée.

Elle sourit tristement, posa sa main sur la sienne.

— Quitter Paris, ce chantier qui est ta vie ? J'ai bien réfléchi : c'est impossible. Tu ne me le pardonnerais pas. Tu n'as que cela en tête : ta cathédrale ! Dimanche, durant notre promenade, tu n'as fait que parler d'elle. Elle compte plus que moi.

Elle s'exprimait avec un râle de colère. Il voulut lui prendre la main ; elle la lui refusa. Il se dit que Jacoba était plus lucide que lui. Depuis plus de dix ans ce chantier était sa vie. Lorsqu'il partait pour le Languedoc, il comptait les jours qui le séparaient du retour. Comment pourrait-il renoncer au grand œuvre qui était devenu sa raison d'exister. Jacoba répéta âprement :

— Ta cathédrale ! Elle compte plus que moi, plus que notre enfant. Tu aurais dû refuser de te soumettre ! Je t'en aurais aimé davantage et je t'aurais attendu jusqu'à ma mort.

Elle se leva, dit d'une étrange voix exaltée :

— Cet enfant ! Cet enfant que nous avons voulu, toi et moi, il nous tient prisonniers à présent, par ta faute !

— Que veux-tu dire ? Crois-tu que je pourrais renoncer à toi et à lui ?

Il n'aimait pas cette lumière dans son œil, ce sourire glacé.

— Pardonne-moi de t'occasionner tous ces tracas, dit-elle d'un ton rasséréné. Quand devrons-nous cesser nos rapports ?

Barbedor avait obtenu non sans réticences un délai de quelques mois, le temps pour l'enfant de naître. Vincent revoyait la mine atterrée de ces chats fourrés qui échangeaient leurs conclusions en latin. Leur avis était que le scandale devait cesser sans délai. Ils n'avaient accepté l'amendement de Barbedor que pour ne pas provoquer un de ces conflits qui s'enlisaient dans des querelles interminables et qui auraient donné des proportions exagérées à cette banale affaire.

— Ils sont bien généreux tes juges ! dit Jacoba. Je n'en attendais pas tant.

3

LE PETIT MONDE
DE SIMON LA COLOMBE

Maître Jean avait interrompu le travail de Vincent sur les chapiteaux du chœur, qui n'apportait rien au sculpteur, à présent maître de son regard et de ses mains.

— Nous devons penser d'ores et déjà aux portails de la façade occidentale, dit-il. Des centaines de figures de toute nature devront y trouver place. Ce que tu as fait jusqu'à présent n'est que de la broderie à côté de l'œuvre que je vais te confier, avec l'assentiment du Chapitre, trop heureux s'il peut t'attacher à lui par cette marque de confiance qu'il te témoigne.

Il sortit de son grand coffre un parchemin fait de morceaux cousus ensemble, sur lequel il avait dessiné à l'encre l'un des trois portails : celui du Jugement, qui devait occuper le centre de la façade. C'était un simple réseau de lignes dans lequel les détails étaient simplement suggérés.

— Ce portail sera la pièce maîtresse de la façade. Lorsque Dieu daignera nous visiter, c'est par là qu'il pénétrera, de même que tous les grands personnages des temps à venir. Cette entrée, je l'ai voulue ample et majestueuse. Elle sera à l'image de l'univers. On y verra le combat du Bien contre le Mal autour de l'image resplendissante de la Divinité. Le monde bouillonnera de part et d'autre des images du Jugement. Le Ciel et l'Enfer se déchireront comme sous une traînée de foudre. Des monstres, des damnés sans espoir de rédemption surgiront de la pierre. Nous les placerons là, à la droite d'Abraham, tandis que les âmes s'amasseront à gauche.

Il déplia un autre parchemin de moindre importance.

— Nous situerons les images de monstres et de damnés ici, à la base des voussures, comme une lèpre qui gagnerait lentement la pierre en montant. Ces monstres, je tiens à ce que ce soit toi qui les exécutes. Je veux de vrais monstres, de ceux qu'on ose à peine montrer au grand jour. Des personnages d'un autre monde, dont la seule vue fasse crier d'angoisse ou de pitié. Il faudra aller les chercher où ils se terrent. Tu trouveras facilement. Fais ton choix et tiens-moi informé, mais prends garde ! On n'entre pas dans ces lieux le sourire aux lèvres, le nez au vent et la bourse pendante !

Il jeta un nom sur un morceau de parchemin qu'il tendit à Vincent.

— Tu trouveras Simon la Colombe rue des Prêtres-Saint-Paul, dans une auberge à l'enseigne du Figuier, à l'angle de la rue du même nom. Il faut t'y rendre la nuit. Le jour, Simon dort. Dans le langage des gueux, il est le Coësre, chef suprême de toutes les Truanderies et Cours des Miracles de la rive droite. Dis-lui que tu viens de ma part, mais n'essaie pas de l'impressionner avec tes feuillets et tes mines. Il en a vu d'autres ! Avec lui, mieux vaut se montrer naïf que prétentieux.

Vincent parvint à découvrir Simon la Colombe dans une cave de l'auberge du Figuier.

Il crut bien ne jamais parvenir jusqu'à lui. Il avait dû subir des interrogatoires serrés, essuyer des menaces et des coups, passer entre des mains qui le déshabillaient et le palpaient sans ménagement pour découvrir quoi ? Il n'avait ni arme ni argent, comme le lui avait conseillé maître Jean. Simplement sa chemise et encore était-elle reprisée.

Avant de franchir la dernière étape qui le menait auprès du maître des lieux, il fut confié à une jeune femme assez jolie qui, après avoir poursuivi l'interrogatoire, lui dit qu'il devrait oublier les endroits par où il était passé et les gens qu'il avait vus. Une indiscrétion risquait de lui coûter la vie. Il se le tint pour dit mais protesta : il lui avait fallu plus de temps pour arriver jusque-là qu'à un « poudreux » de l'espèce la plus misérable pour accéder dans l'antichambre du Prévôt de Paris.

— Ne vous impatientez pas, dit-elle avec un sourire. La nuit est longue et vous avez, je présume, tout votre temps. Logiquement, vous devriez subir un traitement plus rigoureux, mais il semble que vous bénéficiez d'une haute protection. Le doyen du Chapitre ? L'évêque lui-même ?

— Le maître d'œuvre de Notre-Dame.

— Maître Jean ? Je le connais bien et mon oncle est plein d'admiration pour lui. Il le considère un peu comme un saint.

— Votre oncle ?

— Je suis la nièce du Coësre. Cela vous surprend ? Suivez-moi.

Ils descendirent quelques marches, suivirent un corridor, se retrouvèrent dans une vaste cave aux voûtes de bel appareil auxquelles pendait un ratelier de fer chargé de chandelles.

Le Coësre portait une colombe sur l'épaule droite et, autour de la ceinture, une batterie de couteaux, de dagues, de poignards, de miserere qui ne le gênaient guère dans la position assise car il était rond de bedon comme un muid au point de ne pouvoir rester debout que le temps de vider sa vessie. Son triple menton cascadait jusqu'à la poitrine hérissée d'une toison de cendre sous la chemise rouge largement échancrée. Entre le menton et le chapeau à large bord garni de médailles de plomb et d'argent sur son pourtour, se dessinait un visage en bogue de châtaigne déchiré de grosses lèvres charnues et luisantes. Il tenait à portée de sa main un livre où il puisait de temps à autre quelque sentence latine comme on boit une gorgée de vin. Il s'exprimait d'une voix lente, étrangement suave, avec une pointe d'élégance qui sentait son moine défroqué.

Lorsque Vincent eut décliné son nom, avancé la recommandation dont il faisait l'objet et exposé le but de sa mission, Simon renversa d'un coup de pouce son chapeau en arrière. La colombe battit des ailes et lui picora l'oreille. Le gros homme hocha la tête.

— Fort bien, dit-il. J'ai compris, *Ainsi-soit-il.* Je peux donc à ton avis faire confiance à ce jeune homme ? Il n'est pas envoyé par le Prévôt du Châtelet ? Bien... Bien... Il ne trahira pas nos petits secrets ? J'en suis fort aise.

Le Coësre fit un signe vers sa nièce, lui glissa quelques mots à l'oreille puis, en argot, lança des ordres qui devaient concerner le nouveau venu car des regards pleins de considération se fixèrent sur lui. Le Coësre ajouta :

— Ma nièce t'accompagnera. Elle se nomme Tiphaine. Pour plus de sûreté, prends cette bague. Le chaton contient un poil de la barbe de Léonard, mon saint patron, qui m'a aidé à m'évader des geôles du Prévôt une dizaine de fois. Si quelque gredin te cherche noise, montre-la. Elle est plus efficace et plus respectée que le sceau royal. Tu me la rendras quand ta « mission », comme tu dis, sera terminée.

Il lui passa lui-même la bague à l'annulaire comme s'il s'agissait d'un rite.

— Désormais tu es sous ma protection. Tu as de la chance d'être l'ami de maître Jean sinon tu n'aurais pas cette bague au doigt mais la corde au cou. Prends garde malgré tout. Un conseil : ne laisse jamais moins de trois toises entre toi et ceux qui te suivront. Il se peut qu'on ne prenne pas la précaution, avant de te planter un couteau entre les omoplates, de faire les sommations. Inutile de prendre une arme. Si tu es attaqué ce sera par derrière et sans que tu puisses voir ton agresseur.

Il fit de sa main grasse et soignée un signe pour confirmer sa protection, prononça quelques mots étranges avant de faire retomber son chapeau sur ses yeux.

— Si tu veux voir de l'horrible, dit Tiphaine, tu vas être servi. Ne crois pas les légendes qui courent, à savoir que nos infirmes sont tous aussi ingambes que toi et moi et que tous les habitants de ce quartier sont des assassins ou des voleurs. Je connais des braves gens qui sont là parce qu'ils n'ont pas trouvé place ailleurs et qu'ils ont leur nourriture assurée. Mais ne t'éloigne pas trop de moi.

La colombe intriguait Vincent. Pourquoi ce nom : *Ainsi-soit-il ?* Tiphaine se mit à rire.

— Cela permet au Coësre de prononcer des jugements que sa conscience pourrait réprouver mais que lui dicte sa sécurité. Sous ses abords rudes et équivoques, c'est une âme généreuse et éprise de justice.

Elle le considéra des pieds à la tête, fit la moue.

— Tu as la bague, il te faut la tenue. Veux-tu que je te déguise en « malingreux », en « callot », en « cagoux » ou préfères-tu le genre « capon » ou « sabouleux » ?

— Je n'ai pas de préférence. Tu feras pour le mieux.

Elle le fit monter dans une sorte de soupente qui servait de débarras, sortit d'une armoire de pittoresques guenilles frottées à tant de misère qu'elles en avaient gardé des relents tenaces. Elle l'enveloppa de la cape, le coiffa du bonnet rouge des « sabouleux », le contempla :

— Tu ferais peur aux honnêtes bourgeois mais tu rassureras notre gueusaille. Suis-moi à présent.

Ils descendirent vers la Seine par des venelles qui sentaient le rat crevé. Des brûlots rougeoyaient par intervalles réguliers, dégageant de la nuit des visages patibulaires, des ombres adossées aux murailles, que Tiphaine saluait d'un geste convenu. On la connaissait bien et elle passait sans encombre. De part et d'autre de la venelle s'ouvraient des passages noyés dans une ombre humide et froide au fond desquels brasillaient des feux et floconnaient des fumées dans lesquelles dansaient des ombres. On entendait des chants, des cris, des musiques. Un chien aboya longuement puis se mit à hurler à la lune ou à la mort.

— Ça, dit Tiphaine, c'est l'homme-chien. Tu veux le voir ?

Ils s'enfoncèrent par quelques marches dans une cave au fond de laquelle dansait une lumière de chandelle. Au creux d'une baste d'osier se tenait accroupie une forme drapée d'un manteau d'où émergeait une trogne barbouillée de poils. La « chose » parut s'affoler ; elle émit un gémissement suraigu.

— Qu'est-ce que vous lui voulez ? dit une femme qui comptait des pièces dans son giron comme on trie des pois.

— Le voir, dit Tiphaine.

Elle jeta dans le giron une pièce « de la part de Simon la Colombe ». La femme se leva, saisit une verge et en fustigea l'homme-chien qui sauta hors de sa niche en grognant et se planta sur ses pattes arrière. La tête et le sexe étaient d'un homme mais le corps était effilé comme celui d'un chien courant et couvert de poils raides. Les pattes se terminaient par des embryons de mains et de pieds. La femme le fit aller et venir à travers la cave, pisser en levant la patte et faire quelques autres tours. Vincent prit un rapide croquis.

Ils se trouvaient non loin de la Seine dont on voyait bouger les eaux d'étain. De l'autre côté, dans l'Île de la Cité, se profilaient au-dessus des maisons basses du Val-d'Amour où s'entassaient les « clapiers » des « filles follieuses », les hautes structures de la cathédrale avec sa carapace de plomb.

Pour se rendre au moulin des « Trois Grosses », ils traversèrent un espace de terre molle sur lequel dormait la gueusaille de Grève. Des ombres se dressaient, s'avançaient vers eux mais Tiphaine faisait le signe convenu, prononçait quelques mots d'argot et ils passaient. Un homme parut ne pas comprendre et leur emboîta le pas. Tiphaine, qui marchait derrière Vincent, lui conseilla de ne pas se retourner. Il y eut un bruit de lutte puis un gémissement.

— Je l'ai marqué au visage, dit Tiphaine. Le Coësre saura bien le retrouver et confier son sort à *Ainsi-soit-il.*

Vincent se dit qu'avec elle il pourrait aller au bout de l'enfer.

On ne fit pas d'histoire pour le laisser franchir le seuil du moulin où l'on menait joyeuse vie. A l'aigre musique d'une chevrette et d'une saquebute répondait un piétinement qui ébranlait dangereusement l'édifice vermoulu, ancien moulin du Temple. Ça sentait le gros vin et le graillon. Une sorte d'auberge ou de bordel. Dans les intervalles entre les danses, on entendait le fleuve grignoter les pieux pourris qui soutenaient l'édifice.

— Le guet est intervenu récemment pour régler une querelle, dit Tiphaine. Un sergent et trois hommes. On les a retrouvés noyés. C'est un des endroits les plus dangereux de Paris. Tu veux danser ?

— Je n'entends rien au branle ni à la carole.

— C'est une rote. Viens !

Elle l'entraîna et ils dansèrent à s'en faire chavirer le cœur. De temps à autre une voix très grasse tombait des combles comme un paquet de boue, demandant que l'on heurtât moins fort le plancher.

— Elles sont là-haut, souffla Tiphaine.

Au bas de l'escalier, un homme qui se curait les dents fit des manières ; il fallut montrer la bague de Simon la Colombe et lui glisser une pièce dans la ceinture. Il régnait dans la soupente une chaleur atroce et des odeurs de viande aigre. Trois matrones s'exhibaient pour un misérable public composé d'écoliers, de bateliers, de tanneurs, de commis bouchers, qui buvaient ferme. Elles étaient entièrement nues. De l'une on n'aurait pu dire si c'était un homme ou une femme car elle avait, comme le Baphomet des templiers, des attributs masculins et féminins au bas du ventre et à la poitrine. Un petit homme très sec, les braies descendues sur les talons, sodomisait « le plus gros cul de Paris » ; il poussait des cris d'oiseau, la tête levée vers les poutres comme s'il invoquait un dieu païen. Dans une troisième loge s'exhibait une matrone callipyge dotée de trois seins et de deux sexes qu'elle entrebâillait comme des roses monstrueuses et qui avalaient n'importe quoi.

— C'en est assez pour ce soir, soupira Vincent. Je veux retourner chez moi.

— La nuit ne fait que commencer, dit Tiphaine. Ce que tu viens de voir n'est rien auprès de ce que tu verras. Il n'y a pas de limites à l'horreur.

Par la rue de la Mortellerie encombrée de putains et de ruffians, de truands et d'ivrognes, ils gagnèrent une sorte de place proche de la rue Grenier-sur-l'Eau où demeurait Jeanne Bigue. Un gros platane faisait un décor de théâtre. Simon la Colombe y tenait souvent sa cour, entouré de ses conseillers : exécuteurs des hautes œuvres, souteneurs, policiers véreux, fouille-merde, pipeurs de dés, rogneurs de monnaie... Il avait son fauteuil sous l'arbre, où personne ne prenait place sans risquer de vomir son âme avec sa vie.

— La Cour des Miracles, souffla Tiphaine. Il y a longtemps que le guet ne s'y aventure plus. Pour déloger ces gueux, il faudrait une armée. Un fonctionnaire du Palais a voulu y mettre le feu ; on l'a fait griller dans le foyer qu'il avait lui-même allumé. De telles plaies ont leur utilité. Un monde où l'on trouve l'abbaye de Thiron à deux pas de la Truanderie est un monde qui a trouvé son équilibre. Comme disait Aristote, la lumière ne serait rien sans l'ombre et nous n'aurions pas conscience du bien si le mal n'existait pas.

— Je te trouve bien savante...

Elle lui montra, sur l'autre rive du fleuve, une lumière tremblotant aux fenêtres d'une haute maison noire. C'est là que demeuraient Héloïse et Abélard au temps de leurs amours. Tiphaine connaissait bien leur histoire et avait lu tous les textes d'Abélard. Elle avait été enseignée à l'École du Cloître de Notre-Dame jusqu'à l'âge de douze ans puis ses parents, négociants en pelleterie rue Maubué (« près de la fontaine »), lui avaient donné pour précepteur un jeune chanoine qui avait le mérite d'être féru de philosophie et l'inconvénient d'être beau comme un saint Jean de portail. Elle cessa de sauter à la corde et il la fit sauter sur ses genoux. Lorsqu'elle leur annonça qu'elle était grosse, ses parents la chassèrent. Elle se fit avorter rue Jehan-Paulée par une matrone. Rejetée par les siens, elle avait trouvé asile auprès de l'oncle Simon. Elle avait oublié là les rudiments de sagesse inculqués par son père mais gardait en elle, comme une couche de sel laissée par la mer, des alluvions de philosophie toutes fraîches.

Sur une estrade dressée sur des futailles quelques acteurs déguisés en animaux interprétaient un fabliau très leste, jouant à se poursuivre et à se chevaucher. Sur un autre théâtre, des musiciens au visage barbouillé de céruse jouaient pour des femmes demi-nues sous leurs cheveux flottants et qui dansaient comme des herbes de rivière. Une orgie de cuisine dégorgeait sur des étals des mets épicés dont l'odeur fumait jusqu'aux premières ramures du platane dans lequel on avait suspendu des lumières pour des jeux singuliers. Pour un demi-tarin d'or, une maquerelle lâchait une de ses filles dans l'arbre et l'homme qui parvenait à la rattraper la possédait sur une branche dans une copulation de chats sauvages.

— On en voit autant en juin, à la Foire Chaude de Troyes, dit Vincent. Si je n'ai que le spectacle de ces joyeux drilles pour meubler mon enfer, ça ne fera peur à personne.

— Attends un peu, tu ne le regretteras pas.

Il fallut faire des signes, parler argot, montrer la bague, pour pouvoir s'enfoncer dans une sorte de cloaque où semblaient fermenter les laideurs et les misères du monde. Ils s'accrochèrent l'un à l'autre pour ne pas glisser sur les marches humides et incurvées. Vincent lui avoua qu'il aimait cette odeur qui montait de sa tunique entrebâillée. « C'est le parfum du lis, dit-elle. Cela tient éloignées les bêtes sauvages. » Elle ajouta :

— Ouvre bien tes mirettes. C'est ici que ton enfer commence.

Ils se trouvaient dans une étroite venelle souterraine flanquée de part et d'autre de loges puantes comme des soues. Tiphaine lui recommanda de ne pas regarder les « monstres » avec trop d'insistance car certains étaient susceptibles et pouvaient se montrer dangereux.

« Je rêve, se dit Vincent, et lorsqu'on est parti à rêver il faut que tout suive son cours car on est prisonnier d'une puissance qu'on ne maîtrise pas. » Il avait totalement perdu le contact avec son corps. On aurait pu le traverser d'un poignard qu'il fût demeuré insensible, lui corner aux oreilles que rien n'était vrai dans cette fantasmagorie, il n'aurait rien entendu. Seule Tiphaine était réellement présente et, quand il sentait son cœur lui monter aux lèvres, il lui prenait la main.

Il n'aurait pu dire ce qui le plongeait le plus profond dans l'inconscient : de l'homme-héron dont les longues jambes squelettiques commençaient sous la poitrine ; de l'hydrocéphale au crâne en forme de courge, de l'enfant au ventre ballonné, qui avait un sexe d'homme, rose et délicat, sur le flanc ; de la gorgone dont la bouche démesurée pouvait avaler un pain d'une bouchée ; de l'homme-tronc qui rampait comme un vers pour aller boire à l'écuelle posée sur son fumier ; de l'homme-ulcère qui, des pieds à la tête, n'était qu'une plaie à vif suppurant interminablement ; du diablotin qui sautillait à la manière des crapauds et portait dans le dos une grosse aile déplumée ; de la femme tarasque au corps recouvert d'écailles sous lesquelles vivaient des colonies de vers ; du nègre dont le sexe monstrueux était soutenu par un sac de cuir ; de la couvée de nains veillée par une matrone aussi large que haute ; de ces filles filiformes, aux têtes d'oiseaux et aux cheveux ras, dont la bouche sans lèvres s'ouvrait d'une oreille à l'autre…

Ils avançaient comme des somnambules, la main dans la main, trébuchant sur des choses immondes qui bougeaient, glissant sur des excréments, évitant les jets d'urine.

Ils furent surpris par une haleine d'air frais qui les enveloppa au pied d'un escalier dont les marches ruisselaient de lumières troubles. Au-dessus, dans un drap de ciel noir brasillaient les étoiles de juin. L'air était traversé de bouleversantes odeurs d'herbes et de fleuve. La Seine était là, à quelques pas, entre deux ventres de barques retournées. Vincent se baissa. C'était de l'herbe et elle était humide de rosée. A une légère mais insistante palpitation il sentait la vie revenir en lui avec des éclairs de conscience. Tiphaine lui dégrafa son manteau de « sabouleux » et l'étala sur l'herbe. Ils restèrent un moment assis l'un contre l'autre, incapables de prononcer une parole, de se dégager de cette boue qu'ils avaient traversée. Maintenant, il fallait oublier ; c'était nécessaire pour continuer à vivre comme avant, laisser la bonne nuit franche couler comme une source, regarder fixement cette grosse hostie de lune brumeuse posée sur la charpente de Notre-Dame, au-dessus d'une masse noire campée sur les lourdes pattes de ses pilotis : la maison de Jacoba.

— J'ai envie de toi, dit Tiphaine. Tu l'as eu, ton enfer. Maintenant essaie de l'oublier.

Elle lui prit les mains et l'attira vers elle.

4
SOREDAMOR

On a bien raison de dire que l'amour vient souvent avec le temps et qu'il s'épuise avec le temps, mais c'est alors beaucoup plus tard, sur la fin de l'existence.

Il avait suffi pour Jean et Sybille d'un hiver dans les garrigues, de quelques nuits d'orage et de lavande, du pain et de la fatigue partagés, du gros vin noir du pays, de la solitude. Il n'avait pas confiance dans leur vie commune ; elle si, et de toute son âme.

Jean avait d'abord refusé de l'amener avec lui dans cette équipée à travers des contrées dangereuses ; elle avait tant insisté qu'il avait fini par céder.

Vincent avait été le témoin de leur amour. Sybille était transformée ; elle disparaissait durant des heures tandis que le chantier reprenait vie, et jouait à s'égarer ; parfois, sur le coup de midi, il fallait la chercher, faire retentir de son nom les garrigues. On finissait par la retrouver à moitié ivre de chaleur, de fatigue et du vin qu'on l'invitait à boire dans les fermes perdues. Jean lui faisait des remontrances : « Ne recommence pas ! Tu risques de faire une chute dans un ravin, de te faire mordre par une vipère ou violer par des vagabonds. Il y en a partout ! » Il montrait l'espace où dansait un vent musclé. Elle se moquait de lui et recommençait le lendemain.

« Pourquoi ? lui demandait Vincent. Tu veux le rendre furieux ? » Elle y parvenait presque et cela lui plaisait. Vincent insistait : « Tâche de rester un peu en place ! Regarde... le soleil t'a déjà gâté le teint. Quand tu reviendras à Paris tu ressembleras à une chevrière et tes amies se moqueront de toi. De plus tu as maigri à force de courir. Si tu continues, Jean ne t'aimera plus. » Elle jouait avec l'anneau de paille qu'elle portait au doigt. Jean l'aimait de plus en plus ; il ne pouvait se passer d'elle ; il serait aller la chercher dans les gouffres du pays. « Tu sais comment il m'appelle ? »

Il l'appelait « Soredamor », un nom qu'il réservait à leurs moments d'intimité. Savoir si cela signifiait « ma sœur en amour » ou « mon amour aux cheveux blonds » importait peu. Il avait entendu ce nom dans la bouche d'un troubadour, un soir, près de Limoges. Parfois il le laissait échapper en compagnie des gens du chantier et elle rougissait.

Lorsqu'elle comprit qu'elle était de nouveau enceinte, Sybille renonça à ses vagabondages, d'autant que la chaleur irritait les vilaines plaques rouges qui lui étaient venues aux flancs. Un sorcier lui avait donné des herbes qu'elle prenait avec beaucoup de fantaisie. Elle rassurait Jean : la chaleur, la mauvaise nourriture en étaient cause.

L'hiver n'en finissait plus. Il vint des froids de pierre et un peu de neige. Sybille passait son temps à tricoter au coin du feu ou à faire de la toile en compagnie des femmes du pays. Elles lui avaient indiqué une bonne fontaine proche de l'endroit où l'on reconstruisait la chapelle ; elle guérissait le mal de peau. Sybille s'y rendait chaque jour et récitait des prières en langue du pays en oignant sa peau malade. Sans grand succès.

Parfois il montait jusqu'à ces hautes solitudes des hommes vêtus de noir qui portaient les cheveux longs et leur écuelle pendue à la ceinture. Ils sortaient de leur sac de petites colombes d'argile qu'ils distribuaient aux hommes du chantier (certains les conservaient pour les rapporter à leurs enfants et d'autres les écrasaient sous leur talon). Ils se nommaient les « Parfaits » ; c'étaient les disciples et les apôtres de la nouvelle religion venue d'Orient qui, à les entendre, allait conquérir les terres chrétiennes. Ceux qui leur prêtaient une oreille bienveillante les appelaient « Cathares » (ou « Purs ») ; les autres des « bougres » (ou « Bulgares »). Ils partageaient parfois le repas des ouvriers mais refusaient la viande et repoussaient tout objet qui l'avait touchée. Ils veillaient tard, parlant avec ceux qui voulaient bien les écouter et repartaient tôt le matin. La fatigue et le sommeil, la faim et la soif, la chaleur et le froid leur étaient indifférents.

— Soredamor, disait Jean, nous allons bientôt repartir. Je vais te faire confectionner une litière.

Elle lui riait au nez. Une litière ! L'enfant qu'elle portait ne lui pesait guère. Elle confia cependant à Vincent qu'elle se sentait souvent très lasse mais se refusait à alarmer son époux.

Ils quittèrent leurs garrigues le deuxième dimanche du Carême, après la première messe du matin dans la chapelle rénovée. Le temps s'était remis au froid. Les vents glacés qui soufflaient du nord traînaient avec eux des nuées de neige. Il fallait faire halte en plein jour dans des hameaux perdus du Quercy et du Limousin, attendre des heures que la tempête s'apaisât et repartir par des pistes défoncées où mules et chevaux avaient du mal à progresser.

Arrivée à Paris, Sybille s'alita. La fièvre la faisait délirer.

À Paris, le froid avait été intense. Malgré les couches de paille et de fumier recouvrant les assises, les murs avaient éclaté à leur extrémité et s'étaient lézardés. Dans un premier temps, il fallut les rebâtir : un surcroît de charge dont la Fabrique se serait bien passée.

Le doyen Gautier Barbedor ne dissimula pas ses inquiétudes à maître Jean. Le trésor du Chapitre avait fondu comme neige au soleil, les subsides émanant du menu peuple se faisaient rares et il devenait difficile d'obtenir de l'argent du Temple et de la Juiverie.

— Nous avons eu un hiver très rude. La Seine est restée gelée près d'un mois au point que des charrettes attelées de bœufs pouvaient la traverser sans risques. Il est mort de froid des centaines de personnes. J'avais le cœur brisé en découvrant les foules affamées qui se pressaient chaque matin dans la Cour-de-Mai, au Palais, pour attendre une improbable distribution de vivres. Les bateaux n'arrivaient plus jusqu'à nos ports et il y avait tant de brigands jetés par la faim hors des villes que les marchands hésitaient avant de hasarder vers la capitale des convois de vivres. J'ai honte de le dire mais, à deux pas d'ici, dans le Cloître, j'ai vu des chanoines se battre pour un morceau de pain. Je connais des bourgeois qui se sont ruinés simplement pour survivre. On ne compte plus les échoppes pillées, les greniers à grains attaqués par des bandes. Vous n'eussiez pas trouvé un chat et un chien dans tout Paris. Dieu me pardonne, maître Jean, j'ai moi-même mangé du rat et j'avoue que j'y ai pris un certain plaisir. Et la guerre qui s'en mêle...

Le vieux Plantagenêt avait repris les armes, aussi bien contre le roi Louis que contre ses propres enfants. La Normandie et l'Aquitaine étaient traversées de hordes de « routiers » qui ne laissaient derrière eux que ruines, sang et larmes.

Pierre le Chantre avait beau jeu de proclamer que Dieu avait envoyé ces maux aux hommes d'Occident pour les punir de leur orgueil. La cathédrale de Canterbury avait brûlé. N'était-ce pas un signe évident de la réprobation divine envers les œuvres inspirées par la démence ?

— Avant votre retour, poursuivit Barbedor, nous avons tenu une réunion tumultueuse. Certains en sont presque venus aux mains sous les yeux de monseigneur Maurice. La majorité s'est prononcée. Elle a décidé de fermer le chantier en attendant des jours meilleurs.

Ce long préambule pour en venir là... Maître Jean se détourna. À travers les vitres de la chambre des traits, le chantier paraissait avoir retrouvé une nouvelle jeunesse dans le soleil de mars. Des odeurs lourdes montaient des foyers où l'on brûlait paille et fumier. Montés sur des échafaudages dressés à la hâte, les maçons sondaient les dommages, moins graves qu'on ne l'avait estimé à première vue. Une semaine suffirait pour tout remettre en train. D'autres ouvriers : mortelliers, charpentiers, forgerons, couvreurs, se pressaient le long des palissades, près des portes gardées par des sergents du Chapitre. Tous étaient décidés à travailler pour gagner simplement de quoi manger.

— Fermer le chantier, dit maître Jean, c'est les condamner à la famine ou à la délinquance.

— Tout n'est pas perdu, dit Barbedor. Nous n'avons plus un sou en caisse mais nous allons réagir. J'ai parlé à l'évêque. Il ne peut se résoudre à voir son œuvre compromise. Une nouvelle démarche a été entreprise auprès des chevaliers du Temple et des Juifs et nous allons lancer les « rogatons » sur les routes. Nous appelons ainsi les religieux chargés d'aller montrer les reliques et de collecter des fonds. Bien entendu la plupart de ces reliques sont des simulations. Les véritables sont trop précieuses pour être exposées aux aléas d'un long voyage.

Le roi venait d'instaurer en faveur de Notre-Dame une taxe sur les jeux de quille. Lorsqu'un vieillard était à l'agonie un envoyé du Chapitre venait réclamer la part du Ciel pour la Fabrique, moyennant des indulgences et des messes. On décida d'organiser des ventes aux enchères géantes. L'argent n'allait pas tarder à affluer mais, avant d'annoncer la réouverture du chantier, il convenait d'agir avec prudence et de ne pas risquer de le fermer peu après.

Le plus difficile fut de faire patienter les ouvriers. Ils huèrent les chanoines, bousculèrent les sergents et, pénétrant en force sur le chantier, prirent à partie les tailleurs de pierre qui avaient passé l'hiver dans la loge. L'émeute roula jusqu'aux portes de l'évêché où l'évêque Maurice l'apaisa de quelques mots : la décision de réouverture serait proclamée plus tôt qu'on ne pensait ; de toute manière, une distribution de pain aurait lieu tous les jours. De ces fauves, en quelques mots, il avait fait des agneaux.

Les « rogatons » partirent à la mi-mars, accompagnés d'une poignée d'hommes armés, après une procession générale à travers la ville, au cours de laquelle les aumônes et les dons affluèrent. Le roi y assista de la fenêtre de son Palais car il était trop faible pour y participer ; il contribua par une libéralité à l'élan commun. Retour d'une campagne de guerre, le prince Philippe suivit le cortège. C'était un garçon d'environ dix ans, au visage sournois, à l'allure mal assurée, qui rougissait dès que des regards se posaient sur lui.

Le chantier rouvrit deux semaines plus tard. Ce fut une fête. Les marchands des parages avaient le sourire ; les échoppes et leurs ouvroirs bourdonnaient comme des ruches. Le commerce reprenait. Ce gros navire de la cathédrale, quand il se mettait en marche, entraînait la ville entière dans son sillage.

Sybille semblait revivre.

En définitive elle ne se plaisait que dans cette nouvelle demeure du Bourg-Thibaud comme on disait à présent. Profitant des misères engendrées par l'hiver, maître Pierre avait acquis à bon compte des demeures et quelques arpents du terrain descendant du côté de Saint-Paul. À qui le lui reprochait, il répondait sans se départir de sa sérénité que s'il n'avait pas réalisé ces opérations d'autres l'eussent fait à sa place, avec moins d'humanité peut-être. Les Juifs, par exemple...

De sa chambre donnant sur les jardins où les arbres commençaient à mettre leurs ramures adultes, Sybille fit un nid et n'en sortit pour ainsi dire plus. Cet enfant qu'elle portait dans ses flancs, elle voulait le garder ; plus que le petit Robin, fruit d'une passion âpre et d'une liaison précaire, elle chérissait d'avance celui qui avait commencé à mûrir dans ses flancs au milieu des garrigues et dont la naissance scellerait une union sans équivoque.

La première fois qu'elle vint la visiter, la ventrière fronça les sourcils devant les plaques rouges qui marbraient les flancs et le dos.

— Ce n'est rien ! dit Sybille en rabattant prestement sa chemise : la fatigue du voyage et une mauvaise nourriture. C'est l'enfant que je porte qui compte.

— Vous semblez le porter à merveille. La peau de votre ventre est souple. Je ne constate rien d'inquiétant. Cependant, ces taches...

— Je ferai venir un médecin.

Elle s'attacha désormais à ne montrer à personne, pas même à Havoise et à Jean, cette peau gâtée et elle se cloîtra de plus en plus.

— Tu devrais sortir davantage, lui disait Jean. Ouvre au moins tes fenêtres ! Que crains-tu ?

Elle craignait tout : les regards étrangers, le chaud et le froid, la lumière et l'ombre, le silence et le bruit. Elle ne sortait qu'une fois par semaine pour aller, seule avec Havoise et en cachette de Jean, faire brûler un cierge à Saint-Lazare.

Dans le courant de l'été qui suivit, Vincent, convoqué par l'officialité du Chapitre, avait dû promettre de renoncer à Jacoba. À quelques jours de là, maître Jean le poussait dans l'enfer de la Truanderie. Pourquoi ? Pour donner plus de vérité aux monstres qu'il devrait sculpter. Comme si la vérité d'une œuvre, quelle qu'elle soit, se pêche dans la vie quotidienne ! De cette expédition, il était revenu malade d'écœurement. Elle n'avait servi de rien. Les monstres, il les portait en lui depuis son premier jugement par l'officialité. Il lui suffisait de penser aux chanoines pour voir se former dans son imagination des images de crapauds, de serpents et de porcs.

Au retour de cette expédition, il était resté plusieurs jours sans voir Jacoba et sans lui donner signe de vie. L'horreur lui collait encore à la peau et l'étreinte de Tiphaine à la conscience.

Après quelques jours de cette attente, il vit surgir à l'entrée du chantier la femme du Juif Daoud qui gesticulait et l'appelait à grands cris.

— Venez tout de suite, dit-elle. Jacoba a besoin de vous !

Vincent laissa son travail et lui emboîta le pas. Tout paraissait tranquille dans la demeure de maître Ezra. La femme de Daoud accompagna Vincent jusqu'à la porte de la chambre que Jacoba occupait à l'étage. La pièce sentait la sueur et le sang. Jacoba était allongée sur le lit, les bras le long du corps ; son visage d'une blancheur de craie faisait ressortir le noir profond de la chevelure retenue par un bandeau ; le nez un peu fort saillait durement sous les paupières charbonneuses.

— Je la sauverai, dit le médecin. Je vous le jure.

Il avait des larmes jusque dans sa barbe. Vincent l'obligea à s'asseoir.

— Dites-moi ce qui s'est passé, maître Ezra. Est-ce ma faute ?

— Votre faute ? Que pouvons-nous en savoir ?

Tôt dans la matinée, le vieil homme avait surpris Jacoba en train de se vêtir comme pour une sortie en ville, sauf qu'elle avait préparé un baluchon composé d'une chemise et de linges. Lorsque son père lui avait demandé où elle se rendait, elle avait refusé de répondre. Il s'était montré ferme : elle ne quitterait pas sa chambre avant de lui avoir révélé ses intentions, mais il s'en doutait un peu. Il l'avait suppliée de renoncer à son projet et elle avait ri nerveusement. Un projet ? De quel projet voulait-il parler ? Il l'avait giflée, lui avait arraché son baluchon des mains. Était-elle folle ? La grossesse était trop avancée ; elle risquait de mourir avec son enfant. Elle l'avait regardé durement : mourir ? Elle s'en moquait ! Ne voyait-il pas que cet enfant était un obstacle pour tous et que sa disparition ne laisserait guère de regrets ? Il lui renouvela son interdiction de sortir et la ferma à clé dans sa chambre, conscient qu'un jour ou l'autre elle s'évaderait et mettrait son projet à exécution.

— Comprenez-moi, Vincent, balbutia Ezra. Si elle était tombée entre les mains d'une de ces horribles matrones, je ne l'aurais jamais revue. Alors j'ai préféré opérer moi-même. C'est un crime, soit, mais qui permet de sauver une vie sur deux.

Il ajouta :

— C'était un bel enfant, un garçon. Je viens de l'enterrer dans le jardin.

Vincent faillit laisser éclater la colère qu'il sentait monter en lui. Pourquoi ne pas l'avoir prévenu ? De quel droit avait-on supprimé cet enfant qui était le sien, à lui, Vincent ? Il cognait du poing dans sa main ouverte, marchait du lit à la chaise où le vieil homme pleurait.

— Pourquoi, maître Ezra ? Pourquoi ?

— Jacoba vous expliquera. Moi, j'en suis incapable. Je n'ai jamais rien compris aux affaires de sentiments.

Jacoba avait perdu beaucoup de sang, mais sa vie n'était pas en danger. Éveillée du sommeil provoqué par l'opium, elle avait réclamé Vincent avant de s'endormir de nouveau. Elle mettrait longtemps à reprendre conscience.

— Qu'allez-vous faire ? demanda Vincent.

Ezra tarda à répondre. Il avait vieilli de dix ans. Ses mains tremblaient et son visage tuméfié était l'image même de la douleur. Il secouait la tête, levait et abaissait ses mains sur ses genoux. Après l'hiver terrible qu'avait connu Paris, il était sans ressources. Les portes du Palais lui étaient toujours interdites et les membres de la communauté juive ne l'appelaient qu'à la dernière extrémité.

— Que pourrions-nous faire ? Je songe à vendre cette maison et à partir avec ma fille pour les terres du comte de Toulouse, mais je crains que ce long voyage me soit fatal. Et, sans moi, que deviendrait Jacoba ?

— Vous garderez cette maison et je vous y aiderai.

— C'est impossible. Si le Chapitre l'apprenait, vous seriez perdu.

— Faites-moi confiance. Je trouverai le moyen de revoir Jacoba et de vous aider. Tant qu'on ne vous en aura pas chassés, vous resterez dans cette maison.

Maître Ezra lui prit la main. Il paraissait vulnérable comme un enfant.

— Je crois à votre sincérité, mais elle ? Le délai qui vous a été consenti par le Chapitre s'achèvera bientôt. Revoir Jacoba serait dangereux et jamais vous ne renoncerez à votre travail sur le chantier de Notre-Dame. Avez-vous bien réfléchi à ce dilemme, Vincent ? Y avez-vous bien réfléchi ?

Il lui secouait le bras avec une animation qui ressemblait presque à de la colère. Sottement Vincent rétorqua que rien ne pressait. Il se sentait soudain lâche et désarmé. Tout ce qu'il souhaitait, c'est qu'un événement extérieur décidât à sa place.

LIVRE V

Cette ruine qui n'a pas encore servi, le soleil en est amoureux. Son premier regard, chaque matin, semble être pour elle : un timide regard avant l'orage de lumière des chaudes matinées, un simple clin d'œil mais qui l'embrase tout entière jusqu'à la base des murs et des colonnes, fouille ce grand corps de pierre en gestation dans la matrice du printemps, le contourne, l'inonde, le soir venu, d'une rouge fatigue. C'est un modeste chapiteau, toujours le même, qui reçoit cette première salutation matinale. Il ressemble à tous les autres avec ses retroussis de feuilles qui supportent avec grâce et aisance l'amorce des voûtes sous la charpente achevée. Peut-être celui qu'a sculpté Vincent, ou peut-être Jonathan ou l'un quelconque des imagiers qui ont fait de la loge à la fois leur demeure et leur domaine spirituel. Ce point d'ignition à peine sensible au-dessus de Saint-Denis-du-Pas, les maçons le saluent de la truelle, là-haut, à la naissance des voûtes. C'est l'annonce d'une belle journée en plein ciel, dans le vol et les cris des martinets, le tournoiement de velours des pigeons revenus on ne sait d'où après la famine de l'hiver passé, le battement d'azur des cloches de Saint-Christophe, de Sainte-Geneviève-la-Petite, de Saint-Pierre-aux-Bœufs, de Saint-Denis-du-Pas. Plus rien ne peut leur advenir de maléfique. Dieu protège ce chantier et qui oserait interrompre la construction de « sa » maison ? On voit parfois arriver dans l'enceinte de la basilique des hommes vêtus de blanc portant la croix rouge sur l'épaule : quelques-uns de ces templiers riches à pourrir autant que les Juifs ; ils ont consenti à prêter un peu de leurs trésors pour que Dieu puisse avoir une demeure digne de Lui et ils viennent empocher les intérêts de leur prêt. Les maçons les regardent avec mépris et disent : « Tiens, voilà les banquiers ! » et lorsqu'ils passent sous eux ils leur pissent dessus de la hauteur de leurs échafaudages et se retiennent pour ne pas laisser choir un de ces carreaux enlevés dans les airs par les puissantes pinces de fer. Comme ils aimeraient leur dire deux mots à ceux-là qui feraient mieux d'aller défendre les routes des lieux saints de Palestine contre Saladin plutôt que d'amasser des biens et de l'argent ! Ils leur parleraient d'égaux à égaux, leur montreraient leurs mains brûlées par la chaux, durcies par le contact de la pierre, et ils leur diraient : « Voilà ce que nous offrons à Dieu, nous, les humbles : nos mains et notre cœur, notre fatigue et notre foi pour ces vingt deniers par jour que vous ne daigneriez pas ramasser dans la boue. Et vous, qu'offrez-vous ? Votre épée ? Elle se rouille. Votre foi ? Il n'en reste qu'une coquille vide. Vous n'avez que votre argent et vous le mesurez à Dieu ! » Ils oseraient leur dire cela et pire encore parce que, de serfs qu'ils étaient, ils sont devenus des maçons de Dieu, des hommes libres, exempts du guet comme les honorables bourgeois de Paris. On les salue lorsqu'ils se promènent en groupe sur les ponts de la Seine ; les plus belles filles sont pour eux lorsqu'ils vont passer la nuit au Val-d'Amour. Alors les chevaliers du Temple, les banquiers, les bourgeois, et même ces gros chanoines largement prébendés, tous ceux qui couvent leur richesse, s'en servent pour acheter d'avance des indulgences qui leur permettront de faire bombance en Carême, ces clercs constipés qui rouspètent parce que la maison de Dieu est trop grande et trop belle, ils leur chient dessus. « Quant à toi, compagnon soleil, ami de Dieu, salut ! »

1

LA CITÉ D'AMOUR

Vincent quittait le chantier avec sa chemise qui lui collait aux aisselles et dans le dos, prenait par les ruelles de Saint-Christophe et de la Licorne où maître Jean avait naguère domicile, puis, par la rue de la Pomme qui courait derrière la synagogue, il gagnait le Grand-Pont en suivant la rue de la Lanterne qui bourdonnait dans le soir chaud comme un essaim de frelons. Derrière Saint-Denis-de-la-Châtre s'étendait un abreuvoir à chevaux aux abords mal pavés où les pieds s'enfonçaient dans une gadoue verte de crottin. Moyennant une piécette, il laissait sa chemise, ses braies et ses savates à la surveillance d'une fillette, le temps d'un bain.

Il retrouvait là, chaque soir, avant de se rendre chez Jacoba, ses compagnons maçons, tailleurs de pierre, charpentiers, du moins ceux qui préféraient la fraîcheur des eaux de la Seine à celle d'un pichet de vin au *Château d'or*. La fatigue de la journée s'évaporait comme par miracle dès qu'ils se trouvaient nus entre les chevaux et trempaient l'orteil dans l'eau limoneuse. Ils se ruaient par grappes dans le fleuve en hurlant de joie, s'accrochaient aux flancs du batardeau. Ceux qui savaient nager se hasardaient jusque sous le Grand-Pont et se retournaient sur le dos pour donner des idées aux filles et scandaliser les bourgeois. Assis sur le parapet, un sergent du guet veillait au scandale. Des clercs tonsurés critiquaient en latin la grossièreté des mœurs de l'époque et l'insolence de ces manouvriers qui se prenaient pour des princes et se conduisaient comme des écoliers allemands.

Un soir, au sortir du bain, alors qu'il était occupé à réenfiler ses vêtements, Vincent vit venir à lui un personnage qu'il n'avait pas revu depuis des années et qu'il ne reconnut pas tout de suite. L'inconnu lui dit en souriant :

— Tu ne me reconnais pas. Cette tenue, cette barbe...

— André ! André Jacquemin !

Ils s'étreignirent, remontèrent en se tenant le bras vers Saint-Denis-de-la-Châtre dans une haleine de four. Vincent proposa d'aller prendre le frais sous les treilles d'une taverne d'où l'on découvrait l'enfilade des ponts et les premières fumées du soir sur la Petite-Madian.

André commanda un pichet de vin d'Auxerre. Il paraissait heureux de cette rencontre mais avec une pointe de fièvre comme s'il n'attendait que cette circonstance pour se délivrer d'un secret.

Cette rencontre, il l'avait provoquée. Depuis plusieurs jours, il assistait à la baignade de Vincent et s'était enfin décidé à l'aborder. Il s'exprimait lentement, avec effort, les épaules voûtées au-dessus de la table, tournant son gobelet dans sa main.

Il ne savait plus très bien où il en était depuis sa rupture avec Hans et le départ de ce dernier pour l'Allemagne où il était allé exercer la médecine. Dramatiquement rejeté à sa solitude, il s'était occupé à titre de secrétaire au Collège des Dix-Huit, fondé par Josse de Londres, qui hébergeait dans la Cité les pauvres écoliers, mais les pensionnaires, s'ils accueillaient avec gratitude les libéralités dont ils étaient l'objet, acceptaient mal les corvées que l'on exigeait d'eux, comme de veiller les morts à l'Hôtel-Dieu. Après s'être querellé avec ces ingrats, André avait renoncé à son emploi car il répugnait à imposer la discipline. Il avait laissé la place à un clerc très rustique qui menait les écoliers comme des chiens.

De nouveau seul et désespérant de trouver à employer ses talents qui n'étaient pas négligeables mais disparates, il avait frappé à la porte de l'abbaye Saint-Victor où l'on avait bien voulu de lui comme jardinier. Il n'était pas malheureux ; sa fenêtre donnait sur une vigne et il avait accès à la bibliothèque. Cependant, peu à peu, un mal étrange s'était mis à le ronger.

— Tu as entendu parler de l'*acédia ?* C'est un état d'âme propre aux moines qui acceptent mal d'être confinés entre quatre murs et qui regrettent les libertés du siècle. Chaque nuit, l'envie me prenait de fuir pour retrouver les tavernes, les amis, les filles, de parler avec des gens autrement qu'en latin. Je suis parti...

Jacquemin avait gagné sa vie en copiant des manuscrits pour les maîtres des Écoles de Notre-Dame. Il se disait qu'avec un peu de chance et beaucoup de persévérance il aurait pu devenir un philosophe lui aussi. Il n'était pas maladroit, savait tourner la minuscule parisienne, l'anglaise et la bolognaise mais il souffrait d'un travers redoutable : emporté par l'élan de sa pensée, il modifiait les textes. On lui avait donné congé.

Durant des mois Jacquemin avait vécu dans un grand désarroi, allant jusqu'à tenter de se faire embaucher comme manœuvre sur la place Jurée, mais il était trop faible de constitution et avait les mains trop nettes, si bien qu'on le considérait avec mépris comme un clerc gyrovague et un fainéant. Une riche veuve l'avait choisi pour s'occuper de ses affaires mais en fait pour prendre, la nuit et parfois le jour, la place vide à son côté. C'était une sinécure mais la veuve était laide à faire peur à un Sarrasin et d'une gourmandise amoureuse sans rapport avec ses avantages physiques. Il avait tenu trois mois d'hiver et s'était éclipsé au printemps, une fleur aux lèvres, pour suivre en Normandie un groupe de trouvères et de ménétriers qui s'étaient mis en tête de lui enseigner l'art de couper les bourses tandis qu'ils jouaient sur les places. Il avait regimbé et ils l'avaient rossé et laissé pour mort sur le chemin de Rouen. Un marchand retour de Picardie avec un chargement de laine l'avait recueilli et avait souhaité le garder à ses côtés car il aimait qu'on lui parlât philosophie. Le marchand lui proposa de l'installer avec une dizaine d'autres « ongles bleus » à un métier à tisser. Jacquemin avait l'esprit trop occupé de sa « grande idée » pour que la trame fût parfaite. On l'employa à livrer les draps. Il en porta une paire à un écolâtre de la paroisse de Saint-Julien-le-Pauvre qui, sous le contrôle de l'autorité épiscopale, enseignait à des fils de marchands des rudiments de comptabilité, d'écriture, de langues anglaise et allemande. Le bonhomme cherchait un assistant et Jacquemin s'offrit. Il n'était retourné chez son drapier que pour réclamer son dû. Cela faisait six mois et il n'avait jamais été aussi heureux.

— Cette « grande idée » dont tu te gargarises, c'est quoi ?

Accroché des deux mains à la table, Jacquemin ferma les yeux et parut se recueillir intensément.

— Il faut que je te montre quelque chose.

Il tira d'une poche de cuir qu'il portait à la ceinture une plaque d'argile et un stylet de cuivre qu'il posa sur la table en écartant les gobelets.

— Tu as dû être frappé comme moi, dit-il, par le fait que des villes de l'importance de Paris sont comme de grosses soupes dans lesquelles on aurait jeté pêle-mêle toutes sortes d'ingrédients qui ne parviennent pas à s'agglomérer. Il y vient de toutes gens, la plupart pour s'y établir et y faire carrière. Les rapports qui régissent cette population sans corps et sans âme sont au mieux d'indifférence, au pire de haine. Si tu avais été présent l'hiver dernier, alors que sévissaient la disette et le froid, tu aurais pu constater que ces gens sont en permanence au bord de la guerre civile et prêts à s'étriper pour un quignon de pain rassis.

— Tu as donc décidé, dit Vincent avec une pointe d'ironie, de devenir prédicateur et de réformer les mœurs par la parole...

Jacquemin secoua énergiquement la tête. Il y avait dans la capitale autant de prédicateurs que de marchands de harengs et qui puaient davantage.

— Mon ambition est différente et plus haute. Il faut que nous cessions d'entasser dans nos villes des éléments aussi disparates. Que dirais-tu d'un alchimiste qui jetterait dans son creuset à la fois l'or et le plomb, l'essence de rose et le gros vin du tavernier ? Moi, j'ai conçu l'idée d'une ville que j'appellerais la Cité d'Amour.

— La Cité d'Amour... Fort bien, mais...

— Mon raisonnement est simple. Ne laissons plus la ville pervertir l'homme par de constantes promiscuités. Construisons des villes qui rapprocheront de Dieu les hommes de bonne volonté.

Il saisit son stylet, se mit à tracer un cercle qui épousait les limites de la tablette, puis la courbe d'un fleuve qui traversait de part en part l'enceinte de la cité, dessina en marge le plan de divers immeubles auxquels il donnait des noms allégoriques, s'exalta en décrivant l'édifice central : une sorte de cathédrale à laquelle il donnait le nom pompeux de Temple de la Foi Suprême. Le Forum Liberté était à deux pas. Les savants et les philosophes étaient regroupés dans une sorte de ruche en forme de tour de Babel traversée par le gigantesque escalier de la Connaissance qui aboutissait à une énorme statue d'or autour de laquelle brûlaient des flammes prométhéennes.

— Pour construire la cathédrale, dit-il, j'ai pensé à toi. Je ne connais personne dans toute l'Île-de-France qui te vaille, si ce n'est maître Jean mais il lui manque la liberté du cœur. Il est marié, je crois, et fort épris de sa jeune épouse. Accepte, Vincent, et les portes du Ciel s'ouvriront pour toi de toute éternité.

Vincent se gratta le menton et fit mine de réfléchir. Il était tellement à l'aise dans son corps tout frais du bain, la saveur du vin encore vivante à son palais, qu'il se sentait disposé à l'indulgence. André prit sa réserve pour un acquiescement et son visage s'épanouit.

— Je savais que mon idée te séduirait.

— Certes, mais il faut beaucoup d'argent, une armée d'ingénieurs, de maçons...

— Crois-tu que je l'ignore ? Il a fallu quatre-vingt mille tailleurs de pierre pour construire le temple de Salomon. Il nous en faudra à nous au moins cent mille. Nous trouverons les moyens de les réunir. Dès que j'aurai réuni la somme nécessaire je quitterai mon travail et j'irai prêcher à travers toute la chrétienté pour qu'on m'aide à réaliser mon projet. Nous verrons venir à nous des peuples prêts à prendre les outils en mains, des grands personnages faire le sacrifice de leur fortune pour m'aider. Toi-même : à peine t'ai-je livré mon idée, te voilà tout feu tout flamme ! Garde bien ce secret ! Je veux être à la droite de Dieu lorsqu'il descendra du Ciel pour bénir notre chantier. Toi, tu seras à sa gauche.

— C'est que, bredouilla Vincent, je crains de n'être pas digne de cet honneur et de n'avoir pas le talent nécessaire. Je ne suis pas Adoniram...

— Allons donc ! Crois-tu que je t'aurais mis dans la confidence si je n'avais pas eu confiance en toi ? Désormais, Vincent, nous sommes trois à avoir connaissance de mon projet.

— Et quel est le troisième ?

— Dieu !

Jacoba avait repris depuis peu ses promenades dans le jardin.

Elle s'asseyait sous un pommier, dans un fauteuil d'osier, une couverture sur les genoux. Ses joues reprenaient peu à peu leurs couleurs mais ses paupières gardaient leurs meurtrissures car elle passait une partie de ses nuits à pleurer et dormait peu. Elle lisait quelques lignes de son Virgile et le livre lui tombait des mains : sa vue se brouillait ; elle sentait des brûlures à ses paupières et son attention dérivait. Elle ne reprenait goût à la vie que lorsqu'elle entendait, le soir venu, les trois coups frappés à l'huis.

Vincent traversait la pelouse négligée, se dirigeait droit vers Jacoba, cherchait à deviner à travers cette peau diaphane, ce regard trouble, ces cheveux rêches, l'image de la fille radieuse qu'il avait connue. Elle transparaissait par éclairs pathétiques ; l'espace d'une seconde, Jacoba en était illuminée, surtout lorsqu'il déposait au creux de ses cuisses le modeste présent qu'il lui apportait chaque soir.

— Tu as tort, protestait-elle. Tu sais bien que d'ici peu nous devrons renoncer à nous voir. Alors pourquoi ces visites et ces cadeaux ?

— D'ici la fin du délai, nous aurons bien trouvé un moyen de continuer à nous rencontrer. J'ai bon espoir que les choses s'arrangeront.

Il lui parlait de son travail de la journée.

Jonathan et quelques compagnons allaient partir pour l'Angleterre reconstruire la cathédrale de Canterbury qui venait de brûler ; un mortellier, qui portait une auge de ciment sur son épaule, avait chuté d'une rampe et s'était rompu les jambes ; l'« Écureuil », ce colosse barbu qui tournait seul dans la cage-treuil, était tellement ivre qu'il avait relâché son effort et que la cage s'était mise à tourner seule à une allure folle au point que, lorsqu'on l'avait ressorti, il ne pouvait plus tenir sur ses jambes ; Pierre le Chantre avait une nouvelle fois cherché querelle au milieu du chantier à maître Jean ; mécontents de la nourriture du réfectoire, les ouvriers avaient menacé de pendre les cuisiniers...

— Et Sybille ?

— Elle est de nouveau malade et ne sort plus. Cela semble sérieux. Son enfant né avant terme n'a pas vécu. Et ton père ?

— Il a repris ses écritures.

L'ancien médecin de la Cour avait renoncé à quitter Paris. Sa santé s'était détériorée et celle de sa fille demeurait précaire. Il n'aurait pu supporter les fatigues du voyage et les aléas de l'exil. Afin de subsister, il avait, après de vaines démarches pour tenter de retrouver le droit à l'exercice de son art, accepté des travaux d'écriture mal payés pour les commerçants juifs du Grand-Pont et de la rue de la Juiverie. Il s'y usait les yeux. Parfois, à l'intention de quelques relations sûres, il préparait sur son athanor des onguents à la poix grecque et des électuaires au miel.

Dans la clientèle qui lui avait gardé sa pratique, il comptait la famille de Pierre Thibaud le Riche. Thibaud n'aimait pas les Juifs mais estimait qu'il eût été absurde de se priver de leurs talents. Une fois par mois, il lui ordonnait un examen général de toute la famille, serviteurs compris. Il le recevait ensuite dans son cabinet pour un rapport détaillé.

— Je trouve que dame Bernarde a encore pris du poids. Elle devrait se faire saigner deux fois par semaine et renoncer aux pâtisseries de la mère Barbette. Robin, votre petit-fils, se porte comme le Châtelet et ces rougeurs au visage n'ont rien que de bénin. Je lui ai donné à prendre des infusions de feuilles de noyer. Quant à Félicie...

Les enfants de maître Thibaud étaient de constitution robuste, sauf le dernier, Étienne, qui toussait et dont les urines étaient troubles.

— Parlez-moi de Sybille, maître Ezra.

Maître Pierre n'en parlait qu'en dernier et d'une voix nouée, avec une sorte de réserve comme s'il redoutait une révélation redoutable. Ses mains se crispaient autour du cygne d'or qui trônait sur son bureau.

Il attendait un mot qui ne serait pas prononcé. Ezra parlait d'« inflammations », d'« ulcérations » mais gardait sur ses lèvres le mot redouté.

— Ton père a tort, disait Vincent. La vérité éclatera un jour ou l'autre et sans tarder. Ce mal-là, on ne peut guère le cacher longtemps. Et la contagion, y a-t-il songé ?

Maître Ezra y avait songé. Il s'en entretint un jour avec Vincent.

— Cette vérité, je n'ai pas le droit de la révéler parce que je ne puis plus exercer mon art. La maladie de Sybille ne fait qu'empirer, mais la famille n'en est pas atteinte. Personne, d'ailleurs, n'est dupe et ne semble prêt à accepter la réalité et ses conséquences.

Le « mycobacterium leprae » faisait son œuvre sournoisement. En apparence, Sybille avait peu changé (simplement, elle avait maigri, présentait des troubles nerveux assez fréquents et ses sourcils se clairsemaient). Les atteintes de la maladie ne se révélaient indiscutablement que lorsqu'elle présentait avec des réticences son corps aux yeux du praticien. Ces lésions en anneaux, ces colliers de boursouflures entourant des espaces de peau claire, ces plaques érythémateuses, ces petites papules cuivrées... Le doute n'était plus possible et il eût été insensé d'attendre une guérison miraculeuse comme celle de Lazare, de Job ou de Naaman. Ezra parlait d'une gale tenace dont Sybille finirait bien par triompher, ordonnait des pommades, des bains dans lesquels on faisait macérer des feuilles de lierre, recommandait expressément d'éviter le contact avec d'autres personnes (« Car, disait-il, aucune maladie n'est plus contagieuse que la gale »), et d'éviter les rapports intimes avec son époux.

Sybille promettait et tenait parole. Jean ? Elle ne le voyait plus que de loin, lorsqu'il traversait le jardin pour se rendre à son travail ou qu'il en revenait ; parfois aussi dans le courant de la journée quand une envie subite le prenait de revoir sa jeune épouse. Il s'arrêtait toujours au même endroit, entre un vieux poirier et une charmille où traînaient des jouets d'enfants. Il se tenait debout, immobile, après avoir lancé un caillou à la fenêtre et il la regardait apparaître, longue forme blanche. Ils se faisaient des signes de la main, se souriaient en retenant leurs larmes.

L'« exclusion » avait commencé pour Sybille mais elle était volontaire et imparfaite.

Elle s'était dissociée de la vie familiale pour garder la chambre au deuxième étage, sous les combles, dont elle avait fait son petit univers, où elle avait amassé des souvenirs du temps de leur amour, loin, là-bas, dans l'hiver de cristal bleu des garrigues. Sur les instances du médecin, elle s'était obligée à renoncer à toute sortie. Maître Pierre avait fait ouvrir une grande fenêtre dans le colombage latéral pour qu'elle pût avoir tout le jardin sous les yeux, un petit morceau de Seine avec l'Île-aux-Vaches amarrée à la Cité et, au loin, sur l'autre rive, les campagnes de Sainte-Geneviève et les moulins de la Butte-aux-Cailles. Elle n'en descendait plus ; on lui passait son nécessaire par un guichet. Seul Ezra avait accès à cette cellule et encore ne se présentait-il qu'avec des gants et un masque imprégné de vinaigre sur le visage. Toutes les nuits, elle rêvait de l'homme au visage rouge et aux mains de sel et elle hurlait quand il tendait les bras vers elle.

Maître Jean ne parlait jamais de Sybille.

Durant ses heures de travail ou au cours des repas qu'il prenait de plus en plus souvent au réfectoire du Cloître, avec Vincent, il paraissait préoccupé uniquement de son ouvrage. Il en parlait beaucoup ; il en parlait trop ; il se forçait à parler d'« autre chose » que ce dont il était réellement préoccupé. Vincent se gardait de la moindre indiscrétion et s'efforçait d'évoquer les nouveaux problèmes que posait le chantier afin de soustraire son ami à ses hantises. En pure perte. L'esprit de Jean était ailleurs, en compagnie de ce spectre qui lui faisait des signes et des sourires crispés derrière une fenêtre, avec Soredamor, avec cet amour long à mûrir, qui avait éclaté sauvagement dans les garrigues et ne lui laissait maintenant que des cendres au bout des doigts. Vincent parlait ; il hochait la tête mais ne l'écoutait pas.

— Maître, lui dit un jour Vincent, reprenez-vous. Un jour, vos soucis cesseront et votre œuvre restera à poursuivre. Elle seule devrait compter pour vous comme elle compte seule pour moi. On nous aura oubliés depuis des siècles qu'elle continuera à étonner le monde. Croyez-vous que cela ne vaille pas que l'on refuse ses peines ?

Il dépliait des rouleaux de parchemin, pointait son compas sur un détail, effectuait un rapide calcul, soumettait ses conclusions à maître Jean qui hochait la tête.

— Vous me faites confiance, maître, et je vous en sais gré, mais ce n'est pas ce que j'attends de vous. Ce calcul, c'était à vous de l'effectuer.

L'évêque avait demandé à maître Jean de le rejoindre dans le nouveau cabinet où il venait d'aménager. La pièce sentait la cire, l'encens et, déjà, l'odeur un peu aigre des parchemins. De la fenêtre, on dominait le chantier et, à gauche, les murailles neuves et les jardins de l'Hôtel-Dieu où se promenaient des convalescents. Un rayon de soleil illuminait le bas du visage et la barbe blanche qui bouclait sur le col de la tunique de travail en bure sombre. Le masque pâle et froid se figeait parfois dans de longs silences.

— Maître Jean, dit l'évêque d'une voix qu'il s'efforçait de rendre douce, je n'ai toujours eu qu'à me louer de vos services. On vous avait présenté comme le maître d'œuvre le plus éminent de notre époque et je n'ai pas eu à réviser ce jugement. Ensemble, nous avons conçu cette cathédrale qui sera peut-être la plus belle, la plus grande et la plus chère à Dieu puisqu'elle se dressera au cœur du pays...

Silence. Une lame de parquet craqua au-dessus. Un bruit de dispute monta des cuisines. Jean se demandait ce qu'il faisait là et ce que l'évêque avait à lui dire.

— Notre chantier, poursuivit Maurice de Sully, je l'ai chaque jour sous les yeux. J'y puise souvent, dans les moments difficiles, la volonté et la force de poursuivre mon sacerdoce malgré des soucis et des maux dont vous n'avez pas idée. Je vous vois aller ici et là, escalader les rampes, éprouver la qualité du mortier, examiner chaque pierre, vérifier le tranchant des ciseaux et des gouges, veiller à la pose d'un chapiteau... Je me dis : voici un homme aimé de Dieu ; il a compris l'importance et la qualité de sa mission et Dieu le remerciera en menant son œuvre à bonne fin. Voilà ce que je me dis ou du moins ce que je me disais. En effet j'ai le sentiment depuis quelque temps que Dieu se détourne de vous et laisse ce chantier aller à vau-l'eau. Qu'avons-nous bien pu faire pour mériter cette indifférence ?

Silence. Un pigeon se posa sur le rebord de la fenêtre, le col gonflé d'un gros courroux d'amour. Un appel de grutier jaillit du chantier de l'Hôtel-Dieu. Un secrétaire toussa et se leva pour cracher dans la cheminée.

— Que faire ? poursuivit l'évêque. Prier, chacun à notre manière, pour que Dieu nous accorde de nouveau son attention et sa confiance ? Pour ma part, si cela est nécessaire, je passerai des nuits devant l'autel et les bras en croix. Votre manière à vous de solliciter la mansuétude du Seigneur est d'autre essence. Votre credo, c'est l'œuvre que vous avez entreprise. Une pierre posée sur une autre vaut une prière. Mon ami, je souhaite que Dieu vous visite de nouveau et que vous soyez prêt à l'accueillir.

Maître Jean avait quitté l'évêché titubant, la tête vide, conscient d'avoir essuyé, malgré le ton feutré, allusif, presque amical, une rude semonce. Il devait en convenir : il avait négligé sa mission ; il ne s'intéressait pas comme avant à son grand œuvre et avait pris ses distances avec le chantier. Sa blessure secrète semblait s'être étendue aux ouvriers : ils travaillaient avec moins de cœur, quittaient leur poste pour aller dormir dans un coin d'ombre, négligeaient les mesures de sécurité et l'on voyait parfois des carreaux mal arrimés se balancer dans l'indifférence générale.

Vincent, qui l'attendait en dessinant distraitement un module de chou pour un fleuron de pinacle, comprit que quelque chose de grave s'était produit. Jean ne dit pas un mot. Il saisissait un feuillet qu'il rejetait sans même l'avoir examiné, chassait du pied les objets qui traînaient à terre, cognait du poing contre le mur.

— Pourquoi ne dis-tu rien ! s'exclama-t-il brusquement. Tu meurs d'envie de savoir ce que me voulait l'évêque, mais tu ne dis rien. Pourquoi me mets-tu à la torture ? Pourquoi ?

« Il renverse les rôles », songea Vincent. Il fallait que ce fût bien grave. Il allait le prier de s'expliquer lorsque Jean se livra de lui-même.

— J'avais oublié l'essentiel, le fondement de notre œuvre, dit-il, accroché des deux mains à la planche sur laquelle Vincent avait posé l'équerre et le compas. Si nous ne mettons pas tout notre enthousiasme, toute notre foi jusque dans le moindre de nos actes, si nous n'avons pas la certitude que Dieu nous voit et nous juge, mieux vaut renoncer et déserter. L'évêque avait raison de me dire que Dieu s'est détourné de nous. Pourquoi ? Parce que l'homme indigne que je suis a fait passer ses soucis personnels avant l'œuvre entreprise.

Il se frappa la poitrine et se mit à pleurer.

— Indigne ! Je suis indigne de poursuivre cette œuvre ! Parce que je ne crois plus à ma mission, personne n'y croit. Je te regarde et je regarde ceux qui nous entourent. C'est navrant ! Vous ne mettez pas plus de conviction dans vos actes que des fonctionnaires de la Prévôté. Nous sommes désormais incapables de transformer nos épreuves en exaltation, comme le fait l'évêque Maurice. Ses souffrances, il les transmue en actes de foi et moi, moi je ne suis qu'une bête qui pleure après sa femelle perdue !

Il se laissa tomber à genoux, gémit en frappant ses cuisses.

— J'aurais dû continuer à vivre seul. Je ne suis pas fait pour d'autres passions que celle de mon travail. Je le savais, et voilà où j'en suis !

Il se releva en s'ébrouant, essuya ses yeux et ses joues avec sa manche. Soudain il paraissait plus vieux de dix ans.

— Ce chantier, dit-il avec une poignante résolution, c'est toi, désormais, qui en assumeras la marche. Moi, je vais me retirer chez ces moines blancs que nous avons visités l'été dernier, à l'abbaye du Thoronet.

Vincent sursauta.

— Abandonnez, maître, et j'abandonne aussi ! Sans vous, je ne suis que l'ombre de moi-même et vous avez encore tant à m'apprendre. N'écoutez pas cette colère et ce ressentiment contre vous-même. Dans quelques jours, vous aurez repris confiance en vous et vous la communiquerez à tout le chantier. Demain, peut-être...

Ce soir-là, maître Jean renonça à se rendre chez ses beaux-parents. Il demanda à Vincent de fermer la chambre des traits et d'emporter la clé après l'avoir fermée à l'intérieur. Il voulait ainsi résister à la tentation de courir vers Sybille, dormir dans sa maison, écouter le bruit de ses pas à l'étage supérieur.

À peine Vincent s'était-il retiré avec la clé, que Jean s'endormit. Il s'éveilla deux heures plus tard, bondit sur la porte en essayant de l'ébranler, brisa une fenêtre et se blessa en passant au travers. Il était comme fou. Les maçons tirés de leur sommeil durent le maîtriser et l'emmener dans leur loge où ils veillèrent sur lui jusqu'au matin.

Lorsqu'il s'éveilla dans un timide rayon d'aube, Vincent était près de lui avec une écuelle de lait chaud.

— Je savais que votre résolution ne tiendrait pas, dit-il. J'ai vu Sybille. Je lui ai raconté que vous aviez dû partir précipitamment pour Canterbury où l'on vous réclamait d'urgence et que vous resteriez absent jusqu'à la fin de l'été.

— Elle t'a cru ?

— Elle a fait semblant. En hochant la tête, elle m'a dit que, depuis quelque temps, elle savait que l'heure de la séparation définitive était proche. Elle est persuadée d'être devenue un obstacle pour vous, une gêne et un danger pour sa famille. Elle va partir, elle aussi, dans quelques jours.

— Où irait-elle, mon Dieu ?

— Elle l'ignore. Non loin de Paris, en tout cas. Il ne manque pas de lazarets pour l'accueillir.

— A-t-elle souhaité me revoir ?

Vincent secoua la tête. Elle ne supporterait pas un adieu.

— Elle vous fait dire qu'elle priera pour vous, chaque jour.

— Qu'a-t-elle dit encore ?

— Rien d'autre, maître. Enfin, si... Elle ne vous oubliera pas. Elle vous a aimé de tout son cœur, de toute son âme. Votre enfant, Robin, elle vous le confie. Il est sain de corps et d'esprit. Elle vous demande de le protéger et l'aimer en souvenir d'elle.

— A-t-elle pleuré ?

— Non, maître. Pas une larme.

Ils avaient eu cet entretien à travers le guichet, sans témoin. Dans la dernière lumière du soir, il l'avait devinée plus qu'il ne l'avait vue. Tout ce qu'il avait distingué d'elle c'était ce nez épaté, ces pommettes gonflées, ces orbites sans sourcils, cette nodosité à la joue, cette chevelure toujours abondante mais terne. Une autre femme.

En traversant le jardin, accompagné par Pierre Thibaud, Vincent s'était retourné comme le faisait Jean, entre le poirier et la charmille. Elle était collée à la fenêtre et, en guise d'adieu, faisait bouger la petite flamme de la chandelle.

Mais ce détail, Vincent se garda de le raconter à Jean pour ne pas ajouter à sa peine.

2
LES DIMANCHES DE JACOBA

Quelques religieux avaient pris au printemps, chargés de reliques, vraies ou fausses, les routes dangereuses du royaume et des pays voisins pour demander aux fidèles d'aider à construire la cathédrale par leur obole.

Ils revinrent vers la fin de l'été par petits groupes. Certains manquaient à l'appel. Ils avaient été dépouillés par des brigands, tués par des routiers, retenus prisonniers par des seigneurs de Hongrie qui vivaient à la sarrasine ; certains avaient dilapidé les subsides recueillis dans les tavernes et les bordels.

Ceux qui réapparurent, on les accueillit avec des transports de joie, comme les Rois Mages. Ils sortaient des bastes de leurs mules des coffres remplis de pièces d'or, de joyaux, de livres saints ornés d'ivoire et de pierres précieuses. L'évêque exultait : les coffres de la Fabrique ne sonnaient plus le creux. Barbedor prit solennellement la décision de financer la réalisation d'un vitrail sur ses propres deniers.

Cette fin d'été prit des allures de printemps.

Rien n'arrêtait les ouvriers. Saisis d'un regain d'enthousiasme, ils restaient à leur poste malgré la pluie, travaillaient aux flambeaux jusqu'à des heures tardives de la nuit. Ils allaient au travail comme à une fête.

Le dimanche tout Paris se pressait sur le chantier.

Les chanoines faisaient les honneurs. Ils surveillaient les enfants pour qu'ils ne grimpent pas sur les échafaudages et ne tripotent pas les outils. Certains compagnons restaient sur place, endimanchés, rasés de frais, la cotte serrée à la taille par une large ceinture de cuir dont la boucle s'ornait de l'étoile de David. Surtout les jeunes. Ils bombaient le torse, suivaient de l'œil les filles qui s'informaient avec des regards hardis et des questions sottes, caressaient la pierre ou le bois, regardaient les larges mains rugueuses des travailleurs en rêvant qu'elles se posaient sur leurs hanches.

Les vieux ouvriers préféraient le silence des campagnes de Saint-Germain ou de Chaillot, les tavernes de l'Île-aux-Vaches, les parties de quilles, de dés ou les jeux de table. Ils revenaient le soir à la loge ou au dortoir du Cloître, gris de vin, l'humeur batailleuse et on les entendait jusqu'au couvre-feu et au-delà chanter, danser et se battre comme des chiens.

Ses dimanches, Vincent les consacrait à Jacoba.

Lorsque le temps était beau mais pas trop chaud — elle se fatiguait vite à marcher — ils passaient le Petit-Pont que l'évêque Maurice s'apprêtait à reconstruire en bonnes pierres de Montrouge, s'arrêtaient devant Saint-Julien-le-Pauvre dont on achevait la nef. Appuyée à la margelle du puits où les mortelliers puisaient leur eau et mettaient à rafraîchir leur vin, Jacoba écoutait Vincent lui expliquer quelque détail de construction. Saint-Julien était une cathédrale en miniature, un soulier d'enfant posé près du gigantesque berceau de Notre-Dame ; on n'y respirait ni la grandeur ni l'élan ni la beauté ; son charme était fait d'humilité et du voisinage de ces gros arbres dont l'ombre bougeait sur le mortier frais et les pierres neuves. « Une charmille de pierre pour la sieste du Bon Dieu », disait Vincent.

— Te sens-tu la force d'aller jusqu'au Palais des Thermes ?

Jacoba haussait les épaules. Qu'allait-il imaginer ? Qu'elle n'était pas capable de marcher sans se plaindre comme une vieille ? Quand elle était lasse, elle lui prenait le bras et il ralentissait son allure.

Sur la pente qui menait aux vignes de la Montagne Sainte-Geneviève par les chemins plantés de saules et de peupliers où la chaleur roulait à grosses bouffées, ils croisaient des couples de bourgeois qui traînaient derrière eux servantes et marmaille.

Ils s'arrêtaient souvent à l'ombre, se retournaient pour regarder l'Île de la Cité baignée dans une buée de cristal chaud. Des sons de cornemuses et de tambours montaient de l'Île-aux-Vaches où le peuple menait joyeuse vie sous les tonnelles bouleversées par les crues du printemps ; c'est là que vivait le père de Vincent — il avait renoncé aux travaux de défrichage des marais pour se mettre en ménage avec une femme très sèche et très laide qui le commandait comme un capitaine d'archers. Au-delà du canal qui séparait l'Île-aux-Vaches de l'Île-Notre-Dame, on distinguait la masse carrée de la tour Lauriaux, repaire de pouilleux et de galeux, de si mauvaise réputation que le guet, aux dires de Tiphaine, ne s'y hasardait qu'en force. Plus loin, en direction du couchant, s'étendaient des espaces de prairies et de marécages où grouillaient de misérables marchés de brocante fréquentés par le menu peuple de Paris.

— Regarde ! s'écriait Jacoba, on dirait qu'il y a le feu derrière Notre-Dame.

Ce n'était rien : de vieux matériaux que l'on faisait brûler sur le Terrain.

Elle lui serrait le bras, souriait. Ils s'embrassaient.

De cette butte on découvrait l'Île de la Cité dans toute son ampleur et sa majesté sous les légères fumées de cuisine qui montaient du Cloître aux quarante maisons et des quartiers populeux qui s'écrasaient entre la cathédrale et le Palais. Le chantier creusait une conque au milieu de laquelle se dressait un étrange animal marin qui sécrétait jour après jour sa coquille de pierre.

— Si tout marche comme nous le souhaitons, disait Vincent, le chœur sera terminé d'ici deux ou trois ans. Ce sera une belle fête que celle de la consécration.

— Tu seras au premier rang et le roi te félicitera une nouvelle fois. Et moi, où serai-je tandis que tu savoureras ton triomphe ?

— Tu seras là. J'en ai la certitude. Les choses s'arrangeront pour nous si nous savons patienter.

Ce petit quadrilatère posé comme un jouet neuf entre les vieux quartiers de la tour Baudoyer et les espaces paludéens de Saint-Paul, c'était la maison de maître Pierre Thibaud, au milieu d'un domaine faisant face à une nature encore vierge sur laquelle mordaient des éperons de jardinets et de vignes. Malgré la brume légère de l'après-midi posée comme un fard sur le visage tavelé de la cité, on distinguait les traits des colombages. Derrière cette fenêtre haute, ouverte sur les combles se tenait encore Sybille. Que pouvait-elle faire en cet instant précis ? Elle avait renoncé à la lecture, car les livres qu'elle avait feuilletés, personne d'autre ne pouvait les lire par crainte de la contagion. Peut-être dormait-elle. Peut-être guettait-elle, en faisant tourner du bout des doigts son anneau de paille, l'apparition de maître Jean qui ne viendrait pas, qui ne viendrait plus.

— Si je souffrais, dit Jacoba, du mal dont est atteinte Sybille et sachant que je ne guérirais jamais, j'aurais renoncé à vivre.

— C'est plus difficile que tu le penses. La vie est tenace. Sybille continue de prendre des bains de feuilles de lierre et à se dire qu'un jour peut-être un miracle se produira.

Ils reprenaient leur lente ascension à travers les vignes figées dans la chaleur. Des bourgeois, artisans et marchands, se promenaient avec leur famille et leur chien entre les rangées, jouaient de l'œil avec les perspectives rectilignes, se penchaient pour tâter sous les feuilles les grappes en train de mûrir. Les vendanges seraient abondantes si les orages de grêle épargnaient la contrée.

Le Palais des Thermes dressait ses murs sans âge à peu de distance de Sainte-Geneviève.

Le lierre en avait recouvert la majeure partie, laissant apparaître des chapiteaux et des oculus à travers lesquels passaient des morceaux de ciel et des souffles légers. Des écoliers dansaient dans une cour creusée de vasques profondes. Dans les loges des murailles des garçons et des filles s'embrassaient à pleine bouche. Des jeux de chiens fous occupaient de larges tables de pierre brûlante. Un tavernier malin avait aménagé dans une profonde anfractuosité, sous des voûtes en berceau, un espace où l'on buvait à l'ombre les vins légers du côteau et les bières âpres mises à rafraîchir dans un puits.

— Tu vois, disait Vincent, nous sommes comme de vieux époux.

Il lui prenait la main, l'embrassait par-dessus la table ocellée de ronds de bière et de vin. Lorsqu'elle évoquait leur séparation prochaine, il posait sa main sur ses lèvres. Elle protestait :

— Il faudra bien pourtant que nous en parlions ! Notre temps de grâce va se terminer. Tu partiras bientôt avec maître Jean pour votre campagne d'hiver. Lorsque tu reviendras au printemps reprendre ta place sur le chantier, une barrière sera tombée entre nous.

— Nous nous reverrons. Je trouverai un moyen.

— Et moi je saurai bien te le défendre ! Tu sais ce que tu risquerais ? Le cachot au Châtelet ou dans le donjon de l'évêque. Pour des années peut-être…

— Jamais je ne renoncerai à toi. Si l'on m'emprisonne, je m'évaderai.

— Et moi ? Crois-tu que je me résignerai ? Ma vie tout entière ne sera qu'un mouvement de révolte.

Ils parlaient parfois de cet enfant qu'elle avait tué dans son ventre, qui ne devait pas naître. Il contestait l'utilité de cet acte ; elle le justifiait interminablement : ce lien entre eux aurait eu des conséquences terribles ! Vincent se serait senti lié à elle jusqu'à risquer sa carrière pour la défendre, elle et cet enfant. Non : c'était mieux ainsi. De nouveau ils étaient libres l'un et l'autre. Les événements les atteindraient avec moins de force et de cruauté. Il refusait avec obstination ce raisonnement : avec cet enfant, ils auraient été plus forts et auraient eu un motif supplémentaire de s'opposer aux forces aveugles qui les menaçaient.

— Cette fatalité, insistait Jacoba, tu te fais des illusions si tu crois pouvoir lui résister. Elle ne transige pas. Elle passe en écrasant ceux qui se trouvent sur son chemin. On ne peut lui échapper qu'en s'écartant. L'affronter, c'est se perdre. Tu comprends maintenant pourquoi je te refuse mon lit, quoi qu'il m'en coûte ?

Elle s'enhardissait parfois jusqu'à lui demander des nouvelles de Tiphaine, cette fille qu'il avait rencontrée dans le repaire de Simon la Colombe et qu'il revoyait une fois ou deux par semaine pour le simple plaisir de la chair et un peu de tendresse. Jacoba avait même demandé qu'il la lui présentât, mais il avait toujours refusé. Elle justifiait sa requête :

— Nous avons toutes deux des rapports très différents avec toi. Il ne saurait donc y avoir de véritable jalousie entre nous. Pour moi, tu es un peu ce qu'Abélard était pour Héloïse après sa mutilation. Garde-moi jusqu'à notre séparation cette forme de fidélité, je n'en demande pas plus. Si Tiphaine raisonne avec la même liberté d'esprit, tu es un homme comblé.

Avouer à Jacoba que Tiphaine l'exécrait ? Impossible ! Elle avait, pour parler de cette « femelle juive », de cette « oie maigre », de ce « paquet d'os », des expressions de haine glacée. Parfois elle menaçait : « Si je la rencontre dans la rue, je lui crache à la figure ! » Le jour où elle avait annoncé son intention d'aller dénoncer Jacoba au Prévôt en l'accusant d'avoir avorté avec la complicité de son père, Vincent l'avait quittée en claquant la porte et en se jurant de ne jamais la revoir. Il avait tenu une semaine puis il était revenu, penaud, partagé entre rancune et désir, et elle l'avait accueilli comme s'il ne s'était rien passé. Ils restaient quelque temps sans parler de Jacoba puis un beau jour, sans raison apparente, elle suscitait de nouveau la présence de son ennemie :

— Qu'attends-tu pour te séparer d'elle ? Cette fille ne peut que t'attirer des ennuis. Elle est juive, criminelle et laide de surcroît.

— J'y serai bientôt contraint.

— Et alors, tu m'épouseras ?

C'était son idée fixe. Elle voulait vivre avec Vincent, le « voir vivre », disait-elle, autrement et autre part que dans la chambre délabrée que l'un et l'autre avaient fini par détester parce qu'elle resserrait sur eux un réseau d'habitudes, un décor étroit, un horizon dérisoire. Elle voulait pouvoir le toucher, le caresser à toute heure du jour et de la nuit. Plusieurs fois par semaine, elle se rendait sur le chantier, se hissait sur un monticule de gravats et le regardait de loin aller et venir de la loge des charpentiers à celle des maçons et des tailleurs de pierre, des fondations à la pointe extrême des échafaudages. Elle ne le quittait pas des yeux, lui faisait des signes qu'il ne pouvait voir. Elle le lui reprochait âprement :

— En fait, tu refuses de me voir ! Je te fais honte ! Un jour, que ça te plaise ou non, j'entrerai sur le chantier et je t'embrasserai devant tous tes compagnons !

— Tu oublies que les sergents du Chapitre font bonne garde.

— Je me cacherai dans un chariot et j'entrerai comme les compagnons d'Ulysse dans Troie.

— Alors je demanderai à Barbedor de te jeter dans un cachot et ce sera fini entre nous.

Elle saisissait la balle au bond :

— Tu cherches à te débarrasser de moi ? Dis-le ! Tu ne m'aimes plus !

Vincent prenait à ces disputes futiles un plaisir aigrelet. Cette passion le flattait, lui donnait des ailes, le changeait de l'ambiance feutrée dans laquelle baignaient ses rapports avec Jacoba. Épouser Tiphaine ? L'idée lui paraissait tantôt attrayante et tantôt effrayante. Ils étaient, dans leur nature et leur comportement, tellement différents : elle vive, capricieuse, excessive ; lui calme, cohérent, équilibré… Le mariage de l'eau et du feu. À ses assauts, il répondait par des retraites et des réserves. Il avait acquis cette sagesse un peu lâche qui consiste à temporiser. Mais quelle autre attitude adopter quand on n'est pas maître de sa destinée ?

3

LE RETOUR DE JONATHAN

L'automne ramena Jonathan à Paris.

Il arriva sur le chantier par un beau matin doré sur tranche, pieds nus, ses vêtements gris de poussière, le baluchon sur l'épaule. Un peu grognon. Ces quelques mois passés en Angleterre lui avaient été profitables dans un certain sens, mais il n'avait pas souhaité persévérer. Il aimait ce pays d'espaces riants, de verdure irréelle, de vastes pâturages que l'on découvrait du haut de la cathédrale incendiée de Canterbury mais ne pouvait supporter la bière et la nourriture, et surtout il acceptait mal la suffisance des maîtres d'œuvre et des chanoines responsables de la Fabrique qui considéraient les compagnons venus de France comme des esclaves sous prétexte qu'ils les payaient convenablement.

— Que vas-tu faire à présent ? lui dit maître Jean. Nous allons partir, Vincent et moi, pour le Languedoc.

— Me reposer d'abord. Regardez-moi : j'en ai grand besoin.

Il avait quitté l'Angleterre en pleine révolution. Les Écossais étaient descendus de leurs hautes terres pour attaquer les partisans du roi Henri Plantagenêt contre lequel tout l'Occident avait levé ses bannières derrière sa femme, Aliénor, et ses fils : Henri le Jeune, Richard et Geoffroi. On croisait sur les routes tantôt des partisans du vieux roi, tantôt ceux des princes rebelles. Tous avaient des mines de dogues et des armes jusqu'aux dents. Au moindre nuage de poussière que soulevaient à l'horizon des caravanes de mules, on sonnait le tocsin.

Pour repasser la mer, ç'avait été une autre affaire. Quitter la côte anglaise avait été facile, mais comment deviner qu'en face, dans les parages de Gravelines, Henri le Jeune et Philippe d'Alsace se préparaient à traverser la mer pour aller porter la guerre dans l'île ? Il avait fallu se battre comme des chiens pour faire comprendre à ces enragés de Français qu'on n'était pas des espions mais d'honnêtes travailleurs, des enfants de maître Jacques.

Après avoir goûté le pain dur et la paille pourrie du cachot, Jonathan avait été libéré. C'était de Charybde en Scylla.

Les troupes du roi se tenaient devant Verneuil et Rouen et le pays normand n'était qu'un champ de bataille. On trouvait des cadavres dans tous les fossés et des arbres aux pendus balisaient la route de Paris. Devant la moindre caravane de bourricots, les villes vous claquaient la porte au nez. Dans les villages, on vous recevait avec une faucille sur la gorge. Misère ! Que Jonathan ait pu arriver indemne aux portes de Rouen assiégée par le roi Louis tenait du prodige ; qu'il se retrouvât vivant à Paris, c'était un miracle.

— Me voilà pauvre comme Job ! dit-il joyeusement, mais en apparence seulement. Devinez où j'ai bien pu cacher les petites économies qui sont passées sous le nez des gueux qui m'ont détroussé ?

Jonathan brandit le bâton dont il ne se séparait jamais et qui lui était aussi précieux que la verge d'Aaron. Il avait creusé la sommité, sous le retour en forme de crosse épiscopale, de manière à y faire tenir un petit trésor de pièces d'or « à l'esterlin » qu'il irait porter au banquier lombard le moins gourmand du Pont-au-Change. Il aurait ainsi de quoi reconstituer son outillage et patienter avant de trouver du travail.

— Mais tu es blessé ! s'écria maître Jean.

Jonathan portait au bras une estafilade encore fraîche, saupoudrée de poussière.

— Un souvenir de la débâcle de Rouen.

— La débâcle ?

— Vous ne connaissez donc pas la nouvelle ?

Le roi était rentré dans Paris plus vite qu'il ne l'aurait souhaité. Il était devant Rouen, le pauvre, comme un petit malingre devant une femme opulente : ses bras ne parvenaient pas à la ceinturer entièrement. Son ennemi se trouvait dans les parages. Une charge de Brabançons avait suffi pour débloquer la ville et chasser les Français, l'épée dans les reins, jusqu'aux portes de Paris.

— Cette blessure, dit Jonathan, est un trait de flèche qui a ricoché sur mon bras en laissant les marques de son baiser. De fameux archers, ces Brabançons... Notre roi n'en est pas encore revenu. Battu devant Verneuil ! Battu devant Rouen ! Quelle idée, aussi, de se mesurer à ce foudre de guerre qui n'est jamais là où on l'attend ! Voilà ce qui arrive quand on compte trop sur la Providence et pas assez sur soi-même. J'ai vu notre pauvre souverain pleurer en brûlant ses machines de guerre comme un enfant auquel on arrache ses jouets. Un vieillard ! Il ne tient plus en selle et doit suivre en litière. Moi, je ne l'ai pas attendu. Demain, ce ne sera pas du beau spectacle aux portes de Paris et mieux vaudra ne pas aller s'y frotter. Ça commence à s'agiter du côté du Palais. On dirait une fourmilière sur laquelle on pisse !

Tourné vers le chantier, il s'écria :

— Par les Quatre-Couronnés, vous n'avez pas perdu votre temps !

Le chœur flanqué de bas-côtés puissants à double révolution s'épanouissait dans la lumière du matin. Le soleil jouait avec les nervures diagonales et transversales de la première travée, découpait les oculus placés au-dessus des fenêtres hautes comme une hostie sur les mains jointes du célébrant, faisait gicler une lumière de laine blonde à travers les colonnettes du triforium, plaquait sur les écoinçons des hautes arcades aux piliers massifs une clarté surnaturelle. Des compagnons charpentiers et couvreurs peuplaient les hautes œuvres où se dessinait déjà, sous la délicate et puissante « forêt », l'amorce de la première voûte. On entendait, mêlés aux chants, les appels des maîtres, les grincements des chèvres, des grues et des treuils.

— L'image même de la beauté ! soupira Jonathan. Je n'ai jamais rien vu au monde de si beau si ce n'est la vis de Saint-Gilles.

Il se gratta le menton.

— Je me demande pourtant...

— Quoi donc, Jonathan ?

— Vous avez, naturellement, effectué tous les calculs et êtes tombés juste. Mais comment diable ce fantastique édifice, malgré la robustesse des bas-côtés et des contreforts, pourra-t-il résister à une voûte placée à une telle hauteur ? Certes, ce ne sont pas des voûtes comme on en faisait jadis, lourdes comme des montagnes, sinon tout serait déjà par terre, mais avouez qu'il vous faudra le secours du Bon Dieu et des Quatre-Couronnés, de Jacques et du père Soubise, mes patrons, pour que cette merveille tienne le coup. Vous avez un secret, maître, avouez-le !

Maître Jean parut gêné comme s'il était pris en défaut. Il s'efforça de sourire.

— Il n'y a pas de secret, dit-il. Tous les calculs me donnent raison.

— Alors c'est que je suis une vieille bête...

Comme ils contournaient le chœur, Jonathan tomba en arrêt devant de délicats jambages qui contrebutaient les tribunes de l'extérieur. Leur double volée avait de la grâce mais il fallait que l'œil s'y habituât pour leur trouver de la beauté et les incorporer sans hiatus à l'ensemble.

— C'est donc ça, votre secret ! N'est-ce pas ce petit foutriquet de Vincent Pasquier qui en a eu l'idée ?

— Ce « petit foutriquet » deviendra un grand maître. Il m'a rendu un fier service. Sans son idée, nous aurions sans doute été appelés à réduire la hauteur de la cathédrale au détriment de son ampleur et de son harmonie. Plus tard, il faudra contrebuter au niveau des voûtes par d'autres arcs-boutants d'une plus grande portée.

— Et Pierre le Chantre, ce pisse-froid, comment a-t-il pris cette dépense supplémentaire ?

Le jovial Jonathan exécrait le Chantre qui s'arrogeait le droit de critiquer et de suggérer alors que son affaire était essentiellement l'administration des écoles de la capitale. Lorsqu'il le voyait paraître sur le chantier de son pas allongé qui semblait en prendre possession, jeter des regards vifs dans tous les sens, son long nez livide pointant comme cierge de Noël, Jonathan s'écriait : « Tiens, voilà Blanche-Épine ! » et tous les compagnons de s'esclaffer sur le passage du chanoine qui se contentait de hausser les épaules. Il avait même composé une chanson mi-plaisante, mi-sérieuse où il comparait Blanche-Épine au furet qui se trouvait toujours où on ne l'attendait pas et à l'une des épines qui avaient déchiré le front du Fils de Dieu.

— Cela a fait tout une histoire ! dit maître Jean, à tel point que le Chapitre s'est rallié à ses critiques et a été sur le point de fermer le chantier pour demander l'avis d'experts. Il a même été sur le point d'obtenir ma révocation.

Maître Jean avait plaidé sa cause devant le Chapitre en présentant ses calculs sur une aire de plâtre de vastes dimensions.

— Je suis parvenu à les convaincre en leur expliquant que mes calculs, justes au départ, souffraient d'économies trop strictes imposées par la Fabrique. Ma cathédrale aurait résisté selon les lois des nombres, mais la marge de sécurité était trop faible pour affirmer qu'elle aurait pu résister aux mouvements imperceptibles qui sont l'œuvre des démons souterrains. On a fini par me suivre dans ma démonstration. J'ai modifié la forme trop lourde des arcs-boutants préconisés par Vincent. Ceux-ci sont plus légers. Si l'on tient compte du fait que la poussée des voûtes se répercute pour l'essentiel sur les piliers massifs et sur les fondations dont tu connais la puissance, notre cathédrale est debout pour l'éternité. D'autres maîtres d'œuvre, plus tard, s'ils le jugent bon, flanqueront le chœur d'autres arcs-boutants à hauteur des voûtes. Le Chapitre a refusé cette charge supplémentaire.

L'avis de l'évêque Maurice avait été déterminant dans le débat. Il s'était fait expliquer dans le privé le détail des calculs, avait tenu à visiter le chantier pour confronter la loi des nombres à la réalité concrète. Il prendrait sur ses propres revenus s'il le fallait, mais ces premiers arcs-boutants seraient construits. Et ils l'avaient été, malgré les réticences du Chapitre et la hargne de Pierre le Chantre.

— Drôle de bonhomme ! dit maître Jean. Il a pris pour maître et pour exemple Bernard de Clairvaux, du temps où ce dernier pestait contre Suger et son projet de nouvelle basilique à Saint-Denis. Il possède ses écrits et s'en inspire en permanence dans ses propos. Dans ses diatribes, on retrouve les phrases de Bernard : « Vos cathédrales, vous les construisez avec l'usure de l'avarice et la faim des pauvres ! » Et encore : « Tournez vos yeux vers Israël ! Ces gens n'avaient, pour adorer le Seigneur, qu'un modeste temple, un simple tabernacle... » Bernard de Clairvaux faisait couler des torrents d'éloquence : Pierre le Chantre se contente de crachoter du vinaigre et du fiel.

Le tour du chœur achevé, Jonathan souhaita monter jusqu'à la première voûte en construction sous la charpente dont on achevait de poser la couverture de plomb. Maître Jean tint à l'accompagner par les plans inclinés. Le compagnon s'arrêtait pour caresser une pierre dont il reconnaissait l'origine et la qualité du premier coup d'œil, reconnaître telle et telle marque de tâcheron ou de position. Cette colonnette qui jaillissait d'un bel élan fragile en s'appuyant d'un pied léger aux lourds piliers du sanctuaire pour s'épanouir discrètement en un minuscule chapiteau à la naissance d'une arête, c'était son œuvre et il en fut tout ému. Elle s'incorporait maintenant à la maçonnerie, mariée aux baies du triforium élégantes sous leur arc de décharge, à ces fenêtres du clair-étage dont l'élan gracile se couronnait d'un oculus rond comme l'auréole d'un saint ou comme une hostie. En attendant la pose des vitraux le soleil d'automne y faisait déborder ses gerbes.

Quittant l'escalier de pierre aménagé dans la muraille, encombré de gravats et de crachats de mortier, ils accédèrent par une rampe aux souples clayons d'osier des échafaudages, s'effaçant pour laisser place aux robustes manœuvres portant sur l'épaule des auges pleines, qui laissaient sur leur passage des odeurs de sueur et de mortier frais.

Jonathan s'arrêtait, respirait l'air plein d'odeurs familières, se baignait l'œil de cette lumière translucide qui hésite entre le plein jour et la pénombre claustrale, appréciait l'ampleur de cette gigantesque volière sonore de chansons, d'appels, de bruits divers, souriait en reconnaissant d'anciens compagnons qu'il saluait d'un signe de la main, l'index et le majeur pointés à hauteur de la tête, et d'un de ces cris inarticulés par lesquels les initiés se reconnaissaient et fraternisaient.

— C'est prodigieux ! s'exclamait-il. Par les Quatre-Couronnés, jamais je ne me rassasierai de ce spectacle.

Ils occupaient l'étroit espace de muraille sur lequel reposaient les poutres de grandes portées qui traversaient le sanctuaire d'un bord à l'autre, supportant la « forêt » de la charpente. Au centre, sur un étroit espace de plancher, tournait le treuil dans lequel deux hommes-écureuils marchaient sur place inlassablement.

Le chœur développait ses perspectives à la fois puissantes et légères. De plan en plan, l'œil cascadait, glissait sur des arêtes de voûtes qu'escaladaient les voussoirs de pierre neuve, blanche comme un os, caressait le fléchissement tendre des couchis et des cintres de bois soigneusement appareillés et pointés. Au cœur de cette énorme étoile de pierre subsistait l'espace vide où viendrait s'encastrer la clé de voûte que l'on finissait de tailler devant la loge. Plus bas, s'étiraient de vastes plates-formes sur lesquelles reposaient les lourdes pattes des cintres chevauchés par les maçons et les charpentiers qui travaillaient de concert. Sous le réseau des solives, se creusaient des abîmes lumineux, ouverts à tous les vents, où se dessinaient des ombres, où des fourmis humaines allaient et venaient dans un murmure profond, portant des auges de bois, traînant des pièces de charpente et, sur les bards, des pierres d'une pureté de joyaux. Des vols de pigeons traversaient l'espace intérieur, louvoyaient à travers les obstacles avant de plonger dans la lumière du matin.

Sur un monte-charge qui tanguait dangereusement, un jeune ouvrier beau comme un saint Gabriel, cramponné à la corde, faisait son ascension vers les hautes œuvres.

— Il ne lui manque que des ailes dans le dos ! dit Jonathan.

— Tu ne le reconnais pas ? dit maître Jean. C'est Vincent.

— Par maître Jacques, il a bien changé en un an, ce gamin. Et en bien ! Serait-il amoureux ?

— Il est pétri d'amour au point qu'on doit parfois intervenir pour lui éviter de faire des sottises. Tu le verras tout à l'heure.

Il ajouta à voix basse :

— Fais doucement quand tu te retourneras. Nous avons des pensionnaires.

Des choucas des tours en capuchon gris avaient installé leur nid et se querellaient pour une brindille posée de travers.

— Tout cela me rajeunit ! dit Jonathan. Il me suffit de pénétrer sur un chantier pour me sentir moins vieux de dix ans et ne plus éprouver dans les épaules et les reins les tiraillements et les lourdeurs de l'âge. Tout à l'heure, en débarquant, j'avais de la peine à tenir sur mes jambes. Maintenant, je me sens prêt à reprendre sur-le-champ le maillet, le ciseau grain-d'orge ou la boucharde. Décidément, je ne puis me résoudre à flâner longtemps dans Paris sous prétexte que j'ai besoin de repos. J'y perdrais ma force et mon âme.

La rumeur qui venait du Palais se transformait en tumulte et les va-et-vient en panique. Le bruit avait couru que dix mille hommes avaient péri devant Verneuil et Rouen et que l'on n'avait pas de nouvelles du roi. On voyait de toutes parts surgir des cavaliers perdus qui tournaient comme des fous dans la Cour-de-Mai, hurlant à la trahison, annonçant que l'ennemi était à moins de six lieues de la capitale.

Ce jour-là, les ouvriers du chantier abandonnèrent leur travail au milieu du jour par ordre de la Fabrique. Invités à se présenter au Châtelet pour y recevoir des armes, ils trouvèrent porte close et des centaines d'hommes qui attendaient comme eux. Peu à peu, chacun s'en retourna chez soi.

Le roi rentra de nuit dans Paris. Pour plus de sûreté, il avait fait franchir le fleuve à son armée à la tombée du jour et, installé dans la plaine de Courcelles, avait attendu le couvre-feu pour regagner le palais afin d'éviter d'inquiéter la population.

Au matin, la vie avait repris son cours normal. Les gardes faisaient comme d'ordinaire les cent pas devant les portes du Palais tandis que les crieurs allaient colporter des nouvelles rassurantes aux quatre coins de la ville.

Le roi Henri ne viendrait pas poster ses troupes sous les murs de Paris. Le vieux rat avait le don de flairer les pièges à dix lieues et celui qu'on lui tendait était cousu de fil blanc. Le roi de France balayé, ses propres fils ramenés à l'obéissance, il pouvait manifester sa clémence. Sous ses allures d'ours acariâtre, c'était un homme placide, plus préoccupé par les plaisirs de l'amour que par les rudes joies de la guerre, et son empire était trop vaste pour qu'il cherchât à susciter des événements susceptibles de l'ébranler.

4

L'EXCLUSION

— Laissez-moi voir mon petit Robin, père. Une dernière fois, je vous en conjure.

La réponse parvint à Sybille assourdie par l'épaisseur de tissu imprégné de camphre posée sur les narines et la bouche de son père. C'était non. Maître Pierre Thibaud était grotesque avec cette robe qui lui balayait les talons et dessinait le relief de son ventre en forme de melon. Pour plus de sûreté, on avait placé Robin chez une sœur d'Havoise, dans les campagnes de Levallois, pour quelques jours.

— Je veux simplement le voir, père. Je ne l'approcherai pas, ne le toucherai pas. Je retiendrai même ma respiration. Ne me laissez pas partir ainsi.

— Reste où tu es, dit maître Pierre en reculant d'un pas. Comprends-moi. Cet enfant est fragile. Maître Ezra a recommandé de le tenir éloigné de toi.

— Maître Ezra... Il m'avait laissé espérer que je pourrais guérir en me disant que la médecine avait vaincu des cas plus graves que le mien. Et voyez où j'en suis...

— Plus tard, nous t'amènerons ton fils, je te le promets.

— Je n'en crois rien ! Maintenant, laissez-moi, père, je vous prie. Pour le peu de temps qui me reste, je veux être seule.

D'ordinaire, Jean arrivait par le portail donnant sur la rue de Joï et les domaines de l'abbaye de Thiron. Toujours à la même heure. Ponctuel comme la cloche de Saint-Paul.

Il s'avançait à pas lents, précédé du chien de la maison, souvent avec un cadeau : des fleurs, des friandises de chez la mère Barbette, un ruban ou une perle comme si Sybille était sur le point de guérir et allait se préparer pour quelque fête. Il restait immobile quelques instants au milieu de l'allée, entre la charmille et le poirier. De la fenêtre Sybille pouvait voir briller dans l'échancrure de sa chemise la médaille qu'elle lui avait offerte peu après leur mariage, au cours d'un voyage à Vézelay. Bien souvent, pour être plus vite auprès d'elle, il ne prenait pas le temps de se changer. Par l'intermédiaire d'Havoise, il lui faisait transmettre des billets pour lui dire qu'elle guérirait vite, qu'il l'aimait toujours, qu'il saurait l'attendre le temps nécessaire, qu'aucune femme ne compterait jamais dans sa vie hormis elle.

Depuis près de deux mois, Jean espaçait de plus en plus ses visites pour ne pas prolonger un espoir vain et une souffrance chaque jour plus intense. Pourtant il ne se passait pas un jour qu'à l'heure sonnant à Saint-Paul elle ne se plaçât devant la fenêtre donnant sur le jardin, dans l'attente de son amour.

Ce jour-là, comme les précédents, elle attendit en vain. Il savait pourtant qu'elle allait partir pour ne plus revenir et qu'ils ne se reverraient peut-être jamais. Lorsque la cloche sonna, elle se posta contre la fenêtre et attendit. Le soir prenait des teintes de pêche mûre. Des odeurs de fleuve et de campagne montaient de l'horizon lumineux avec celles des fumées du soir. Loin sur les marais où s'arrondissaient des bouquets de saules, éclataient des querelles d'oiseaux. D'ici quelques jours, aux premières brumes de l'automne, Jean prendrait la route du Languedoc comme si de rien n'était, parce que sa vie était réglée ainsi, qu'il ne pouvait la changer pour elle et que ce sacrifice eût été inutile. Elle le regrettait amèrement mais lui pardonnait. Il devait quitter Paris pour allait retrouver sans elle les collines radieuses du Languedoc, les aubes de lavande et de rosée, les nuits fraîches aux odeurs de bois brûlé, les matins crépitants d'oiseaux.

« Il va venir, je le sens. Il ne peut me laisser partir ainsi, comme si nous n'avions jamais vécu ensemble, comme si tous nos souvenirs communs avaient été balayés et dispersés. Il va pousser le portail, surgir dans l'allée, se tenir un moment debout entre la charmille et le poirier. Peut-être montera-t-il jusqu'à moi ? Peut-être tentera-t-il de forcer ma porte ? Peut-être même osera-t-il me prendre dans ses bras ? Alors je lui dirai : « C'est bien d'être venu une dernière fois. Tu vois, maintenant je suis entre la vie et la mort, je n'existe plus vraiment. J'ai brisé mes miroirs. »

Le portail s'ouvrit à deux battants et un cheval tirant une carriole entra dans le jardin et cabra en entendant aboyer le chien.

« Déjà... », songea Sybille. Tout était prêt. Dans le petit coffre de voyage que Jean lui avait offert pour leur pèlerinage à Vézelay, elle avait jeté quelques livres lus et relus, une petite cire rouge sur laquelle Vincent Pasquier avait gravé le visage de Jean, quelques onguents prescrits par maître Ezra, des vêtements et l'anneau de paille de leur mariage.

On frappa timidement à la porte de sa chambre. Havoise. Elle portait des gants et un masque de camphre. Des traces de larmes se marquaient à ses pommettes et elle était secouée par moments de lourds hoquets de sanglots.

— Allons... Allons..., dit Sybille. Est-ce que je pleure, moi ? Prends mon coffre. Je te suis.

Elle parcourut d'un dernier regard cette chambre qui était sa prison depuis des mois, par la fenêtre de laquelle elle découvrait un petit morceau de la cathédrale en construction, juste au-dessus du poirier. Descendre l'escalier lui fut un supplice et elle devait se cramponner à la rampe pour ne pas céder au vertige. Debout dans la grande salle des gens discutaient, maniaient des feuillets auxquels pendaient des cachets de cire. Il y avait là un prêtre qu'elle ne connaissait pas, un officier de la Prévôté royale, un médecin qui examina rapidement la malade, hocha la tête et protesta : cette femme était un foyer d'infection ; pourquoi ne l'avait-on pas prévenu plus tôt ?

— Écartez-vous ! cria-t-il, faites sortir la malade sur-le-champ !

Dame Bernarde, entourée des domestiques, geignait sourdement dans un fauteuil d'osier en s'essuyant les yeux. De la pièce voisine, venaient des bruits de sanglots et des gémissements.

— Il est temps, dit l'officier de la Prévôté. Les documents sont en règle. Nous devons être à Saint-Lazare avant la nuit.

Sybille monta dans la carriole où flottait une forte odeur aromatique, s'assit sur son coffre, devant une petite fenêtre de papier huilé ouvrant sur l'arrière. L'attelage manœuvra pour faire demi-tour, écrasant un parterre de fleurs. Le médecin, le prêtre, l'officier de santé suivaient à distance respectueuse. Sybille fit un dernier signe de la main et soudain ce fut comme si son cœur éclatait dans sa poitrine. Derrière le groupe de sa famille et des domestiques, elle venait de reconnaître la haute silhouette de Jean. Arrachant le papier qui servait de vitre elle se mit à hurler :

— Jean ! Mon amour !

Il bondit, bouscula le médecin et l'officier, prit la main que lui tendait Sybille. Quelqu'un dans son dos lui cria qu'il était fou et qu'il risquait la quarantaine au lazaret. Puis deux bras solides l'arrachèrent à la toile à laquelle il se cramponnait.

Il resta jusqu'à la nuit, seul, dans le jardin de maître Pierre. Dans sa tête roulait interminablement la carriole. Il entendait le grincement des roues sur les pavés de la rue de Joï, en direction de la chapelle où l'on allait dire pour Sybille, symboliquement drapée dans un linceul et allongée dans le cercueil des lépreux, la messe d'exclusion.

LIVRE VI

Maître Jean : « Nous ne nous appartenons plus, Vincent. Il vient un moment dans la conception et la réalisation du grand œuvre où nous nous détachons de la réalité humaine comme un navire rompt ses amarres. En apparence, nous naviguons à la dérive ; en fait vers l'étoile qui est notre but et notre espérance ; l'étoile de David sur laquelle se modèlent toutes les cathédrales d'Occident. Nous croyons qu'une part de nous-même vit encore de sa vie propre mais ce n'est qu'illusion. Ces fibres qui palpitent quelque part en nous témoignent d'une lente agonie et d'une mort imminente. Je dis « imminente » parce que désormais le temps est aboli, que nous vivons dans une autre dimension temporelle, que cette nécrose peut durer quelques instants ou des années. Qu'importe ! Le temps nié s'éloigne de nous comme une rive avec ses brumes et ses fumées. Nous pénétrons dans un monde de pierre et de cristal ; nous deviendrons à notre tour pierre et cristal et les hommes oublieront notre apparence et notre nom pour ne voir que notre corps véritable : celui de l'œuvre à laquelle nous sommes confondus. Souviens-toi Vincent ; seule compte l'œuvre. J'en suis arrivé à ce point de connaissance et de rupture alors que tu en es loin encore. Nous serons désormais présents l'un à l'autre plus étroitement et plus que jamais séparés, pareils à ces tours jumelles qui flanqueront la façade de notre cathédrale, identiques en apparence mais très différentes l'une de l'autre. Il est bien que nous nous soyons séparés durant ces quelques mois ; cela nous permet de mieux distinguer nos identités et nos différences, de mieux apprécier la distance qui nous sépare et l'avance que j'ai prise sur le chemin qui mène à l'étoile et cette absence nous unit. Tu n'as jamais été aussi présent à ma pensée. Tu n'es plus un corps qui palpite, qui bouge, qui aime, qui crie. Tu n'es plus que cet élan et cette volonté encore inconsciente mais réelle de rompre la chaîne qui te retient au rivage. Je sens déjà en toi des impatiences, mais rien ne presse. Tout viendra à son heure. Que cette lettre ne soit pas une incitation à accélérer le mouvement qui t'entraîne vers moi. Laisse faire le temps. Ne te refuse pas aux passions qui t'agitent encore car elles ne font que hâter le moment de la rupture, mûrir ce fruit de pureté que je sens en toi, te détacher du monde. Seul compte l'élan. Il nous soulève tous deux, et moi qui suis déjà dans d'autres eaux je te dis : ne fais rien jamais qui puisse le ralentir ou le rompre ; tu le portes en toi ; bientôt, c'est lui qui te portera et tout sera facile. Si tu savais comme désormais tout est simple pour moi ! Chaque soir, j'ai l'impression de m'endormir dans une tiédeur de paradis, aux portes de Dieu et, chaque matin, il me semble que mon corps s'est dissous dans le soleil qui le baigne. Mes sommeils sont peuplés de cathédrales idéales ; mes audaces n'ont plus de limites ; les pierres ont perdu leur poids et leur opacité ; elles volent à travers les airs, se posent où je l'ai prévu, dressent un escalier de lumière qui n'en finit pas et déjà, sur la première marche du sanctuaire, je devine comme un mouvement de cristal dans la chaleur de la méridienne : les pieds de Dieu qui commencent leur ascension… »

1

IL NEIGE SUR PARIS

La lourde barque avait été remontée par les matelots jusqu'aux limites de la plage de galets. Retournée, relevée du nez et maintenue par des poteaux de bois, elle s'ouvrait comme la gueule de Léviathan face à la mer grise du printemps.

Vincent avait pris Jacoba par la main et ils s'étaient abrités là d'une averse après leur course sur les falaises. Assis sur une couche de genêts secs, tout au fond de la barque, ils regardaient fumer la mer furieuse. Au-dessus d'eux, se déployaient les membrures robustes et délicates de l'embarcation. Un ciel noir et bas s'ouvrait au-delà de l'espace de galets sur la colère des vagues.

Il dit : « Cette barque renversée me rappelle ma cathédrale. » Elle répondit : « Tu ne penses qu'à elle. Et moi j'existe aussi, non ? » Il l'avait embrassée, couchée sur le lit de genêts et ils avaient fait l'amour.

Elle portait des vêtements d'homme à cause du froid et une cape dans laquelle ils s'enveloppèrent. La pluie passait au-dessus d'eux par rafales et les galets se mirent à scintiller de toute leur nacre. De grosses voix de pêcheurs retentirent du côté d'Étretat dont on distinguait dans un creux l'abbaye et le village dans leur cocon de brume et de fumée.

La cathédrale, pareille à une carène de barque retournée...

Vincent s'y rend chaque jour. Il quitte la loge des maçons et des tailleurs de pierre où ronfle un poêle de terre et, pour se dégourdir les jambes, grimpe par l'escalier de pierre jusqu'au triforium, au-dessus des doubles collatéraux du chœur. Il ne peut monter au-delà car les échafaudages ont été enlevés et ne seront remontés qu'au printemps. Il est là comme entre deux eaux, à mi-profondeur de cette carène engloutie.

Ce matin-là, il neige sur Paris. Le vent ronfle comme un orgue dans l'immense vaisseau de pierre et sa course est visible à la danse des flocons qui s'engouffrent par toutes les ouvertures, flottent au milieu du sanctuaire sans savoir où se poser, s'élèvent comme une draperie jusqu'aux voûtes, tournoient avant de retomber et de se perdre dans l'espace. Une cathédrale morte ; ce qu'il en restera à la fin des temps lorsque les défunts commenceront à amorcer leur résurrection dans la glaise gelée et que les trompes sonneront le printemps des hommes.

« Les pierres ont perdu leur poids et leur opacité : elles volent à travers les airs, se posent où je l'ai prévu... » La lettre de Jean est là, dans sa ceinture. Une lettre étrange, qui semble écrite par une personne qui n'est pas Jean, qui n'est plus lui. Mais qui est Jean ? Que sait-on de lui ? Pas même son nom véritable, ni son origine (sinon qu'il est né à Chelles, près de Paris). Un personnage sans racines, qui flotte entre Dieu et les hommes comme ces flocons de neige. « Je ne lui ressemble pas, se dit Vincent. Je ne lui ressemblerai jamais, quoi qu'il en dise. Je ne suis qu'un homme, moi, dans toute sa banalité. À lui, ces cathédrales de cristal dont il rêve ; à moi, cette pesanteur, cette grisaille, ce froid. Jamais nous ne pourrons nous rejoindre... »

Il fait noir et froid sur Paris.

Ce matin, on a trouvé, adossé à la loge, le cadavre d'un vieil homme. Ce n'est pas le premier. Les gueux arrivent chaque soir par groupes, vont se blottir dans une anfractuosité de l'édifice ou bien autour de la loge qui rayonne un peu de chaleur, de lumière et de vie. La crypte de l'ancienne basilique Saint-Étienne en regorge, la nuit venue. On voit danser leurs feux, on entend les bruits de leurs querelles, leurs chants, le ronflement de leur sommeil. L'évêque Maurice a donné des consignes pour qu'on les laisse en paix ; parfois même, il leur fait porter du bois et du pain.

« Tu n'es plus un corps qui palpite, qui bouge, qui aime, qui crie... » Ce fou de Jean ! Parce qu'il a perdu celle qui comptait seule pour lui, cette « Soredamor » qui se décompose inéluctablement dans son lazaret, au milieu des morts vivants, la vie a perdu son sens et il s'en est inventé une nouvelle. Dépossédé il s'est tourné vers les vraies richesses. « Mais moi, songe Vincent, je vis, je tiens à mes misérables plaisirs, je suis un homme avant d'être un pur esprit. »

Cette chaleur au bas du ventre, soudain, c'est bien le signe qu'il est vivant. La vie, c'est ce mouvement alterné qui nous porte de la joie à la peine, de l'amour au désespoir ; c'est cette incertitude que nous trouvons à notre chevet, chaque matin, comme un cadeau du Ciel. « Je déteste la pureté, la certitude, la voie droite qui mène à l'étoile de David. Ma route à moi n'a pas d'horizon ; elle est cette cathédrale échouée dont on ne saurait dire si elle est proche de son achèvement ou si elle consomme sa ruine. Ma vie n'est pas renoncement mais révolte. »

La veille, Gautier Barbedor l'a invité à le rejoindre dans son cabinet du Cloître, la plus vaste des maisons canoniales. Devenu secrétaire du roi, le doyen n'en continue pas moins à veiller sur la Fabrique.

Barbedor croquait des figues sèches du Languedoc, arrivées par le même courrier que la lettre de maître Jean. Il en offrit une à Vincent.

— Ce voyage à Étretat, Vincent, loin de moi l'idée de vous le reprocher. Il s'inscrivait dans le délai de grâce qui vous est imparti. Je compte maintenant sur votre raison pour renoncer sans esprit de retour à cette fille. S'il ne tenait qu'à moi vous pourriez poursuivre vos relations avec elle, mais le Chapitre et surtout la Cour y voient un objet de scandale. Un chrétien, une Juive... Vous voilà devant un choix : votre carrière ou cette fille. Si vous choisissez la fille, il faudra quitter cette ville ; dans l'autre cas, vous devrez jurer de renoncer à elle et ne pas tricher. Prenez une autre figue...

Barbedor se renversa dans son fauteuil.

— Je ne souhaite pas peser sur votre jugement, mais je regretterais fort que vous nous quittiez. Au risque de flatter votre vanité, j'affirme que vous êtes, après maître Jean, le meilleur artisan du grand œuvre. C'est sur vous que nous comptons pour le remplacer si — ce qu'à Dieu ne plaise ! — il venait à nous manquer. Ces figues sont délicieuses, ne trouvez-vous pas ?

Un chien gris passa comme une ombre, alla se pelotonner devant la cheminée en soupirant.

— Vous ne répondez pas, Vincent. Auriez-vous quelque autre solution à nous proposer ?

Il n'y a pas d'autre solution. C'est Jacoba ou ce n'est rien. Il prêtera serment de ne plus la revoir, même pour de simples visites d'amitié. Il sait qu'on exigera cela de lui, qu'on le surveillera étroitement, qu'il sera lié à son serment. Il sait aussi qu'il ne renoncera jamais à Jacoba et que, si elle quitte Paris pour Toulouse ou Bordeaux, il la suivra parce que sa vie, depuis leurs rendez-vous sous l'orme Crève-Cœur, est liée à la sienne.

Ce jour n'en finit plus.

Vincent abandonne maillet et ciseau. Un apprenti finira bien ce crochet commencé. Il quitte le chantier, pousse vers le Petit-Pont. Sur l'eau verte de la Seine, jusqu'à l'Île-aux-Vaches, dansent des voiles de neige. En amont, le Marché-Palu bourdonne misérablement dans le gris, la brume et la boue.

Ce soir, Vincent prêtera serment de renoncer à Jacoba. Il posera sa main sur la grosse Bible ornée comme un coffre à bijoux et jugera de respecter sa parole.

— Il le faut, lui a dit Jacoba. Tu tiens trop à ton œuvre pour y renoncer. Quant à moi, je ne te donnerai pas davantage que ce que j'ai pu te donner à ce jour. Je ne suis même pas certaine de tenir vraiment à toi et je doute qu'une vie commune puisse nous lier davantage l'un à l'autre. Déjà, à Étretat, j'ai compris que nous avions épuisé notre réserve de sentiments. Dois-je te l'avouer ? Je n'ai pris aucun plaisir à faire l'amour et j'ai senti une certaine indifférence chez toi. Je n'approuve pas la décision des chanoines, mais elle vient à son heure.

Jacoba mentait. Il avait envie de le lui crier, mais il craignait de manifester ainsi de la fatuité. Les mots qui lui avaient échappé à Étretat, il les avait encore dans l'oreille : elle murmurait que rien ne pourrait jamais les séparer, qu'elle n'avait jamais ressenti un bonheur aussi intense et que, quoi qu'il arrive, elle en garderait le souvenir toute sa vie.

— Nous nous retrouverons, dit-il. Je romprai mon serment et nous partirons ensemble.

— Tu parles comme un enfant ! Les parjures, tu sais comment on les punit ? D'ailleurs, d'ici peu, tu n'en auras plus envie. Tiphaine t'attend. À sa façon, elle t'aime et tu n'auras pas avec elle les soucis que je te crée.

Il avait souhaité faire l'amour avec elle une dernière fois ; elle l'avait repoussé durement.

— Plus tard, tu me remercieras de ce refus, tu verras.

Il la remerciait de toute son âme. Elle avait creusé elle-même le tiède nid où il allait pouvoir dormir avec ses ingratitudes, ses lâchetés, ses trahisons, dans la compagnie de Tiphaine. Jacoba avait eu à son égard cette suprême et ultime générosité de cœur : lui faire croire qu'elle ne l'aimait plus et que, partageant une existence commune, ils n'auraient jamais retrouvé les premiers temps de leurs amours.

Elle ne pouvait lui donner mieux ni davantage.

2

UNE AFFAIRE DE PASSIONS

Jean avait abandonné à Auxerre un de ses deux chevaux qui boitait bas et dont les blessures de selle n'arrivaient pas à se cicatriser. Il avait continué à pied, son deuxième cheval étant trop fatigué pour qu'il lui imposât une charge supplémentaire. Il vit là un signe. Quel signe ? Peu importait. Il voyait partout des clins d'œil du destin.

Cette nouvelle tournure d'esprit qui n'allait pas sans une bonne dose de naïveté, il l'avait contractée durant son séjour dans les provinces du Sud, qu'il avait prolongé car il redoutait, après la retraite de Sybille (son « exclusion »), la solitude de Paris. Un vieil « armiès », un sorcier qui devait ses pouvoirs au fait qu'il était né dans la nuit de Noël, était devenu son compagnon. Il venait partager son pain et lui apporter le vin lourd des garrigues, volé dans le cellier des vignerons. Cet homme vivait dans un monde de signes ; il ne mettait pas un pied devant l'autre sans promener autour de lui un regard interrogateur ; il avait fait abandon de son libre arbitre à des puissances occultes qui le remerciaient de temps à autre de sa confiance en lui envoyant quelque présage favorable. Il en avait conclu que tout était convenu et que le meilleur moyen d'éviter les faux pas et les traquenards était de se laisser guider par les puissances occultes qui régissent la destinée humaine.

Passé Auxerre, maître Jean n'avait trouvé que des chemins bien fréquentés par des voyageurs de bon aloi. Il avait fait route avec un groupe d'écoliers danois retour d'un pèlerinage à Vézelay, puis avec une caravane de rouliers, la fleur aux lèvres, qui faisaient claquer leur fouet pour le plaisir et se lançaient des défis aux étapes pour des jeux d'adresse. Il avait pris soin d'éviter les moines et clercs de toute espèce qui l'ennuyaient, de même que les marchands qui ne savaient parler que de leur marchandise.

En fait Jean aurait aimé voyager seul. À la rigueur avec Jonathan ou quelques-uns des compagnons qui l'avaient accompagné dans les pays de Toulouse, mais le premier avait préféré passer l'hiver à Paris pour travailler dans la loge et les autres étaient restés à Châlons où devait se tenir une de ces mystérieuses assemblées qui fleuraient l'hérésie et auxquelles il avait toujours refusé de se mêler.

Le printemps était déjà dans sa splendeur après des neiges tardives. Autour des villages animés de jeux d'enfants et de chiens, les auberges soufflaient leurs relents de soupe chaude et de bonheur simple. Maître Jean se nourrissait la plupart du temps de pain et de fromage en compagnie de « poudreux » qui délassaient au soleil les bandes de touailles dont ils entouraient leurs pieds saigneux. Pour la nuit, une grange lui suffisait. « Le vrai bonheur, lui avait dit le vieil « armiès » dans la langue de son pays, tu ne le trouveras que dans le renoncement aux biens superflus. » Il disait d'autres choses plus étranges : « N'écoute pas trop le chant des oiseaux : il peut rendre fou. » Il possédait l'« art de saint Georges » et pouvait, en sondant le fond d'un miroir ou d'une seille d'eau retrouver un homme ou un objet égaré.

Un jour, près de Joigny, maître Jean avait vu une belette traverser le chemin. Signe qu'il fallait faire demi-tour dare-dare et prendre un autre chemin — cela lui avait évité de tomber sur une bande de Brabançons. Le jour où il avait perdu le coffret de toilette suspendu à sa selle, il avait, le matin, assisté au va-et-vient d'une pie en travers de la piste. Il marchait dans un monde nouveau, l'œil et l'oreille sur le qui-vive, à la fois craintif et émerveillé. Parfois il se disait : « Je crois que je deviens un peu fou. Cet « armiès » ne serait-il pas un conteur de sornettes ? » Cela ne l'empêchait pas de rester en arrêt devant une caravane de fourmis, le manège d'un ver de terre ou le jeu des nuages.

Il s'était arrêté deux jours à Sens où la Fabrique achevait la nef de la cathédrale métropolitaine.

Son ancien assistant, Richard de Meaux, travaillait là et passait son temps à bougonner dans sa barbe grise et rugueuse que rejoignaient d'épais sourcils en broussaille. C'était déjà une vieille cathédrale bien qu'elle ne fût pas encore achevée. Le chœur commencé par l'archevêque Henri Sanglier, qui s'était éteint trente ans auparavant, avait été consacré un an après que l'on eut entamé les fondations de Notre-

Dame de Paris. La nef était plus large et plus basse que celle de la capitale et dépourvue de tribunes.

Maître Jean partagea les repas et les nuits des maçons et des tailleurs de pierre. On le consulta au sujet de la façade et des tours qui la flanquaient, sur la solidité desquelles on avait des inquiétudes. « Elles ne tiendront pas, dit-il. Celle du sud notamment. Vous allez vers une catastrophe si vous ne revoyez pas vos plans. » Richard grogna dans sa barbe. Le projet de monseigneur Sanglier pêchait sur beaucoup de points mais le Chapitre refusait d'y changer quoi que ce fût.

Ces deux jours sur le chantier de Sens avaient ranimé l'ardeur de maître Jean. Pour arriver plus vite à Paris il acheta une mule, fit ferrer à neuf son cheval et renonça à surveiller les signes. Il alla d'une traite à Fontainebleau, se baigna le lendemain avec une sorte de ferveur dans les eaux de la Seine, repartit sous une grosse pluie pour être de bonne heure à Paris mais dut se contenter de coucher à Créteil dans une barque. Debout avant le jour, il se remit en marche en dédaignant le cri de la chouette dans le vent rose de l'aube.

Il arriva sur le chantier de Notre-Dame alors que sonnaient les cloches de midi.

— Nous ne vous attendions plus, lui dit Vincent. Que vous est-il arrivé, maître ?

— La route est longue, se contenta de dire maître Jean.

Il avait maigri. Son visage était creusé par la fatigue. Il avait des yeux d'homme ivre, bordés de rouge comme ceux des sorciers, des lèvres grises et sèches sous la barbe sale.

— Vous n'êtes pas malade, au moins ?

Il répondit avec une fausse jovialité qu'il ne s'était jamais aussi bien porté. Il voulut même aller inspecter le chantier, protesta parce qu'on avait entamé un mur gouttereau avant d'achever le pilier qui devait le soutenir et parce que les blocages entre les parements étaient liés d'un mortier de mauvaise qualité. Les mortelliers qui travaillaient à Sens sous la conduite de Richard de Meaux étaient plus consciencieux ! Vincent le suivait, l'oreille basse. Le maître voulut monter jusqu'aux tribunes mais dut s'arrêter à mi-course. Vincent l'aida à redescendre.

— Laisse-moi donc ! bougonna maître Jean. Je ne suis pas moribond. Nous avons à parler sérieusement. Le chantier va de travers. Il suffit que je m'absente quelque temps et voilà le résultat ! Occupe-toi de mes montures et de mes bagages. Je vais me reposer quelques instants.

Il ne se réveilla qu'à la tombée de la nuit. Vincent avait préparé un cuveau ; un broc d'eau chauffait sur le poêle de terre et un pain de savon dur était posé sur le linge de toilette.

— Vous ne pouviez pas rester dans cet état, dit Vincent. Il court des poux jusque dans vos sourcils et, en grattant vos rides, on ramasserait assez de terre pour faire germer des grains d'orge.

Il aida Jean à se déshabiller.

— Dieu, que vous êtes maigre ! Avez-vous décidé de jeûner pour gagner plus vite le ciel ?

Il envoya un apprenti chercher une matrone au Cloître des Chanoines. Elle se présenta avec un devantier tout propre et un flacon de liquide pour tuer la vermine, que l'on trouvait dans les boutiques du Petit-Pont. En entrant dans la loge, elle poussa un cri — elle n'aurait pu reconnaître maître Jean tant il avait changé — et gémit en inspectant la tête et le pubis : elle en aurait pour des heures à épouiller cet épouvantail à corbeaux.

En sortant du bain, maître Jean s'endormit, à genoux, la tête dans le giron de la matrone qui faisait craquer avec une certaine alacrité les poux contre ses ongles.

— Regardez celui-là ! Ça doit être un gros père. Pouah ! Il était gorgé de sang. Et ce petit nerveux ! Je finirai par l'attraper, oui ou non ? Pauvre monsieur ! Elles vous suçaient le sang, ces maudites bestioles. Un mois de plus et vous reveniez blanc comme un navet.

Toilette faite, cheveux et poils oints d'une lotion à l'odeur insoutenable, Jean s'allongea sur sa paillasse et s'endormit de nouveau. Il s'éveilla au milieu de la nuit, réclama à manger. Vincent lui avait préparé un repas : pain, lait et fromage. Il mangea en silence, le dos à la cloison, enroulé dans une couverture. Les couleurs lui étaient revenues et ses yeux avaient perdu cette lumière fiévreuse qui avait surpris Vincent.

— Tu trouves que j'ai changé ? dit maître Jean. Tu ne te trompes pas. Je ne sais si c'est en bien ou en mal. C'est pourquoi je dois faire le point. Je t'ai envoyé une lettre un peu folle. Il faut la détruire et l'oublier. Elle n'exprime qu'un moment d'exaltation. Ma vérité profonde est plus complexe. Tu m'aideras à m'y reconnaître. Je n'ai plus que toi et mon fils, Robin, mais il est trop jeune pour avoir conscience de mes problèmes.

Jean parla de Sybille. Il avait été beaucoup plus sensible à son « exclusion » qu'il avait bien voulu le laisser paraître.

— J'ai cru devenir fou. Le jour de son départ, en retraversant la Seine, j'ai failli me jeter à l'eau. Je n'ai renoncé qu'en apercevant au loin la toiture de Notre-Dame. J'ai compris qu'il fallait que je vive, que quelque chose de si profond que je n'arrivais pas à en discerner la nature avait changé en moi, comme si les composantes de mon être s'étaient modifiées. Cette séparation a agi à la fois comme un poison et comme un élixir. J'ai un peu honte de l'avouer, mais j'ai ressenti, peu après le départ de Sybille, *une sorte de bonheur*. Je me demandais si je n'étais pas devenu un monstre d'égoïsme. Et puis, peu à peu, le poison a pris le pas sur l'élixir ; ensuite l'élixir a dissous le poison, et ainsi de suite. Parfois, je souhaitais être atteint du mal dont souffre Sybille. J'examinais mon visage et mon corps et, à la moindre rougeur suspecte, au moindre bouton, mon cœur sautait de joie. Le mal était en moi ! J'irais rejoindre cette pourriture vivante qu'était ma femme ! Et puis toute trace suspecte s'effaçait et, de nouveau, j'étais déchiré entre la peine et l'espoir.

Il rota lourdement, se renversa en arrière, les yeux clos.

— Après ces alternances d'incohérence et de lucidité, j'ai appris combien il faut se méfier des passions et, si l'on ne peut leur échapper, ne les vivre qu'en surface. Nous qui sommes des créateurs, des élus, nous n'avons pas le droit de leur céder. Nous devons pratiquer l'égoïsme comme vertu suprême, et le détachement qui lui est complémentaire. Si nous devons privilégier notre propre personne, ce n'est pas pour en jouir mais pour nous consacrer au service de l'œuvre qui est le service même de Dieu.

Il se dégagea de la cloison, demanda à Vincent d'approcher la chandelle. Il voulait revoir de son ami autre chose que cette silhouette robuste, cette chevelure hirsute, ces boucles folles.

— Et toi, lui dit-il en lui prenant la main, où en es-tu ? Jacoba ?

— Nous avons été contraints de nous séparer. Je ne l'ai pas revue depuis bientôt un mois, si ce n'est une fois, rue de la Juiverie. Elle a fait semblant de ne pas me reconnaître. J'y suis repassé depuis, mais sans succès.

— Elle est plus raisonnable que toi. Tu n'as pu renoncer à elle, n'est-ce pas ?

— Je ne renoncerai jamais.

— Et si elle quittait Paris ?

— Je la suivrais.

Jean rejeta sa main, le traita de fou, s'allongea comme pour se rendormir.

— Ainsi, pour cette Juive, tu renoncerais à moi, à ce chantier, à Dieu, à tout ce qui donne un sens à ta vie et fait de toi un élu ?

— Le chantier *et* Jacoba donnent un sens à ma vie. L'un ne va pas sans l'autre, mais on m'a volé Jacoba et je mettrai un point d'honneur à la reconquérir.

— Et cette fille : Tiphaine ?

Vincent resta quelques instants avant de répondre :

— Comparée à Jacoba, elle n'est rien. Je puis me passer d'elle une semaine ou davantage sans en souffrir vraiment. Avec elle, je n'ai jamais eu le sentiment de trahir Jacoba. Elle est la vague à la surface de la mer ; Jacoba en est la profondeur.

Tiphaine : ses yeux de louve, son teint pâle, sa minceur ardente... À plusieurs reprises, Vincent avait tenté de l'arracher à la Truanderie, à ce marécage où elle végétait, à cette sentine où elle logeait, à ses rapports équivoques avec l'entourage de Simon la Colombe.

— Il est temps de te déprendre d'elle, dit maître Jean. Tu risques de t'attacher par des liens d'habitude, alors que vous n'êtes pas faits l'un pour l'autre. Car tu n'es pas heureux avec elle, n'est-ce pas ?

— Je ne l'aime pas. Parfois même je la déteste. Mais notre entente charnelle est parfaite et cela compte beaucoup pour moi.

Jean eut un mouvement de colère.

— Ah ! Vincent, Vincent... Quelle peine tu me causes ! Tu es un homme à présent. Libre de ton choix, que choisis-tu ? Un amour impossible avec une femme inaccessible et des turpitudes avec une catin que tu détestes. L'une t'a mangé le cœur ; l'autre perd ton âme. Il est temps de renoncer à elles deux. Elles ne peuvent qu'être un obstacle à ce qui est essentiel et demande un don total : l'œuvre. Durant ce long hiver, j'ai réfléchi. Que de nuits passées à bâtir, à élaborer des projets ! Tout est là, dans ce coffre. J'ai besoin de toi. Mes idées se bousculent, se contredisent, se détruisent les unes les autres. Je n'ai pas ton bel équilibre et ton esprit critique, mais ensemble nous pourrions réaliser de grandes choses. La passion qui nous anime est la seule qui vaille.

Il parlait avec une sorte de fièvre. Le chœur achevé, ils partiraient ensemble à travers l'Europe, jusqu'en Esclavonie et aux marches d'Asie. Ils se rassasieraient des spectacles du monde, ramèneraient une somme de documents capable de révolutionner l'art des cathédrales.

— Crois-tu que cela ne vaille pas le sacrifice de quelques misérables passions ?

Il avait repris la main de Vincent, la serrait avec effusion.

— Essaie donc une bonne fois de rejeter ces erreurs et ces chienneries. Je viens de pénétrer dans un domaine merveilleux où tout est cristal, espace, lumière mais où je suis seul. On peut mourir de sa solitude, même au paradis. Promets-moi…

Vincent retira sa main, se leva.

— Je ne puis rien vous promettre, mais je vous jure de rester votre ami quoi qu'il puisse m'en coûter. Maintenant, tâchez de dormir. Il se fait tard. Demain vous devrez vous rendre au Chapitre à la première heure pour justifier votre retard.

Lorsqu'il se pencha pour souffler la chandelle, il eut l'impression de se trouver au chevet d'un enfant malade.

3

UTOPIA

Vincent eut du mal à le reconnaître. Après l'avoir dépassé dans la foule du Grand-Pont, entre les latrines publiques et la Maison du Temple, il revint sur ses pas. C'était bien lui : André Jacquemin. Tassé dans le dernier soleil du soir entre un montreur de singe et un jongleur, il surveillait les allées et venues de passants en tendant sa sébile. Devant lui un parchemin était étendu à même le sol, maintenu par quatre pierres, sur lequel il avait dessiné une vue cavalière de sa Cité d'Amour. En apercevant Vincent, il tenta de se dissimuler sous son capuchon.

— Tu ne me reconnais pas ? dit Vincent.

De mauvaise grâce, André rejeta son capuchon sur ses épaules et se leva.

— Si, je t'avais reconnu, mais…

— Mais tu m'en veux toujours de n'avoir pas donné suite à notre entretien, il y a des mois.

Jacquemin ne répondit pas. Cette rencontre semblait à la fois le déconcerter et l'irriter. En fait, il avait honte de son état.

— Allons dîner, dit Vincent joyeusement. Je t'invite. Je connais une auberge de la rive droite qui sert du poisson frais de Normandie avec un fameux vin blanc de Mantes.

Jacquemin le considéra d'un œil soupçonneux avant d'éclater d'un rire ironique.

— Vraiment ! Tu m'invites ? Nous allons, toi et moi… Tu n'auras donc pas honte de t'exhiber avec le pauvre hère que je suis devenu ?

— Assez de sottises ! Viens-tu, oui ou non ?

La rue du Four-de-l'Évêque qui longeait un fleuve pimpant de verdures neuves avait des allures de campagne. À la nuit tombée, on y entendait chanter les grenouilles dans les Fossés-aux-Chiens et les marécages de Saint-Germain-l'Auxerrois. L'auberge de *la Pomme d'or*, où avait travaillé naguère la mère de Vincent, débordait jusque sur la grève où des barques dormaient face à deux îlots qui montaient la garde avec leurs panaches d'arbres devant les jardins du roi d'où venaient aux approches de la nuit des musiques aigrelettes et des rires de femmes. On dînait et on soupait sous les toiles usagées prélevées aux voilures de vieilles kogges d'Angleterre ou de Flandre.

— Ainsi, dit Vincent, tu as renoncé à la profession d'écolâtre ?

— D'assistant, rectifia modestement Jacquemin. En fait, je n'ai pas eu à y renoncer : on m'a obligé à quitter mon poste sous prétexte que j'empoisonnais l'esprit de mes élèves avec mes prétendues « utopies ». Il est vrai en revanche que je perdais mon temps. Autant prêcher la religion du Christ au khan des Tartares ou enseigner le *Quadrivium* aux nègres du Soudan. Ces chers petits, fils de bourgeois ou bâtards de clercs, se moquaient de moi et mes leçons se transformaient en chienlit de Carnaval. On m'a donc prié d'aller exercer ailleurs mes talents incompris, mais toutes les portes se sont fermées devant moi comme si j'agitais la crécelle des lépreux. Et voilà où j'en suis réduit : mendier mon pain et manger un jour sur deux à ma faim. Bénis sois-tu, Vincent ! Grâce à toi ma panse va cesser pour quelques heures de crier famine.

Il étala largement ses coudes sur la table. Le soleil couchant plaquait des lunules roses sur la table graisseuse.

— Ainsi tu n'as pas renoncé à ta Cité d'Amour ?

Le mot parut atteindre Jacquemin comme une pierre au front.

— Renoncer ? Accepterais-tu, toi, de renoncer à construire ta cathédrale ?

C'était d'une logique parfaite. En apparence.

— Ma cathédrale, comme tu dis, est à la fois ma passion et mon gagne-pain. Mais toi, crois-tu que tu pourras vivre longtemps de la charité publique.

Jacquemin se redressa, un masque de morgue sur le visage. Il avait adressé une copie de son projet au roi et le roi lui avait répondu. Parfaitement ! Le roi ? Enfin... un clerc de sa chancellerie qui en avait accusé réception.

— Tu n'imagines pas, poursuivit Jacquemin, le nombre de badauds qui s'arrêtent pour examiner mon projet, m'interrogent, m'encouragent et repartent en me laissant un denier ou deux. Un jour, je finirai par trouver un mécène.

— J'en suis persuadé, mais les temps sont difficiles. La Fabrique de Notre-Dame est toujours à deux doigts de fermer le chantier et celui-ci n'est rien auprès du tien. Notre époque ne favorise guère le rêve et l'utopie.

Jacquemin laissa tomber ses deux poings sur la table.

— L'utopie ! Vous n'avez tous que ce mot à la bouche. Reporte-toi deux siècles en arrière. Imagine que tu viens de concevoir un projet de cathédrale avec des voûtes en croisée d'ogive, d'immenses fenestrages, des arcs-boutants... Présente-le, ce projet, à l'évêque. Il te fait enfermer à l'Hôtel-Dieu, avec les fous. Et pourtant ton projet n'est pas utopique. La folie d'aujourd'hui est la raison de demain. Un jour, on me rendra justice.

Une servante apporta le poisson, une cruche de vin frais et une boule de pain. André se jeta sur la nourriture. Il avalait gloutonnement, essuyant du revers de sa manche ses lèvres graisseuses. Il s'excusa de sa goinfrerie et, son assiette torchée, rota et dit :

— Je n'oublierai pas ta générosité et ton mépris des convenances. Je ne suis qu'un pauvre homme qui finira ses jours dans quelque Truanderie, dernier refuge des miséreux avant l'enfer où je brûlerai sûrement, tandis que toi... toi... Tu es beau, plein de santé, riche, et tu es là, en face de moi. Alors, écoute : je n'ai qu'un moyen de te témoigner ma gratitude, c'est de te confier mon secret. Mais promets-moi de ne pas l'utiliser à ton compte ni de le divulguer.

— Je te le promets.

— Suis-moi !

— C'est que... j'avais un rendez-vous.

— Nous n'en avons pas pour bien longtemps.

Ils repassèrent le Grand-Pont alors que la nuit commençait à velouter le fleuve sur lequel battaient allégrement les moulins du Temple. Par la rue de la Barillerie qui longeait le palais du roi, ils atteignirent Saint-Michel où Jacquemin tint à présenter son « bienfaiteur » à un ramassis de gueux occupés à faire cuire un chat à la broche. Par la rue de la Grande-Orberie, ils se dirigèrent vers le Petit-Pont qu'ils passèrent avant de s'enfoncer dans la pénombre d'eau grise stagnant aux alentours de Saint-Julien-le-Pauvre.

Par une allée de jardins glissant sous de grands ormes noueux où chantaient les oiseaux, ils arrivèrent devant une palissade de planches munie à son ouverture d'un système compliqué de chaînes et de cordes.

— Mon domaine, dit Jacquemin avec une expression de fatuité.

C'était, derrière un ancien mur romain de petit appareil, un espace de quelques pieds carrés d'herbe pelée au milieu duquel trônait un singulier édifice recouvert d'une toile délavée.

— Diogène avait son tonneau, dit André. Moi, c'est un sarcophage. Souvenir de Rome ! Ce sera la première cellule de ma Cité d'Amour. C'est là que je vis.

Le sarcophage de pierre grise mangée de salpêtre et de mousse avait dû recueillir les restes d'un géant. Jacquemin y avait aménagé un nécessaire d'habitation. Pour la nuit, une étroite paillasse qu'il repliait le jour. Au fond, à l'emplacement le plus étroit, un caisson surmonté d'un réchaud de terre encore garni de charbons froids, qu'il sortait dans la journée. Dans le caisson, il enfermait des rogatons prélevés dans les déchets de cuisine des auberges ou sur les marchés. Le soleil levé, il étalait sa toile sur les piquets plantés aux quatre coins et faisait la grasse matinée en écoutant les oiseaux chanter dans l'orme qui ombrageait son enclos.

— Je suis un peu à l'étroit mais favorisé par rapport à bien d'autres qui n'ont même pas un lit pour dormir. Je ne manque de rien et je suis libre. Lorsque je suis las de tendre la main, je m'offre le luxe de regarder travailler les autres. Toi, par exemple. Il m'est arrivé de t'envier ; maintenant, je te plains. Tu ne t'appartiens plus.

Vincent songea à la lettre de maître Jean : « *Nous ne nous appartenons plus.* » En écoutant Jacquemin jouer les cyniques, il se sentait à la fois remué et excédé. Devant l'incompréhension des chanoines de la Fabrique, les objections tranchantes de maître Jean, la vulgarité des compagnons, combien de fois avait-il été tenté de tout planter là et de partir sur les routes ? En même temps, une colère montait en lui contre ces faux philosophes qui se paraient des haillons de Diogène pour dissimuler leur paresse, leur insuffisance et leur échec.

Comme s'il avait suivi le cheminement de ses réflexions, Jacquemin lui dit :

— Ne crois pas que je passe ma vie à regarder voler les mouches et à narguer les travailleurs. Mon esprit n'est jamais en repos. Il m'arrive de me réveiller en pleine nuit, de rallumer ma chandelle aux braises de mon athanor et de crayonner quelque idée pour ma Cité d'Amour.

— Où ranges-tu tes documents ?

En grand mystère, Jacquemin souleva la paillasse repliée sur une claie de bois, dégagea une planchette, plongea dans la cachette et en ramena une liasse de parchemins et une grande feuille faite de morceaux cousus ensemble, qu'il déplia avec précaution. Comme il faisait presque nuit, il invita Vincent à s'asseoir sur la paillasse, s'assit lui-même sur le caisson, et dit avec emphase :

— Il n'y a que le roi et toi qui soyez au courant de ce projet.

— Mais je n'y vois goutte !

— Bien sûr ! tu lis à l'envers.

La grande feuille, qui tenait tout juste entre les deux bras écartés, était couverte d'un embrouillamini de schémas et de signes. Au centre, s'élevait en vue cavalière le Temple de la Foi Suprême, dessiné sous forme d'une montagne régulière creusée d'alvéoles dans lesquelles le maître d'œuvre comptait installer non des statues mais des personnages vivants, des sortes de prêtres, à une hauteur de l'édifice proportionnelle à leurs mérites et à la qualité de leur foi. Un personnage barbu, qui était le Bon Dieu, figurait au-dessus de la plate-forme supérieure dans une bouillie de nuages, déployant une litre soutenue à ses extrémités par des anges, sur laquelle, en latin, il louait l'auteur pour l'ardeur de sa foi.

Tout autour, s'aggloméraient les perspectives cavalières d'une ville immense, hérissée de dizaines de tours et de flèches d'églises au-dessus desquelles flottaient des inscriptions évoquant leur vocation : « Palais de la Justice Universelle », « Collège des Demoiselles de Vertu », « Maison des Œuvres de la Foi Vivante », « Jardins de la Méditation »... Jacquemin avait supprimé tout ce qui aurait pu évoquer des idées de violence : fourches patibulaires, piloris, offices du guet, remparts, châtelets, prisons... Autour du dessin, étaient placées des figures géométriques peintes de couleurs différentes qui étaient des plans et des coupes de certains édifices.

Éberlué, Vincent clignait des yeux, partagé entre l'envie de rire au nez de cet illuminé, de lui jeter ses torchons au visage ou de le prendre par la main pour lui faire comprendre que tout cela n'était que folie. C'est à cette dernière résolution qu'il allait s'arrêter lorsque Jacquemin lui dit avec feu :

— Ce temple sera ton œuvre. Il porte déjà ta signature, là, dans le coin gauche sous cet escalier animé par un mouvement perpétuel. J'imaginerai et tu réaliseras. Dès que la chancellerie du Palais m'aura donné son accord, je te préviendrai.

Il ne lui venait pas à l'esprit que cette réponse, à condition qu'il la reçût, pût être négative. Pour lui, ce n'était qu'une question de temps. Les échecs du roi en Normandie étaient selon lui la cause de ce retard.

— Écoute, André, ton projet est irréalisable. Il n'a jamais été soumis au roi et ne le sera jamais. On doit en faire des gorges chaudes à la chancellerie, pauvre fou !

À sa grande surprise, Jacquemin répondit avec douceur :

— Ta réponse ne me surprend pas. Ce que tu vois là est mon projet réalisé, l'image parfaite de l'harmonie des formes alliée à celle des âmes. Quoi de surprenant dans ta réaction ? Mon véritable secret, il est là !

Il frappa du plat de la main la liasse posée sur son genou, tendit un à un les feuillets à Vincent. La révélation du mystère de ces édifices prodigieux était là, et là, avec les explications propres à pénétrer leur ésotérisme.

On n'y voyait goutte. Vincent approcha un feuillet de ses yeux, au hasard. Il faillit éclater de rire, mais c'est la colère qu'il sentait monter en lui. Il perdait son temps et Tiphaine l'attendait.

— Le premier calcul sur lequel je tombe est faux. Le reste doit être à l'avenant. Poursuis tes utopies, mais ne m'importune plus. Je n'ai perdu que trop de temps avec toi. Adieu !

Jacquemin ne fit rien pour le retenir. Il se dressa sur son sarcophage, dispersant les feuillets autour de lui, criant qu'un jour il tirerait vengeance de l'indifférence et de l'incompréhension qu'on lui témoignait. Puisqu'il en était ainsi, ces documents réunis avec l'aide de Dieu pour le bien de l'humanité, il allait en faire un feu de joie !

— C'est le seul bénéfice que tu puisses en tirer, dit Vincent : un peu de chaleur pour la nuit.

Les cris et les imprécations de Jacquemin le poursuivirent jusqu'à Saint-Julien-le-Pauvre. En se retournant aux abords du Petit-Pont, il vit la lueur d'un feu dans la direction de l'enclos. Les utopies d'André Jacquemin s'envolaient en fumée.

4

JALOUSIE

Vincent était encore tout échauffé d'une querelle avec maître Jean lorsqu'il quitta le chantier pour se diriger vers la Petite-Madian dans l'espoir d'y rencontrer Jacoba.

La dispute était née d'une discussion relative aux fenêtres du chœur. Selon Vincent, maître Jean aurait pu se montrer plus audacieux dans leur conception ; le système adopté pour la construction des voûtes à croisée d'ogives, en faisant porter la poussée sur les colonnes et les piliers qui les répercutaient sur des fondations suffisamment puissantes, aurait pu permettre de leur donner plus d'importance et de fournir ainsi plus de jour à ce sanctuaire qui, tout compte fait, ne serait guère plus lumineux que les cathédrales des temps jadis.

— Les calculs autorisent cette conception, dit Vincent. Vous avez été trop timoré. Ne m'avez-vous pas dit un jour que cette cathédrale serait la plus lumineuse de tout l'Occident ? Elle ne l'est guère plus que Notre-Dame-la-Vieille ou Saint-Étienne.

— Tu confonds audace et imprudence ! Si ces fenêtres sont calculées pour avoir cette dimension, c'est qu'il ne pouvait en être autrement. Je n'y changerai rien, que ça te plaise ou non !

— Plus tard d'autres le feront.

Depuis le retour de maître Jean, les disputes étaient fréquentes. Elles éclataient pour des peccadilles : une sculpture qui ne correspondait pas exactement au module, une pierre posée en délit, un échafaudage de guingois, un quelconque incident de chantier... En général ces querelles s'achevaient par des concessions réciproques. « Je suis trop exigeant et trop vif », reconnaissait maître Jean ; « Et moi susceptible et prétentieux », répliquait Vincent. On en restait là avant d'aller dîner chez Adèle, en face de la vieille église Saint-Étienne où depuis peu travaillait la sœur de Vincent, Clémence, qui allait sur ses quinze ans.

Ce jour-là, ils s'étaient quittés apparemment irréconciliables, sur cette histoire de fenêtres. Vincent était d'une humeur de dogue. Il se dirigea droit vers la Petite-Madian. Comme il faisait très chaud, il alla se tremper dans la Seine au milieu d'autres garçons nus. Les eaux basses étaient d'une tiédeur écœurante et des odeurs de putréfaction montaient des moulins proches où un cadavre de chien devait pourrir contre une roue immobile. Il se trempa et ressortit aussitôt avec sur lui une odeur d'eau croupie.

Les jardins de la Petite-Madian sentaient l'automne. Le vent chaud du crépuscule faisait crépiter les feuilles sèches des saules au-dessus des murs de la rue du Port-aux-Œufs. À deux reprises, il passa devant la demeure de maître Ezra que l'on disait malade. Les volets étaient clos sur la chaleur et la lumière du jour. Pris d'un vertige, Vincent s'adossa au mur de la maison voisine. L'odeur de la chambre de Jacoba (herbes et cire fraîche) lui remonta distinctement aux narines avec celle de la peau nue de sa compagne. Il repartit vers la Truanderie où il avait rendez-vous avec Tiphaine.

Arrivé à l'angle de la rue de la Pelleterie qui longeait la Seine, il s'arrêta, interloqué, et se jeta dans une venelle à abreuvoir. Il se dit qu'il s'était trompé et revint sur ses pas. C'était bien Jacoba ; elle se promenait en compagnie d'un garçon qui la tenait par la main et portait sur son épaule une tourterelle.

Ce soir-là, Vincent ne se rendit pas chez Tiphaine ; il n'était pas d'humeur à supporter sa jalousie et ses caprices. Il resta seul, alla s'enivrer avec des compagnons dans la tiédeur moite de l'Ile-aux-Vaches, resta coucher avec une fille et ne repartit qu'au petit matin, plus amer que la veille et de mauvaise humeur parce qu'il était resté impuissant. La journée qui suivit se passa dans une alternative de colère et de tristesse. Les compagnons charpentiers, qui prenaient du bon temps en raison de la chaleur torride, firent les frais de cette humeur et menacèrent, si l'on persistait à les traiter comme des chiens, de cesser le travail. Maître Jean, en revanche, paraissait très détendu ; il avait, semblait-il, oublié la querelle de la veille.

La journée parut interminable à Vincent. Il remplaça le repas de midi par une longue sieste dont il fallut le tirer en le secouant. Dans l'heure qui suivit, il eut une altercation avec le proviseur de la Fabrique perdu dans le compte des pierres livrées par les exploitants des carrières de Montrouge. Vincent l'éconduisit violemment.

— Tu as été trop loin, lui dit maître Jean, et tu risques un blâme du Chapitre. Déjà que tu n'y es pas en odeur de sainteté...

Vincent haussa les épaules. La journée de travail terminée, il s'en fut directement à la Petite-Madian. Malade d'impatience et de hargne, il longea plusieurs fois les rues du quartier, remonta jusqu'au Grand-Pont. Personne. C'est à peine s'il daigna jeter un regard à Jacquemin. Il allait se retirer en direction de la Truanderie, lorsqu'il aperçut une tourterelle juchée sur une traverse de bois à laquelle étaient suspendus des colliers de verroterie de façon italienne. Il s'approcha, plongea du regard dans l'ouvroir au fond duquel tremblotait la flamme d'une lampe à huile. On y parlait haut et fort. Un rire de femme éclata, que Vincent aurait reconnu entre mille. Puis il y eut un silence brutal.

— Désirez-vous choisir un collier pour votre fiancée ?

Un beau garçon au visage large, un peu aigu, aux cheveux de laine jaune filasse, vêtu d'une chemise verte au col lacé d'un cordonnet, venait d'apparaître dans la lumière du jour. Vincent le reconnut sans hésitation.

— Quel est votre nom ? dit-il.

— Je n'ai aucune raison de vous le cacher. Je m'appelle Simon Güel et je suis le fils de maître Güel que vous voyez assis près de la lampe. Quant à cette demoiselle...

— Je sais qui est cette demoiselle.

— Je suis là pour vous servir, mais apparemment ce ne sont pas mes bijoux qui vous intéressent.

— Dites à la demoiselle que j'aimerais lui dire deux mots.

— Elle refusera. Allez-vous-en, Pasquier ! Vous n'avez rien à faire ici.

— Faut-il que j'aille moi-même la chercher ?

— Vous êtes fou ! Retirez-vous avant de faire un scandale. Vous n'avez rien à y gagner.

Vincent arracha une poignée de colliers et les jeta au visage de Simon qui recula et siffla entre ses doigts. La tourterelle s'envola vers le fond de la boutique. Au moment où il s'apprêtait à renverser l'étalage, Vincent se sentit saisi aux épaules par des mains robustes. Il se débattit, mais il n'était pas le plus fort. Les deux colosses l'entraînèrent le plus discrètement possible entre les latrines et le précipitèrent par-dessus le parapet dans un espace d'eau profonde. Vincent avala quelques gorgées, suffoqua et, retrouvant ses esprits, nagea vers le moulin le plus proche où on lui tendit une perche.

— Tu pues comme une carpe avariée ! lui dit le meunier. Viens te nettoyer. Tu as de l'eau propre dans le tonneau. Tu n'es pas le premier. Avant-hier un gamin coupeur de bourse a failli se noyer. Je l'ai repêché dans ma barque au moment où il allait couler à pic. Tu n'en as pas trop avalé, au moins, de ce pissat ?

Il se tourna vers le pont où, entre les maisons accrochées au parapet, des badauds se tenaient les côtes. Il les apostropha vertement et revint à Vincent.

— Qui a fait le coup ? Les vigiles de Jean le Breton ?

— Non : ceux de Simon Güel.

— Tu as de la chance. Ils sont moins méchants. Les autres, ils assomment avant. Qu'est-ce que tu lui avais volé à ce putain de Judas ?

— Moi, rien. Lui, si : ma fiancée.

Tandis qu'il se séchait, nu sur la claire-voie où la farine avait laissé des grumeaux blanchâtres, le meunier lui apporta un gobelet de bière tiède. C'était un brave homme rond et gras, avec des joues comme des fesses de marmot mais piquées de poils raides qu'il assouplissait du revers de la main tout en parlant.

— Faut pas vous laisser faire, dit-il. C'est pas que je déteste les Juifs mais je les aime guère. S'ils se mettent à voler les fiancées des Chrétiens à présent…

— Il peut bien la garder. Elle ne valait pas la peine que je risque ma vie pour elle.

Tiphaine le renifla de la tête aux talons et le considéra d'un œil soupçonneux.

— Tu sens le chien crevé.

— Non : le poisson pourri. J'ai pris un bain dans la Seine. Cette eau est une infection. Des gens qui en ont bu ont attrapé des maladies.

Elle le frictionna à l'eau de Damas avec une vigueur qui le fit hurler. Même ses cheveux puaient. Il essaya de la prendre dans ses bras et elle le repoussa en employant des mots très vulgaires pour lui signifier qu'elle se refuserait à lui quand il se présenterait dans cet état. Il se négligeait depuis qu'il ne voyait plus cette Juive.

— Qu'allais-tu faire du côté de la Petite-Madian ? On t'y a vu ces jours-ci. Tu sais qu'il y a encore des cellules libres dans le donjon de l'évêque. Si l'on te revoit en compagnie de cette fille…

— Tu me fais espionner ? C'est bien dans tes manières.

— Rien ne m'échappe de tes allées et venues, de tes faits et gestes. C'est la preuve de mon amour pour toi.

— C'est surtout la preuve de ton esprit de possession.

— L'un ne va pas sans l'autre. Comment pourrais-je t'aimer dans la crainte que tu m'échappes ? Tu cherches à m'éloigner, je le sens. Sur ce chapitre, inutile d'essayer de me tromper. Ce qui te retient, c'est...

Il avait entendu cent fois le refrain : « C'est parce que nous faisons bien l'amour ensemble » ou encore « Parce que je suis jeune et jolie » ou enfin « Parce que de nombreux hommes ont envie de moi ».

D'ordinaire ces chamailleries se terminaient par un assaut et de pathétiques sueurs d'amour où se dissolvaient leurs rancœurs. Ils étaient noués l'un à l'autre par des liens plus étroits que ne le laissaient supposer leurs aigreurs. Leurs différences de nature créaient à la longue une complémentarité bénéfique. Ce qui les divisait c'étaient de petits mouvements de vague à la surface de leurs disparités. En profondeur régnait l'harmonie. Ils ne se déchiraient pas : ils s'égratignaient. Un bain d'amour et ils se retrouvaient dans ces grands fonds paisibles avec le désir intense de prolonger cet équilibre toute une vie. Elle en parlait souvent avec confiance ; il se disait que c'était impossible.

Tiphaine était mal dans sa vie, mal dans sa peau. Elle le lui confiait, le lui criait, le lui pleurait. Il était bien conscient de ses efforts pour s'arracher à cette fange où elle vivait, qu'elle traversait de son allure de reine, toujours prête à sortir ses griffes lorsqu'une main l'effleurait.

— Tu n'as pas vraiment envie de quitter la Truanderie, reconnais-le.

— Pas vraiment. C'est toute ma vie, tu comprends ? La quitter pourquoi et pour qui ? Pour toi, dont je ne suis pas sûre d'être aimée ? Si je partais, m'épouserais-tu ?

Ses réponses manquaient de conviction et de chaleur. Épouser Tiphaine, c'était introduire dans son existence un élément destructeur, c'était renoncer à cette liberté à laquelle il était tant attaché, à ces habitudes qui préparaient chaque jour l'aire où s'élaborait l'œuvre de création. N'allait-elle pas l'user, le stériliser ? La présence de Tiphaine, l'orgueil qu'il aurait ressenti à promener cette belle fille à son bras, l'alacrité qui coulait d'elle, tout cela valait-il le renoncement au mode de vie qu'il avait laborieusement édifié ? Il se souvenait d'une phrase de la lettre de maître Jean : *« Ne te refuse pas aux passions qui t'agitent encore ; elles ne font que hâter le moment de la rupture... »* Pour lui les certitudes de pureté traçaient une ligne de conduite à laquelle il était persuadé de ne jamais déroger, avec au bout les structures de la cathédrale idéale, l'épure de cristal qui l'attirait et le dévorait comme une gigantesque méduse.

— Tu sais bien, dit-il, que, quoi qu'il arrive, je ne renoncerai jamais volontairement à toi.

Une phrase habile qui laissait place à des interprétations diverses. Tiphaine semblait s'en accommoder. Elle se contentait de ces demi-vérités devinant que, poussant plus loin sa curiosité, elle risquait de s'entendre révéler des vérités redoutables et définitives.

Tiphaine avait fini par détester la cellule qu'elle habitait rue du Figuier et qu'elle appelait avec mépris son « clapier », du nom que l'on donnait aux galetas des putains, mais elle était proche de la Cour des Miracles et du Coësre qui trônait toujours, impavide, podagre, quasi muet, au milieu de ses lieutenants, protégé des ambitions des bandes rivales, des perquisitions des sergents de la Prévôté royale, des sbires du Roi des Ribauds par une aura de terreur. Chaque jour, elle lui rendait visite ; il exigeait sa présence moins pour les services qu'elle pouvait lui rendre dans la transmission des consignes que parce que sa présence ranimait en lui le goût de l'ambition, du pouvoir et de la vie tout simplement. Elle veillait à la toilette de son oncle, aux soins que lui administraient des mires transfuges des chaires des grandes écoles parisiennes, qu'il payait sans compter. Elle l'accompagnait parfois dans ses tournées nocturnes à travers les quartiers louches soumis à sa loi, allongée près de lui dans la litière qui avait souvent du mal à circuler à travers le réseau des venelles. « Lorsque je disparaîtrai, lui disait-il, c'est toi qui me remplaceras. Tu connais la Truanderie aussi bien sinon mieux que moi. »

Vincent riait avec elle lorsque Tiphaine lui rapportait ces propos. C'est vrai qu'elle connaissait parfaitement la Truanderie et aurait pu succéder à son oncle, mais elle ne s'en sentait ni le courage ni l'envie.

De sa fenêtre, à l'angle des rues du Figuier et de la Mortellerie, on apercevait des espaces de grève et de fleuve, une flottille de bateaux de toutes dimensions et au loin, au-delà du port Notre-Dame et du cloître, la haute structure du chœur de la cathédrale, baignée par les feux du soir.

Ils restaient debout, nus l'un contre l'autre avec simplement une couverture sur les épaules, appuyés des bras à la bordure du balconnet, assez éloignés des puanteurs de la rue pour ne respirer que le serein où flottaient des odeurs de jardins. L'air séchait leur sueur et cette liqueur d'amour en haut des cuisses. Ils communiaient dans la même pensée :

une vie s'ordonnait et s'harmonisait autour de cette image de perfection, de cet instant privilégié.

Elle lui disait :

— Quand allez-vous attaquer la deuxième voûte du chœur ?

— Nous devons d'abord achever la toiture. C'est un travail long et difficile. Nous ne trouvons pas toujours le bois qu'il nous faudrait.

Il l'avait un jour emmenée en promenade à Sevran pour visiter la Mare-aux-Poutres où l'on immergeait les bois destinés à la charpente, plusieurs années durant. On utilisait seulement le cœur, si bien que, dans mille ans, la « forêt » de Notre-Dame serait telle qu'on l'avait montée. Il lui parlait souvent de la flèche puissante et légère qui partirait de la croisée du transept et monterait si haut que Dieu pourrait y souffler comme dans une trompe renversée, qu'il suffirait de coller l'oreille aux murs pour entendre des musiques célestes. Il évoquait la façade qui ne serait édifiée que dans plusieurs dizaines d'années, pour laquelle il venait de dessiner, après les monstres de l'Apocalypse, de grandes images d'anges sonneurs de trompes qui prendraient place au trumeau de la porte centrale ; des tours qu'il jugeait trop massives et qu'il aurait conçues, lui, plus hautes et plus fines, alors que maître Jean s'enfermait dans ses schémas initiaux.

Certaines nuits, ils les passaient ensemble. Auparavant, elle l'entraînait dans des auberges qu'elle connaissait, au cœur de cette ville nocturne où les mariniers et les fils de bourgeois ne s'aventuraient que sous la protection des gens du Coësre.

— Quelle robe vais-je mettre ce soir ? Celle de pourpre sarrasinoise avec des galons d'argent ? Celle de pers fourrée d'écureuil mais bien chaude pour la saison ? Pour tenir mes cheveux, je mettrai en diadème le cercle d'or recuit que tu m'as offert ou peut-être une simple guimpe rouge. Pour la ceinture...

Elle essayait diverses tenues, évoluait devant lui dans la lumière d'une chandelle en faisant jouer des feux d'or, de jaconce, d'émeraude au bout de ses mains et à son cou, rejetant avec des mouvements d'humeur ce qui ne lui convenait pas. Il regardait se mouvoir ce corps gracile mais harmonieux, ces longues jambes, ce ventre un peu bombé qu'elle nouait par jeu de ceintures somptueuses ; il se disait qu'il la prendrait comme modèle pour une Ève ou une Fortune. Il l'attirait contre lui. Parfois ils renonçaient à leur sortie nocturne et faisaient l'amour.

Elle n'aimait guère qu'il se promenât avec elle dans la fureur de la nuit. Elle redoutait que, de cette ombre ardente, de ces venelles à putains, de ces caves à monstres, de ces foules folles, surgisse l'un de ces prétendants jaloux qui l'assiégeaient et dont elle repoussait avec mépris les avances. Lorsqu'elle sortait en sa présence, elle se faisait accompagner de deux archers mais s'arrangeait pour que Vincent ne se doutât de rien.

5

FRUITS DE CHAIR

Une fois par semaine, maître Jean disparaissait. Surtout le dimanche. Vincent se demandait où il pouvait bien passer cette journée. Maître Jean l'en informa de lui-même.

Il partait tôt le matin par le grand chemin de Saint-Denis, à cheval, car il avait un long trajet à faire avec Robin en croupe. Il s'arrêtait au Grand-Pont pour acheter des fleurs et quelques pâtisseries au miel ; à Saint-Agnès, chapelle proche des halles des Champeaux, pour y entendre la messe. Ensuite il prenait des chemins poudreux à travers les campagnes brûlées de l'été. Dans la grande chaleur de midi, apparaissaient, au milieu d'une plaine encore sauvage, plantée de gros arbres d'un gris de cendre et sillonnée d'un ruisseau à sec, les premières cabanes de la maladrerie de Saint-Lazare. Elles étaient groupées derrière une enceinte de pieux gardée par des sergents d'armes qui surveillaient aussi bien les sorties que les entrées.

C'était une sorte de gros village dont les différents quartiers s'organisaient autour d'une église de bois recouverte intérieurement jusqu'au plafond d'ex-voto comme d'une carapace.

Ils étaient là près de deux mille : gaffats, crestians, cappots, cagots, lépreux blancs et rouges, des deux sexes et de tous âges. On avait baptisé « Jourdain » le ruisseau qui traversait le village, du nom de ce fleuve où Naaman, prince de Syrie, atteint de la terrible maladie, alla se baigner sur les conseils du prophète Élisée et fut guéri, mais on ne distinguait entre les cailloux et les croûtes de boue verte qu'un filet d'eau où une grenouille n'aurait pu se cacher.

À tout prendre, les malades n'étaient pas plus malheureux que ceux qui traînaient leur gangrène ou leur infirmité, sébile à la main, aux porches des églises. Le nécessaire ne leur faisait jamais défaut ; ils vivaient du fruit des aumônes collectées par de bons moines, des quêtes organisées à leur intention, qui rapportaient beaucoup d'argent, le secours aux lépreux étant considéré comme une des sept œuvres de miséricorde.

La cabane de Sybille se situait dans le quartier des ladres rouges. Il fallait, accompagné d'un garde, franchir un ponceau de bois, suivre un sentier bordé de petits enclos d'herbe pelée pour les jeux des chiens et des enfants.

Dès qu'elle le voyait arriver, Sybille fermait sa porte et ouvrait sa fenêtre. Elle se tenait à l'intérieur, contre l'embrasure, le visage dissimulé par une sorte de voile avec deux trous à la place des yeux. À plusieurs reprises, Jean avait exigé qu'elle se dévoilât mais elle avait refusé. Il s'était montré suppliant :

— Comprends-moi, Soredamor, ces coquetteries entre nous ne sont plus de mise. J'en suis au point où je continuerais de t'aimer même si tu devenais comme Job une pourriture vivante sur un tas de fumier. Mon amour s'augmente même de tes souffrances.

Un jour, elle avait cédé et soulevé son voile l'espace d'un instant. Il était tombé à genoux, comme foudroyé, gémissant :

— J'ai deux grâces à demander au Ciel, Soredamor : achever mon grand œuvre et venir mourir ici auprès de toi. Promets-moi de m'attendre.

Il s'était pris pour elle d'une passion parfaitement étrangère à la raison banale. Son existence semblait tendre désormais vers un don de tout son être. Il consacrait sa vie à sa cathédrale et dédiait par avance sa mort à sa compagne qu'il n'appelait plus que Soredamor comme pour perpétuer le temps de leurs amours. Il en était venu à voir en elle l'image de sa propre mort.

— Montre tes mains, Soredamor !

Elle lui montrait ses mains mutilées et il imaginait les siennes en train de pourrir, rongées par le sel de la maladie. Il aurait aimé les embrasser, mais elle lui avait toujours refusé cette faveur.

— Robin, mon petit Robin...

Elle ne se lassait pas de le regarder, de le caresser des yeux, de lui parler de sa voix rauque, de lui faire des gestes de la main et lui, chaque fois, il se cramponnait au pommeau de la selle et se retenait de pleurer comme le lui avait recommandé son père ; il essayait même de sourire et de rire, mais il ne pouvait, ainsi qu'elle le lui demandait parfois, chanter les chansons qu'Havoise lui apprenait.

Elle se lassait vite de ces visites. Elle disait :

— Allez-vous-en maintenant. Je ne manque de rien. Vous m'avez donné pour une semaine de bonheur.

Durant le trajet du retour, Jean baignait dans une sourde exaltation. Il lui semblait aborder déjà les plages du paradis.

Depuis deux ans, le maître d'œuvre se sentait une dévotion quasi exclusive pour la Vierge. Son cœur saignait à la pensée que la grande cathédrale allait dévorer dans son essor inéluctable la vieille basilique Saint-Étienne construite trois cents ans auparavant et qui était devenue à la fois démodée et insuffisante. Il se sentait une tendresse infinie pour ce plafond de bois bruni par la fumée des cierges, ces colonnes rongées de salpêtre, ces statues lépreuses, ce vaisseau étriqué où l'on continuait à célébrer les offices.

Il s'y rendait plusieurs fois par jour pour entendre la messe ou faire ses dévotions, dans une chapelle latérale, à une Vierge lourdement hanchée dont le visage rongé lui rappelait celui de Sybille. Il s'était composé une prière en forme de litanie, faite de formules puisées dans les psautiers : « Palmier de la patience... Lis entre les épines... Miel symbolique... Toison de Gédéon... Rose mystique... Porte du Ciel... Essence des choses... Maison de l'or... Siège de la Sagesse... Super rosam rosida... » Il la répétait interminablement, s'en imprégnait au point que parfois, dans ses propos, il laissait échapper une de ces formules comme un grain de chapelet et que ses interlocuteurs se regardaient avec des mines perplexes.

Peu à peu, sans renoncer aux exigences de son œuvre, il paraissait se retirer du monde.

La première fois qu'elle lui rendit visite, il eut à peine un regard pour elle et ne parut qu'à moitié surpris de la voir assise sur un bloc de pierre, jambes pendantes, mains serrées au creux des cuisses.

— Ma sœur Clémence, dit Vincent. Elle souhaitait voir l'endroit où je travaille. J'ai demandé la permission au Chapitre de la laisser pénétrer sur le chantier.

Ils se voyaient rarement. Un dimanche du printemps passé, Vincent l'avait invitée à le suivre aux « tripes » de Saint-Marcel, sorte de frairie populaire où l'on mangeait gras à bon compte. Elle n'avait pu venir que tard dans l'après-midi en raison de son service chez la mère Adèle. Depuis ils ne s'étaient revus qu'une fois ou deux.

Il savait peu de chose d'elle et presque rien de leurs parents. Mariette n'avait pas donné de ses nouvelles depuis qu'elle avait pris le chemin de Flandre avec son marchand de drap ; le père, Thomas, jouait les valets d'auberge avec sa dernière conquête.

— Et toi, Clémence ?

— Oh, moi...

Fille d'auberge dès l'âge de douze ans, violée à treize par des bateliers d'Allemagne, amoureuse la même année d'un petit bachelier à chapeau vert du collège de Dace qui, ses études terminées, avait regagné son pays, quelques semaines plus tard maîtresse d'un marchand de selles de parade, un nommé Boutonnier, sis rue des Jongleurs, qui se montrait avec elle généreux mais exigeant, elle se trouvait seule, maintenant, et l'idée lui était venue d'aller embrasser son frère.

— Je ne te dérange pas, au moins ?

Du moment qu'elle n'occasionnait pas de scandale et que sa patronne n'y trouvait pas à redire...

— Oh, ma patronne...

L'écusson de la mère Adèle portait, face à la vieille basilique, à l'angle de la rue Saint-Christophe, une aile dorée, référence à son nom. C'était une pétasse mal fardée, vêtue en permanence d'une cotte de brunette de dix ans d'âge. Les ouvriers du chantier fréquentaient beaucoup chez elle : elle passait l'éponge sur leurs dettes au creux de sa couche pouilleuse.

Clémence était revenue plusieurs fois sur le chantier. Les sergents la connaissaient et la laissaient passer. Vincent la taquinait :

— Ce n'est pas moi que tu viens voir, avoue-le ! Alors ? Le doyen Gautier Barbedor ? Pierre le Chantre ? Ne serait-ce pas plutôt ce jeune mortellier qui nous est arrivé de Sens ?

Clémence étouffait un rire derrière sa main, sans répondre. C'était son affaire et il n'avait pas insisté. Elle ne faisait pas de mal, restait peu de temps et répondait par l'indifférence aux signes et aux sifflets des compagnons. Vincent se disait que c'était l'ambiance du chantier qui la distrayait, cette gaieté qui l'animait dès qu'elle avait franchi le portail, ces chansons que les maçons et les charpentiers dédiaient du haut de leur perchoir, dans leur langue ou leur dialecte, à cette fille à la beauté drue, aux jambes de Salomé.

Maître Jean ne l'avait guère remarquée jusqu'au soir où, en l'absence de Vincent, il l'avait découverte dans la chambre des traits, assise sur la paillasse, les genoux relevés sous le menton, le visage perdu dans sa chevelure libre. Il suffoqua de surprise indignée :

— Toi ici ! Tu ne manques pas de toupet ! Cet endroit est interdit, même aux compagnons. Et toi...

— J'attends mon frère.

— Va l'attendre dehors. D'ailleurs, il vient de partir.

— Mais il pleut, dehors !

Elle se mit à chantonner sans bouger de place en le regardant du coin de l'œil.

— Ce matin, en m'éveillant, j'ai vu une colombette sur le rebord de ma fenêtre. J'ai compris qu'il allait m'arriver un événement heureux.

Il sursauta.

— Tu crois aux signes ?

— Et vous ? Vous n'y croyez pas ?

— Tout est signe. Il suffit de regarder autour de soi et de se laisser guider. J'ai appris cette sagesse d'un « armiès » du Languedoc. Depuis beaucoup de choses ont changé dans ma vie, comme si des écailles m'étaient tombées des yeux.

Il reprit son air bougon.

— Cela ne m'explique pas ta présence ici. Tu aurais pu t'abriter ailleurs.

— C'est vrai, mais je voulais savoir pourquoi, vous et Vincent, vous vous disputez si souvent. Naguère vous paraissiez bien vous entendre.

Maître Jean soupira. Clémence observa qu'il évitait de la regarder.

— Naguère, c'est vrai. Aujourd'hui, on dirait que cette cathédrale a cessé de l'intéresser et qu'il voudrait en construire une autre à la place. Si je l'écoutais, il faudrait revoir mes plans, poser des arcs-boutants gigantesques pour contrebuter le chœur, ouvrir des fenêtres jusqu'aux voûtes, loger des chapelles entre les contreforts, supprimer les flèches qui viendront plus tard prolonger les deux tours de la façade. Que sais-je encore ? Nos dissensions n'ont jamais été aussi violentes. Il se bat contre moi, contre le Chapitre, contre l'évêque. S'il trouvait Dieu en travers de sa route il l'affronterait. Je m'interroge : qu'est-ce qui peut à ce point dévoyer son jugement et obscurcir sa raison ?

— Ou plutôt qui ?

Il se tourna brusquement vers elle.

— Quelle est ton idée ? Aide-moi si tu le peux. Moi, je ne le comprends plus.

— J'ai froid, dit-elle. Froid et faim.

Il fouilla dans un coffre, en sortit un croûton et un fromage entamé.

Elle mangea du bout des lèvres, se leva vivement en entendant la cloche de Saint-Étienne.

— Il faut que je parte. La mère Adèle n'aime pas quand je suis en retard.

Elle se leva. Sa taille le surprit : elle était presque aussi grande que lui, avec un corps dans sa plénitude et de larges pieds nus, un peu trop grands, qui débordaient des semelles attachées aux chevilles par une lanière.

— Reviens demain à la même heure, dit-il. Nous avons une conversation à poursuivre.

Elle le salua d'un geste de la main et disparut.

Le lendemain, maître Jean l'attendit en vain. De même le jour suivant. Il se dit qu'elle n'avait rien de sérieux à lui révéler qu'il ne sût déjà et prit sans déception son parti de cette dérobade. Elle revint le troisième jour.

— Je t'ai attendue, dit-il.

Elle ne lui donna pas d'explication et ne s'excusa pas. Il la fit entrer dans la chambre des traits en veillant à ce que personne ne la vît. Elle s'assit à la place qu'elle avait occupée lors de sa première visite, dans la même position qui paraissait lui être familière.

— Vincent ne t'a pas vue entrer dans le chantier ?

— Non et ça m'est égal. Je n'ai pas de comptes à lui rendre et nous ne faisons rien de mal.

Il en convint et se mit à rire. Lui et Vincent ne se parlaient plus depuis trois jours, sauf pour des questions de service et ils pesaient leurs phrases au plus fin. Maître Jean sortit du coffre un pain rond, un morceau de lard frais, du fromage et des noix. Elle daigna à peine regarder ces victuailles et remercia poliment : elle n'avait pas faim.

Elle se déplaça pour lui faire face. Dans le mouvement qu'elle fit, sa tunique libéra ses cuisses un peu lourdes mais fermes et comme lumineuses dans la pénombre. Regardant autour d'elle, elle observa qu'il y avait moins de désordre que lors de sa précédente visite. Jean prit place en face d'elle, sur un escabeau, puis se déplaça de manière à n'avoir pas dans l'axe de son regard ce fruit de chair dont il appréhendait le suc violent.

— Entre moi et Vincent, dit-il, tout va de mal en pis. Ce matin, il a menacé de quitter le chantier pour aller proposer ses fameuses idées en Esclavonie ou je ne sais où. Je crois qu'il est un peu fou, comme cet André Jacquemin qui était son ami, ou comme ce Jonathan qui se prend pour un descendant d'Adoniram et tient des réunions secrètes dans sa loge avec d'autres initiés.

— Il ne partira pas, dit Clémence.

— Qu'en sais-tu ?

— Ce que vous en savez vous-même.

— L'amour ?

— Les femmes. Les deux femmes que vous savez et qui, chacune à sa manière, le rendent malade. Savez-vous l'aventure qui lui est arrivée la semaine passée ?

Maître Jean avoua son ignorance. Elle lui raconta le bain forcé dans la Seine, qui lui avait laissé une sorte de gale qu'il soignait en faisant brûler des cierges à Saint-Aignan et en buvant des tisanes.

— S'il ne renonce pas à sa Juive et à sa catin, on le trouvera flottant dans les parages de Grenelle avec un poignard entre les côtes.

— C'est peut-être ce qui pourrait lui arriver de mieux, dit mystérieusement maître Jean.

Il se leva pour échapper à cette lumière de chair blonde qui lui chauffait le ventre.

— Que voulez-vous dire ? Vous le détestez au point de souhaiter sa mort ?

Il se tut. Les mots avaient dépassé sa pensée. Il dit précipitamment :

— Il faudrait l'amener à renoncer à ces deux femmes. C'est bien ton avis ?

— Certes, mais sans qu'il en pâtisse au point d'y laisser sa vie. J'aime Vincent, malgré l'indifférence qu'il m'a longtemps manifestée, peut-être à cause de ces femmes, justement. Je n'ai plus que lui.

— Votre père ?

Il avait été depuis peu chassé de l'auberge de l'Ile-aux-Vaches. Clémence l'avait rencontré dans un galetas situé au-dessus de la galerie des charniers de Saint-Denis-du-Pas où régnait une infection permanente. Il vivait là avec une gueuse ramassée dans les vomissures des arrière-salles d'auberges louches.

— Je ne suis plus rien pour lui. Il ne souhaite pas me revoir. Moi non plus.

— Et ton demi-frère, Milon ?

— Le fils du chanoine Hugues ? Il a suivi ma mère en Flandre. Je n'ai plus de nouvelles et n'en aurai jamais plus.

Elle ajouta abruptement :

— Pourquoi souhaitez-vous la mort de Vincent ?

— Je ne souhaite pas sa mort, dit-il d'un air embarrassé. Je dis que cela vaudrait mieux que de le voir sombrer dans la folie ou la débauche. Je le connais mieux que personne parce que je l'ai fait ce qu'il est.

Ensemble, nous aurions pu réaliser la cathédrale la plus belle, la plus vaste, la plus harmonieuse de toute la chrétienté.Et voilà qu'il se laisse aller à patauger dans des passions impossibles ou médiocres et refuse la main qu'on lui tend. S'il est perdu pour l'œuvre, autant qu'il meure ou qu'il disparaisse !

— Cherchons plutôt comment le sauver. Il ne peut vivre sans s'accrocher à une passion. Je suis un peu à son image, mais je ne perds jamais la tête, moi.

Il se dit que, pour une fille d'auberge, elle s'exprimait bien et raisonnait avec un certain bon sens. Il lui en fit l'observation.

— Ce que je sais, je le dois à Vincent, avant qu'il se soit désintéressé de mon sort. Il m'a appris à lire et à écrire en cachette de mes parents. Après le départ de ma mère, il m'a confié aux dames d'Argenteuil pour des travaux de ravaudage ; j'en ai profité pour lire et écouter, mais la discipline était trop stricte et je suis partie. J'aime avant tout la liberté. Cela vous surprend de la part d'une fille ?

Il regarda la douceur lumineuse des cuisses et fit « non » de la tête. Il avait envie de la jeter dehors, mais il prenait trop de plaisir à l'entendre.

— Le sauver, dit-il. Crois-tu que je n'ai pas essayé ?

— Qu'avez-vous fait ?

La question le brûla comme un fer chaud.

— Que la Vierge immaculée me pardonne ! Je suis intervenu auprès du Chapitre pour qu'il l'oblige à renoncer à cette Juive. Oui, Clémence, j'ai trahi Vincent d'une certaine manière. Me le suis-je assez reproché.

Elle émit un petit sifflement.

— Diabolique... Malgré tout Vincent n'est pas guéri. Il est même devenu comme enragé.

Elle lui demanda d'allumer une chandelle ; il préféra rester dans l'ombre. La lumière blonde de ces jambes le troublait intensément. Il se détourna, se signa, murmura une rapide prière.

— Qu'est-ce que vous marmonnez ? dit-elle.

Par la petite fenêtre, on distinguait, dans le prolongement du chantier, la masse puissante de la vieille basilique avec ses contreforts trapus, sa mauvaise toiture de tuiles, ses tours qui se dressaient sur un ciel lie-de-vin. Des lumières de cierges tremblotaient aux vitraux crevés. C'était l'heure où l'on évacuait les malades, les stropiats, les mendiants et, comme chaque soir, c'était le même concert de protestations, le même exode poignant à travers les quartiers de Saint-Christophe et de Sainte-Geneviève-la-Petite.

— Je t'en conjure ! dit-il à voix basse. Ne me juge pas trop vite. C'est pour son bien que j'ai agi. J'aime Vincent comme un frère. Plus même. Peux-tu me comprendre ?

Il se détacha brusquement de la table à laquelle il prenait appui, arpenta violemment la chambre des traits.

— Pourquoi t'ai-je confié ce secret ? Pourquoi à toi ? Je te connais à peine. Je ne suis même pas certain que tu ne vas pas aller raconter cette confidence à ton frère. Tu ne le feras pas, dis ? Promets-moi ! Oublie ce que je t'ai dit.

— Oublier ? C'est impossible. Assieds-toi près de moi et calme-toi. Ce que je puis te promettre, c'est de ne rien révéler à Vincent. Je puis même te proposer une alliance entre nous pour protéger mon frère contre lui-même.

Elle essaya de l'attirer vers elle. Il résista en gémissant :

— Laisse-moi. C'est impossible. J'ai juré d'être fidèle à Sybille.

— Sybille est morte. Tu es libre sans avoir rien à te reprocher. Cela fait des mois que je te regarde aller et venir sur ton chantier et que je résiste à l'envie de t'aborder. La semaine passée, je n'ai pas pu résister...

— Tais-toi ! dit-il en lui mettant une main sur la bouche.

Des raclements de semelles sur les gravats, un bruit de voix, une lumière de torche... Les hommes du guet commençaient leur première patrouille. Il était rare qu'il n'y eût pas quelque voleur à débusquer ou des amoureux à déloger.

— Ils s'éloignent, dit-elle. Nous n'avons plus rien à craindre.

Elle lui prit les mains, les contraignit à descendre jusqu'à ces cuisses qui brûlaient encore la rétine de Jean à travers l'ombre, à se nicher dans un velours humide et chaud qui se referma sur elles. Clémence lui souffla à l'oreille :

— Si tu t'étais refusé à moi, je crois que j'aurais tout révélé à Vincent de tes machinations. Il t'aurait tué...

LIVRE VII

Ô Vierge, Mère immaculée, Ventre sans souillure, Femme entre les Femmes, Lis brûlant de ma solitude, Rosée de mes matins, Étoile de mes nuits, Marie, pourquoi m'avoir abandonné ? Pourquoi ne pas m'avoir donné la force de résister à la tentation de la chair ? Pourquoi m'avoir laissé désarmé devant le mal ? Toi qui es toute pureté, pourquoi avoir permis que ces souillures m'éclaboussent, moi qui me tendais vers toi comme la fleur vers le soleil du matin ? As-tu oublié que je ne suis qu'un pauvre homme déchiré, en proie à toutes les tentations, à tous les doutes, qui doit acheter sa sérénité au prix de la souffrance et du remords ? J'ai fait brûler pour toi tant de cierges qu'ils suffiraient à illuminer comme en plein jour le chantier de ta cathédrale. J'ai dit tant de prières que j'en ai parfois la gorge sèche. J'ai tant rêvé de toi la nuit que je m'éveille parfois en m'étonnant de ne pas voir ton image près de moi. Regarde mes mains, Mère ! Pour toi, j'ai décidé de jeter mes gants — signe d'orgueil et de vanité — de me vêtir comme un simple compagnon, d'affronter les rires et les quolibets pour que ces mains que tu vois soient autre chose que le prolongement de la voix qui commande et qui châtie, qu'elles éprouvent le contact des pierres de ta maison. Ces pierres, j'ai juré qu'il n'y en aurait pas une sur laquelle je n'aurais posé mes mains et dit une prière. Que m'importent les sourires, les sarcasmes, les quolibets ! Chacune de ces pierres est désormais pour moi une oblation. Lorsque tu pénétreras dans ta maison, peut-être entendras-tu le murmure de ma voix, sentiras-tu ma présence, devineras-tu ma ferveur. Marie, daigne les regarder, ces mains que je tends vers toi, paumes retournées. Elles ont pétri le mortier et maintenant je te les offre, brûlées et crevassées par la chaux. Elles ne m'appartiennent plus. Ce ne sont pas seulement des mains pour la dévotion ; leur ferveur est passée dans l'acte. Puissent-elles, se désagréger à l'égal des pauvres mains de Sybille, fondre comme du sel à force d'avoir servi. Ce sont des mains impures, comme ces lèvres par lesquelles passent mes prières. Ce soir encore, ces mains caresseront un corps de femme ; ces lèvres se poseront sur d'autres lèvres. Et puis le jour viendra de nouveau, et je te les consacrerai, et elles redeviendront la plaie ouverte et la prière ardente. Je n'implore pas ton pardon car je n'en suis pas digne, moi qui ne sors du péché que pour entrer dans le péché, mais ton regard, mais ta présence. Je ne suis pas de ces fous qui écarquillent les yeux sur l'ombre pour deviner la trace lumineuse de ton voile, qui tendent l'oreille pour entendre murmurer la vague de ta voix, qui respirent l'air de la nuit pour y surprendre le parfum de tes lis. Ta présence est en moi. Tu pleures par mes yeux sur mes lâchetés et mes intolérances ; tu cries par ma voix lorsque je maudis ce corps qui ne sait pas refuser le plaisir. Tu es vivante en moi jusque dans mes prières. Ce désir de mort qui parfois m'assaillait m'a aujourd'hui abandonné. Désormais ma vie, mes gestes sont un acte de foi ; chaque pierre enveloppée de ma prière est un degré de plus pour l'escalier de lumière qui mène à ton trône resplendissant. Puissé-je vivre assez longtemps, souffrir jusqu'aux limites de mon courage et de ma résistance pour le voir, ce trône, resplendir dans le matin, face aux lumières de l'Occident. Ainsi soit-il !

1
LE PORTAIL

La nouvelle l'avait laissé abasourdi.

Il avait encore dans l'oreille les paroles de l'évêque Maurice, mais il peinait pour regrouper dans sa mémoire les divers fragments de ses propos, comme si une tornade les avait dispersés. Une image s'imposait au milieu de ce fatras : celle de l'évêque à sa table de travail, les mains posées à plat de chaque côté d'un énorme psautier à couverture d'ivoire et de pierres, dans l'attitude que Vincent imaginait au Christ de la Cène. Autour de l'évêque, allant et venant, le doyen Gautier Barbedor, Pierre le Chantre, Pierre le Mangeur et un jeune clerc, Jean, neveu du prélat, arrivé depuis peu de Sully-sur-Loire. Ils entraient par une porte, sortaient par une autre après avoir échangé quelques mots à voix basse entre eux, déposé un parchemin sur la table, comme sur le fil d'un mystérieux courant circulaire.

Maître Jean lui avait dit :

— Tu es convoqué pour demain par monseigneur Maurice. Rassure-toi : on ne va pas prononcer ton arrêt de mort. On va même te faire un grand honneur si tu promets de t'en montrer digne.

Il s'était refusé à en dire plus.

Quand le manège se fut un peu ralenti, l'évêque regarda Vincent avec un sourire plein de bienveillance.

— Maître Vincent (souffrez que je vous donne ce titre), la Fabrique, le Chapitre et moi-même apprécions beaucoup l'ardeur et la conscience que vous apportez à votre tâche. Les quelques écarts que vous avez commis dans le cours de votre vie privée ou que vous commettez encore, nous consentons à les considérer comme les excès de la jeunesse et à les oublier. Récemment, nous avons pu apprécier votre travail sur le chantier. Pour ma part, je me suis beaucoup intéressé à ce médaillon qui représente, si ma mémoire est fidèle, le mois de juin...

— Il s'agit de juillet, monseigneur, souffla Barbedor. Cette œuvre représente un moissonneur dans son champ de blé. L'attitude est réaliste et nous avons là le plus beau blé d'Ile-de-France !

L'évêque remercia d'un sourire et d'un signe de la main.

— Votre talent est déjà très sûr. C'est la raison qui nous a incités, le Chapitre et moi, à vous confier un travail d'une autre importance. Encore faut-il que nous en discutions et que nous mûrissions ensemble ce projet. Il s'agit du portail méridional de la façade, celui que nous avons décidé de dédier à sainte Anne, mère de la Vierge. Notre bon roi, à qui nous en parlions récemment, est d'avis que nous devrions l'y faire figurer en pied. Dans sa bonté et son indulgence, il a souhaité que nous y figurions aussi : moi-même et notre cher Barbedor, qui est un des plus éminents secrétaires et conseillers du souverain.

Il ajouta avec un sourire amusé :

— Puisque les modèles, grâce à Dieu, sont encore bien vivants, nous avons pris la résolution de nous attaquer dès maintenant à cette œuvre.

Il se tourna vers Barbedor.

— Gautier, faites-nous porter des boissons fraîches, je vous prie. Cette chaleur est fort incommodante. Ne trouvez-vous pas, maître Vincent ?

Maître Vincent se sentait des sueurs jusqu'à la racine des cheveux, mais c'étaient celles de l'émotion. Il glissa un doigt dans le col de sa chemise propre, déjà mouillée aux aisselles.

— Notre proposition vous agrée-t-elle, au moins ? interrogea l'évêque. Notre bon sire, qui vous connaît bien, est d'accord pour que la Fabrique vous confie cette tâche.

— Ma foi..., bredouilla Vincent.

— J'étais sûr que vous accepteriez.

Un convers apporta des gobelets de cidre frais qui pétillait encore. Vincent avait du mal à avaler. Il suffoqua, s'excusa.

— Quand on a très chaud, dit l'évêque, il faut boire lentement. Cela me rappelle le jour où, venant de mon Sully natal, à pied et la bourse plate, j'arrivai chez l'étudiant fortuné pour qui je devais faire office de factotum. Il servit des boissons et, dans mon émotion, j'avalai de travers et faillis m'étouffer. C'est la première émotion que me donna

Paris. Il y en eut beaucoup d'autres et de toutes sortes. Cela fait quarante ans déjà.

— Trente-cinq, monseigneur, souffla Barbedor.

L'évêque but en tenant son gobelet à deux mains comme un ciboire, l'annulaire détaché. Il essuya de l'index sa moustache grise, toussa pour s'éclaircir la voix, se tourna de nouveau vers le doyen.

— Gautier, notre projet, je vous prie.

Il fit signe à Vincent de se placer derrière lui, déroula le parchemin dont il maintint les coins avec les gobelets.

— Voici donc le projet de portail que nous vous soumettons avec l'assentiment de Louis. Il sera fait de trois pièces horizontales représentant des scènes différentes. La Vierge occupera la partie supérieure du tympan, trônant dans sa gloire, avec l'enfant Jésus sur les genoux. Le roi se tiendra agenouillé à sa gauche, moi-même et notre doyen, qui sommes les artisans de cette cathédrale, à sa droite. Vous pourrez orner cette partie à votre guise d'anges thuriféraires. Quant à notre souverain vous aurez loisir de le voir prochainement au cours d'un office dans la chapelle du Palais afin d'en faire une image fidèle. Il en est d'accord. Rendez-vous libre dimanche prochain, je vous prie.

— Pardon, monseigneur, intervint Barbedor, le roi a prévu le dimanche suivant.

— Fort bien, Gautier ! Où avais-je la tête ? De toute manière, maître Vincent nous vous ferons confirmer le rendez-vous.

— Les deux linteaux inférieurs ont moins d'importance mais vous devrez attacher le même soin à leur exécution. Celui du milieu évoquera des scènes de la vie de la Vierge, sur la nature desquelles nous aviserons ultérieurement. De même pour le linteau inférieur, que nous consacrerons à sainte Anne et à son époux, saint Joaquim. Cela vous convient-il ? Souhaitez-vous ajouter ou retrancher à nos propositions ? Donnez votre avis librement, je vous prie.

— Cela me paraît d'un bel équilibre, dit maître Vincent, mais le trumeau…

— Certes, le trumeau… Voyons ce que vous suggérez.

— J'y placerais volontiers une statue de saint Marcel, premier évêque de Paris, qui défendit la ville contre un dragon. Cela donnerait de la force à l'ensemble du portail.

— L'idée me paraît judicieuse. Qu'en pensez-vous, Gautier ?

Le doyen eût préféré une image de reine qui ressemblât à l'épouse du roi Louis. L'évêque s'opposa à cette idée. C'était assez d'un souverain à figurer sur ce portail.

— Reste, dit-il, les voussures et les ébrasements. Là, maître Vincent, laissez aller votre imaginaire, mais dans des limites décentes et raisonnables et en rapport avec notre sujet. Nous avons prévu pour les voussures quatre cordons que vous meublerez d'une cour céleste : prophètes, patriarches, vieillards, rois, anges, le tout aussi vivant et divers que possible. Vous pourriez, dans les ébrasements, installer des images de saints et de saintes, de rois et de reines, à votre choix, avec un dais pour chacun. Bien entendu, vous nous fournirez au préalable un dessin de chacun de ces personnages. Boirez-vous un autre gobelet ?

Vincent remercia poliment, prit le parchemin que lui tendait l'évêque et s'inclina après avoir reçu congé de se retirer.

Il était comme ivre. Des images dansaient dans sa tête. Il se précipita dans la chambre des traits où maître Jean travaillait au compas sur un module de crochet, posa son parchemin sur la table de travail, tomba dans les bras de Jean et se mit à pleurer.

— Cette faveur, maître, c'est à vous que je la dois. Et moi qui, depuis des semaines, ne cesse de vous harceler de mes griefs... Pourquoi ne vous a-t-on pas confié cette œuvre à vous ? Vous en êtes plus digne et plus capable que moi.

Maître Jean écarta la question d'un geste de la main.

— Fais en sorte que monseigneur Maurice ne regrette pas de m'avoir écouté et de t'avoir fait confiance. Je ne parle pas seulement de la qualité de ton travail mais aussi des dispositions de ton cœur et de ton âme.

— Je m'en souviendrai, maître.

Il ne tenait plus en place. Une terrible envie de marcher le tenaillait. Sans un mot, il quitta la chambre des traits. Il savait où il ne devait pas aller et c'est là qu'il se rendit directement.

Jean enfila une chemise, coiffa son bonnet de toile et lui emboîta le pas en prenant soin de ne pas se faire remarquer. Dissimulé derrière un contrefort de Saint-Étienne, il regarda Vincent filer à grands pas le long de la ruelle Saint-Christophe toute noire sous les encorbellements des demeures à colombages, écarter à coups de pied les porcs qui cherchaient leur provende dans le ruisseau, déboucher au plein soleil à l'angle de la rue de la Juiverie qu'il remonta vers le nord en direction de la synagogue. « L'imprudent ! songea maître Jean. Il se dirige tout droit chez sa Juive... » Il n'eut plus le moindre doute lorsqu'il le vit obliquer à gauche vers la place Saint-Pierre-des-Arcis et le quartier juif de la Petite-Madian dont on devinait les jardins à des plumets de verdure fatiguée qui bruissaient dans le vent léger du fleuve. Maître

Jean crut l'avoir perdu de vue lorsqu'il arriva à proximité de la rue du Port-aux-Œufs, mais il finit par l'apercevoir, debout sur la crête d'un vieux mur enfoui sous les feuilles basses d'un saule. Un observatoire idéal pour surveiller la demeure d'Ezra. Après être resté un moment immobile, Vincent sauta de son perchoir, traversa la ruelle et poussa le portail de bois.

En le voyant surgir, elle se leva si brusquement que le livre qu'elle lisait lui tomba des mains. Il s'approcha, ramassa le livre, le lui tendit, observa que ses lèvres tremblaient et qu'elle portait une légère rosée aux tempes sous le lourd bandeau de cheveux noirs. Il ne l'avait pas revue depuis la baignade forcée et se dit qu'elle n'avait pas embelli — ce teint cireux, ces pommettes creuses, cette légère flétrissure au cou — mais il était dix fois plus amoureux d'elle.

— Il fallait que je vienne, dit-il. Je dois te raconter ce qui m'arrive. Tu seras la première à l'apprendre. Après tu me chasseras, si je t'importune.

Il lui relata son entrevue avec l'évêque, sans oublier la chaleur, le cidre, les étourderies de monseigneur Maurice. Elle sourit et cela lui mit du baume au cœur.

— Tu sais ce que tu risques en venant ici ? dit-elle.

S'il le savait ! Il haussa les épaules. Rien n'aurait pu l'empêcher de se précipiter vers elle. Si la porte avait été gardée par des sergents du Chapitre, il serait venu par le fleuve.

— Es-tu certain de n'avoir pas été suivi ? On va surveiller plus que jamais tes allées et venues.

— Je l'ai été. Par maître Jean. Il est là, derrière ce portail, et il enrage. Mais il ne me dénoncera pas. Si le Chapitre revenait sur sa décision, ce serait le désavouer du même coup. Me pardonnes-tu ma folie de la semaine passée, cet esclandre sur le Grand-Pont ?

— Tu l'as payée assez cher pour être pardonné, mais qu'est-ce qui t'a pris, mon Dieu ?

Il employa de grands mots. Ne s'étaient-ils pas juré « fidélité éternelle » ? N'avait-elle pas déclaré qu'elle n'aimerait personne d'autre que lui ? Il évoqua naïvement Héloïse et Abélard et elle ne put réprimer un geste d'irritation.

— Ce Simon Güel, qu'est-il pour toi ? Une simple relation, une amourette, un véritable amour ?

Elle se détourna, refusant de répondre. Il tenta de la prendre aux épaules et elle se dégagea d'un mouvement coléreux.

— Pourquoi ne réponds-tu pas ? J'ai besoin de savoir. La victoire que j'ai remportée m'importe peu si tu t'en désintéresses, si tu refuses de m'aider, si tu n'es pas là pour me regarder et m'écouter. Veux-tu que je renonce à ce travail ? Nous partirons ensemble pour Toulouse comme nous l'avions envisagé.

— C'est impossible ! Mon père n'est plus en état de supporter un tel voyage et nous ne possédons plus rien que cette maison que nous serons sûrement contraints de vendre, au père de Simon Güel justement. Tu vois bien que nous devons renoncer l'un à l'autre ! Tout est contre nous. Et moi-même... M'as-tu bien regardée ? Je n'ai pas trente ans et je suis déjà une vieille femme. Et toi, toi...

— Tu pourrais être vieille, laide, n'avoir plus ni dents, ni cheveux que je m'accrocherais encore à toi.

— Ça suffit ! dit-elle avec dans les yeux un éclat de larmes qui contredisait sa fausse colère. Va-t'en et ne reviens plus ! L'orme Crève-Cœur, les dimanches dans l'enclos des Thermes, c'est bien fini !

Elle lui tourna de nouveau le dos et s'éloigna vers la maison.

Lorsqu'elle atteignit le seuil, la tourterelle vint se poser sur son épaule.

La barque racla la grève, piqua du nez en sifflant dans la terre sèche creusée par les rats. Tout ce qui restait de jour s'était répandu comme une jatte de lait sur le fleuve. La rumeur du Grand-Pont atteignait son paroxysme. On devait jouer un fabliau très vulgaire sur l'arche du Temple, car on entendait des voix suraiguës et des rires par vagues. Maître Jean sauta sur la berge, se glissa sous le balcon qui surplombait le fleuve, trouva un coin d'herbe encore verte où il s'assit. Il faisait presque frais, mais il montait des eaux basses une intense odeur de putréfaction.

Jacoba ne se fit pas attendre. Vêtue d'une cape sombre, elle se glissa près de lui.

— Je n'aime pas le rôle que vous me faites jouer, dit-elle. Je n'aime pas le mensonge. Je ne vous aime pas.

— Peu importe. Je n'attends aucun mouvement d'estime de votre part. Je ne vous demande pas de m'aimer, mais d'aimer Vincent assez fort pour renoncer à lui. Que vous a-t-il raconté lors de sa précédente visite ?

— Vous ne le devinez pas ? Il m'associe encore à tous les événements de sa vie. Il m'aime plus que jamais et serait prêt à vous quitter, vous, votre cathédrale, Paris, si je consentais à le suivre.

— Mon Dieu...

— Ne prononcez pas le nom de Dieu, vous qui baignez dans le péché et dans l'hypocrisie. Nous n'avons rien à nous dire. Votre protégé est sur la bonne voie. Il va devenir un grand sculpteur. Vous avez gagné et je ne me mettrai pas en travers de sa réussite, vous avez ma parole. Mais sur l'essentiel, vous avez perdu. Vincent continuera à m'aimer et là vous êtes impuissant.

— Et vous ?

— Cela ne vous regarde pas.

— Et ce garçon, Simon Güel ?

Elle haussa les épaules. Simon n'était rien pour elle. Il avait joué son rôle lui aussi dans cette pièce, sans le savoir.

— Vous me détestez donc vraiment, Jacoba ?

— En fait, je ne vous comprends pas. Vous vivez dans une duplicité permanente, partagé entre vos dévotions à la Vierge, l'affection pour votre femme et vos rapports avec cette fille : Clémence. Vous vous êtes installé dans le péché et vous refusez à Vincent un amour tout simple.

— J'ai échoué piteusement dans ma recherche de la pureté, j'en conviens, mais je voudrais de tout mon cœur que Vincent y parvienne. Il est ma créature et je me sens tenu de lui éviter les pièges. Vous savez combien il est crédule et faible dans les affaires de sentiment. Le plus difficile était de le détacher de vous. Il faudra ensuite l'obliger à renoncer à cette catin, Tiphaine, mais c'est une liaison qui se dénouera d'elle-même, car il n'aime pas cette fille.

Elle lui tendit un morceau de parchemin.

— Reprenez votre billet et ne cherchez plus jamais à me rencontrer. J'ai promis de ne rien faire pour encourager Vincent, mais ne me demandez pas de renoncer à l'aimer ni d'épouser un autre homme pour le décourager. Et surtout ne cherchez pas à me forcer la main. Vous rompriez vous-même notre contrat.

Il se leva et jeta le billet au fleuve.

De la tribune où on l'a installé, Vincent distingue assez bien le roi.

Tout d'abord, il ne l'a pas reconnu parmi les gens de son entourage et il a fallu que le chanoine qui l'accompagne le lui désigne. Maintenant il ne le quitte pas des yeux. Un homme d'apparence assez ordinaire.

On l'a fait asseoir dans un fauteuil, car il a du mal à tenir sur ses jambes à cause de cette faiblesse des hanches qui l'oblige à rester allongé des journées entières. Le soleil de la matinée fait jouer à ses pieds les couleurs d'arc-en-ciel tombant d'un vitrail. Le visage est maigre, glabre, pâle ; le nez long et mince semble jaillir des pommettes. Il regarde sans cesse autour de lui comme s'il cherchait à qui parler. À cette grosse femme noire qui est la reine Adèle ? À ce garçon chafouin, au regard inquiet, qui est le prince Philippe, le « mal peigné » ? Ils se tiennent à ses côtés figés comme des statues.

Vincent imagine le roi enfermé dans un cercle de silence et de solitude qu'aucune voix, aucune main tendue ne viennent rompre. Voilà l'homme dont la reine Aliénor disait qu'il était plus moine que roi, qui s'endormait seul dans une forêt d'Ile-de-France en se disant qu'il ne risquait rien parce qu'il n'avait pas d'ennemis, qui exilait des seigneurs pour avoir manqué de respect à des dames de la reine, qui faisait trancher un bras à son grand chambellan parce qu'il avait brutalisé un clerc...

C'est aussi ce souverain qui a pris le parti des Juifs contre les spoliateurs et qui refuse les violences inutiles.

La liasse de parchemins, la mine sont dans la ceinture de Vincent. Il n'y touche pas. Il n'y touchera pas. Ses yeux lui suffisent et sa mémoire lui sera fidèle. Mais ce n'est pas la copie de cette pâle effigie de roi qui figurera sur le tympan à côté de la Vierge. Sa vérité se situe au-delà des apparences, au-delà de ses laideurs, de cette insignifiance, de cette veulerie.

L'office du matin débute dans le ronflement de l'orgue et la respiration oppressée des soufflets. Le visage du roi semble se fermer. Ainsi il est presque beau, presque majestueux ; il revient à sa vérité intérieure dans laquelle se fond le masque de vieux moine égrotant. C'est ainsi qu'il sera dans la pierre. C'est sous cet aspect que des générations le découvriront dans le cours des siècles, dégagé de l'histoire et installé dans sa vérité d'homme.

2

DES ÉPINES ET DES RONCES

Il avait un monde à créer et à faire vivre. Un livre à écrire.

Du coup, la construction du gros œuvre de la cathédrale passait pour lui au second plan. Peu lui importait que le chantier périclitât, que les ouvriers, payés en retard, les caisses de la Fabrique étant vides, eussent menacé d'abandonner leurs outils et de se croiser les bras, que les premières pluies d'un précoce automne eussent interrompu les travaux de certains métiers. Son œuvre à lui, Vincent, se situait dans un autre monde et un autre temps qui avaient leurs dimensions, leurs règles, leur organisation propres.

Près de la loge des maçons, le Chapitre avait fait édifier un appentis bien clos avec suffisamment d'espace pour commencer le moment venu la taille des blocs. Avec les feuillets vierges de parchemin que l'évêque lui avait fait parvenir, il aurait pu rédiger une Bible. Les mines de plomb et de charbon remplissaient un gobelet à la droite de sa table de travail ; à sa gauche s'entassaient les manuscrits enluminés prêtés par la bibliothèque épiscopale, qui comptait des centaines de volumes, où il puisait ses modèles.

Durant une semaine après sa visite à Jacoba, il était resté impuissant, comme écrasé par l'ampleur et la difficulté de sa tâche. Confronté à la maquette sommaire que l'évêque Maurice lui avait soumise, il se disait que cette œuvre dépassait ses possibilités. En apparence, tout était simple : un tympan, un trumeau, des voussures, des ébrasements, un cordon de crochets pour couronner le tout… Les difficultés naissaient du détail. Dès qu'il tentait de pénétrer dans ce monde de personnages, il perdait pied, battait précipitamment en retraite, s'allongeait sur sa paillasse pour évacuer cette multitude désordonnée qui l'assaillait.

Par où commencer ?

La logique lui imposait de dessiner d'abord la Vierge, mais il la « voyait » indistinctement. Le roi ? Il souhaitait laisser cette image mûrir en lui. L'évêque ? Il n'arrivait pas à lui trouver une attitude en rapport avec sa mission de bâtisseur. Et Gautier Barbedor, quelle importance lui donner ?

— Rien ne presse, lui disait maître Jean. Si ce métier m'a appris une vérité, c'est que le bon travail se fait dans la réflexion, la sérénité, la pureté. Je t'envie, Vincent, et je te jalouse aussi parfois. Ne t'impatiente pas. Tu auras tout l'hiver pour dessiner ton projet, car il n'est pas question que tu me suives en Languedoc.

Il n'ajoutait pas que l'honneur fait à Vincent était son châtiment à lui, Jean, qui s'était jugé, après un long débat avec sa conscience, indigne de réaliser cette œuvre, mais Vincent n'ignorait pas les raisons de ses réticences puis de son refus. Elles portaient un nom : Clémence.

Elle n'était pas retournée au chantier depuis des semaines. Sur les instances de Jean, elle avait renoncé à son travail chez la mère Adèle.

Depuis ce jour, elle vivait comme une dame, portait des robes de prix, se faisait accompagner ostensiblement d'une servante tenant un petit chien noir en laisse. Vincent l'avait rencontrée à plusieurs reprises sur le Grand-Pont, en train de se pavaner devant des écoliers qui sifflaient d'admiration sur son passage et lui lançaient des invites qu'elle faisait mine de mépriser hautement. Elle avait confié à son frère qu'elle n'était pas vraiment heureuse avec son nouvel amant et que, à tout prendre, la vie qu'elle menait à l'auberge avait d'autres attraits. Certes, elle était à l'abri du besoin et n'avait à prendre soin que de sa personne, mais Jean était « imprévisible ».

— Qu'entends-tu par là ?

Il arrivait le soir en se cachant comme un malfaiteur, redoutant qu'une indiscrétion le dénonçât au Chapitre, ce qui aurait occasionné un scandale et son exclusion. Auprès d'elle, il paraissait se détendre, oublier les tracasseries du chantier, s'oublier lui-même. Il vouait au corps de Clémence une adoration suspecte et tourmentée, laissait s'épancher ses délires, jurait qu'elle était sa raison d'être, sa vie, qu'il pourrait tout quitter pour elle. Peu après venait le temps des obsessions, puis des rancœurs. Par la faute de Clémence il sombrait toujours plus profond dans le péché ; il n'avait plus sa tête à lui et les maîtres qu'il avait sous ses ordres s'offusquaient de ses erreurs de jugement. Les turpitudes qu'il avait voulu éviter à Vincent, il y sombrait corps et âme. Que de ronces, que d'épines sur les chemins de la pureté ! Il s'en prenait à Clémence, lui reprochait de l'avoir ensorcelé, l'accusant même de verser un philtre d'amour dans son vin. Un jour, après l'avoir giflée, il était tombé à genoux devant elle, la suppliant de lui pardonner, menaçant de se tuer si elle le quittait.

— Le quitter ? s'étonna Vincent. Tu en aurais l'intention ?

— L'idée m'en est venue, mais je me dis que j'ai trop souffert de la misère et des mauvais traitements pour retourner à ma salle d'auberge. Je reste donc, mais un jour je le planterai là avec ses humeurs, ses remords, ses dévotions à la Vierge. C'est d'ailleurs un piètre amant. Je ne sais plus si je l'aime.

Elle avait ajouté avec un air de mystère :

— La femme est toujours l'adversaire de l'homme qui est appelé à créer. Si elle n'est pas indifférente, elle est jalouse. Vous autres, vous devriez vivre comme des ermites, choisir une fois pour toutes entre les plaisirs du siècle et l'œuvre que vous avez entreprise. Vous n'êtes pas faits pour les passions du cœur et du corps mais pour celle de la foi. À commencer par toi, Vincent. Renonce à Tiphaine comme tu as renoncé à Jacoba.

Renoncer à Tiphaine ? Cette suggestion avait laissé Vincent perplexe.

Jamais, malgré de redoutables tensions, des disputes fréquentes, des menaces à peine voilées, il n'avait sérieusement envisagé de l'abandonner. Souvent son image interférait dans ses méditations, s'interposait entre lui et son œuvre ; des fruits de chair mûrissaient entre les lignes austères de son œuvre comme dans les branches d'un arbre. Il jetait sur le parchemin le schéma d'un ange, d'un saint ou d'un roi de Juda, et voilà que Tiphaine surgissait dans sa mémoire avec son teint de lait, ses cheveux fous, sa minceur pathétique et qu'elle bousculait en riant le dessin qu'il construisait, semait des désirs violents sur sa trajectoire.

Parfois il quittait brusquement son travail pour se réfugier dans la chambre de la rue du Figuier ; il l'attendait fiévreusement quand elle était absente, se jetait sur elle lorsqu'elle arrivait. Renoncer à Tiphaine c'était s'amputer de cette part de lui-même qui vivait, bougeait, chantait, riait. C'était fermer à jamais la porte sur sa jeunesse, se condamner à la nuit et au froid. Il avait même sérieusement songé à en faire sa femme, mais elle lui avait opposé un refus catégorique. Accepterait-il qu'elle continuât à mener la vie qui était la sienne ? Non ? Alors autant renoncer tout de suite à ce projet absurde.

Elle lui disait :

— Une fille comme moi, Vincent, on ne l'épouse pas à moins d'être de son milieu. Quant à toi, tu n'es pas fait pour le mariage, pas plus avec moi qu'avec ta Juive ou quelque autre femme. Nos vies sont des barques solitaires. Il n'y a qu'une place à bord.

3

LA FÊTE SAUVAGE

« Maître, je suis au désespoir. J'efface mes dessins trois fois, cinq fois, dix fois. J'use le bout de mes doigts à poncer ces ébauches après les avoir noircies à la mine et, lorsque je regarde l'image achevée, définitive, c'est comme si un gouffre s'ouvrait sous moi, tant il y a loin de cette image imparfaite à celle qui se modelait dans ma tête.

« Que n'êtes-vous là pour m'aider, m'encourager, me faire comprendre mes erreurs et triompher de mes doutes ! Parfois, je crains que ma nature audacieuse ne m'emporte trop loin ; d'autres fois, je redoute la mièvrerie et la routine. Être soi-même n'est pas facile. En face de moi, aucun miroir, aucun modèle ; je dois perpétuellement me chercher, refuser les fausses images de moi qui se présentent car, en fin de compte, quoi qu'il arrive, quoi que l'on crée, c'est toujours en sa propre substance que l'on puise.

« L'hiver s'achève. La Seine tantôt roule ses boues jaunes, tantôt ses eaux vertes. Le temps passe comme un torrent et je suis là, à ma table de travail, dans ma loge, à dessiner et à gratter, à peiner et à gémir. Ces ébauches, je n'ose les soumettre au Chapitre. À vous seul, je pourrais les montrer sans redouter indifférence, incompréhension ou mépris.

« J'ai tant travaillé que je m'y suis usé les yeux. J'ai brûlé des dizaines de livres de chandelle et gratté tant de parchemin que mon vêtement de travail (la vieille coule que je vous ai empruntée) est couvert de poussière et sent le suif. Je me couche à l'aube lorsque les compagnons s'éveillent dans leur loge et je ne me réveille que lorsque mon estomac crie famine.

« Vous comprendrez ainsi qu'il me reste peu de temps à consacrer aux agréments de la vie.

« Revenez vite, maître ! Jamais votre absence ne m'a été aussi dure à supporter. J'ai besoin de votre voix, de vos conseils, de vos colères. Ô présomptueux qui croyait pouvoir s'embarquer seul dans une telle aventure... »

Maître Jean reçut la lettre de Vincent de la main d'un moine irlandais qui se rendait à Maguelonne. Il la lut dans un creux de soleil, sous un tonnerre de tramontane, au milieu d'un désert en folie. Lorsqu'il eut achevé, sa décision était prise : il ne resterait qu'une semaine de plus au lieu d'un mois. Vincent lui manquait ; il ne se séparerait plus jamais de lui, malgré leurs perpétuelles dissensions. Il regarda longuement ce paysage et cette charrue de vent, en lutte l'un contre l'autre mais inséparables.

Sa première visite à Paris fut pour Sybille.

Il ne put se rendre compte si elle souriait ou si elle grimaçait en lui montrant ses moignons bandés au bout de ses bras décharnés tant ses lèvres étaient rongées par le sel au point de découvrir aux commissures des éclats de dents intactes. Il poussa devant lui Robin ; elle se mit à sangloter et baissa brusquement son voile. Il lui demanda si elle souhaitait qu'il revînt et elle opina. Qu'il revienne, oui, aussi souvent qu'il pourrait car elle devinait qu'elle n'avait plus pour longtemps à vivre.

Vincent dormait encore lorsque maître Jean entra dans la chambre des traits, si las qu'il avait oublié de souffler la chandelle et de garnir le poêle. Maître Jean ranima la braise avec une bourrée de chêne et s'assit sur le haut tabouret, devant la table où s'entassaient les esquisses. Il faillit crier de plaisir. Chaque personnage, chaque motif de décoration portait la marque d'une vigoureuse personnalité qui gommait judicieusement les audaces et se nourrissait de tradition sans s'y asservir. C'était riche, puissant et beau. Les rois, les prophètes, les saints, les anges s'y épanouissaient comme des flammes de la Saint-Jean. Sur les visages traités avec finesse et rigueur, il aurait pu mettre des noms : Jonathan, Pierre le Chantre, Guillaume de Nancy, Gilbert Courteheuse...

Lorsqu'il se retourna vers la paillasse, Vincent était réveillé et le regardait d'un œil craintif, sans souffler mot. Maître Jean s'agenouilla, l'embrassa, lui dit :

— Je suis fier de toi. Nous irons dès aujourd'hui porter quelques-uns de tes dessins à monseigneur Maurice.

L'évêque les reçut après les audiences de l'après-midi dans le petit jardin de l'évêché où traînaient encore des gravats. Il avait fait ses préparatifs pour une retraite dans sa cellule de Saint-Victor et le temps pressait mais, dès qu'il eut commencé à feuilleter les liasses, il s'assit et rien d'autre ne parut compter.

— Nous avons eu raison de vous faire confiance, maître Vincent, dit-il au bout d'un moment. Ce que j'attends de vous, maintenant, c'est l'arbre auquel ces feuilles vont se rattacher. Ce qui comptera surtout dans l'œuvre qui vous est confiée, c'est le mouvement, c'est l'élan. Ce que l'on voit dans un arbre ce n'est pas sa feuille mais sa masse. Il n'existe que par sa majesté et son harmonie.

Vincent lui tendit un rouleau de grandes dimensions que l'évêque déplia.

— Bien ! dit-il. Voilà un arbre auquel rien ne manque, ni la structure, ni le détail ni le mouvement. L'air semble circuler à travers les branches et les feuilles. On croirait même entendre le vent. Cependant...

Un détail l'intriguait : dans le linteau du milieu, sous la grande image de la Vierge, un espace vide le choquait.

— Je placerai là le lit où Marie s'apprête à enfanter. Ce sera le seul élément horizontal de l'ensemble.

— Pourquoi l'avoir décentré par rapport à l'image de la Vierge ? Vous occasionnez ainsi une rupture de symétrie.

Maître Jean intervint.

— Ma première réaction a été la même que la vôtre, monseigneur. Mais la symétrie n'est pas forcément génératrice d'harmonie. En brisant un rythme on peut lui conférer plus de force. En revanche, je n'aime guère la Vierge. Elle est hanchée d'une manière outrancière. Quant à l'enfant Jésus il a trop d'importance. J'ai suggéré à Vincent de placer Marie sur un trône avec Jésus sur ses genoux ou, mieux, dans son giron.

— Excellente idée ! dit l'évêque en se grattant la barbe. Je persiste à croire que la scène de l'enfantement est mal venue, mais peut-être suis-je mauvais juge. Nous proposerons un débat au Chapitre à ce sujet. Mais voyons ! Le roi... Je ne le vois pas figurer à la place convenue. Serait-ce ce petit personnage ?

— Sans vouloir vous flatter, dit Vincent, j'ai estimé qu'il devait avoir dans cet ensemble moins d'importance que vous qui êtes le véritable bâtisseur. Vous êtes debout et notre souverain est agenouillé. Vous agissez et il approuve.

Malgré l'appui de maître Jean, il ne fut pas aisé de faire admettre à l'évêque cette audacieuse échelle de valeur, mais il se plia aux arguments qui lui étaient présentés.

— Prenez votre temps, dit-il en se levant pour partir, et surtout ne cédez pas au découragement à la pensée que vous ne verrez jamais cette œuvre en place. Ni moi ni personne de ceux qui vivent aujourd'hui ou même qui naîtront demain ne la verront. Seule l'émotion de la foule qui contemplera plus tard votre œuvre peut vous soutenir dans votre tâche. Quand on travaille à une œuvre sainte, le temps ne compte pas.

Le chantier se réorganisa dans une ambiance de mauvaise fièvre, le bruit ayant couru que les caisses de la Fabrique sonnaient creux. Barbedor en fit la confidence à maître Jean : il restait à peine de quoi assurer la paie des compagnons pour deux mois, à supposer que l'aide promise par le roi ne fît pas défaut. Et des rumeurs de guerre couraient le palais...

Des équipes de moines partirent aux alentours de Pâques à travers le pays pour faire vénérer, moyennant finance, de vraies et de fausses reliques. Des quêtes furent organisées à travers toute l'Île-de-France. On assiégea les agonisants pour qu'ils consacrent à la Vierge, moyennant de substantielles indulgences, une part de leur testament. Sollicité, Pierre Thibaud promit une somme importante mais exigea qu'elle soit destinée plus tard à la fonte d'une cloche qui porterait son nom. Les chanoines acceptèrent d'affermer à un bourgeois le petit port que le Chapitre possédait à Paris et de vendre une forêt près de Pontoise aux Templiers. Ils envisagèrent même des prélèvements sur leurs prébendes. Enfin on installa des troncs dans toutes les églises, chapelles et baptistères de la capitale.

C'est ce printemps-là, qui s'annonçait sous de mauvais augures, que l'on entreprit de construire la voûte sur la deuxième travée du chœur.

À voir les soucis dans lesquels se débattait maître Jean, Vincent n'avait qu'à se louer d'avoir été détaché de la construction du gros œuvre pour se consacrer uniquement à son portail.

Pour recruter des ouvriers, il fallait saisir toutes les occasions, les bonnes comme les mauvaises. À croire que tout ce que l'Île-de-France pouvait compter de maîtres, d'ouvriers, de tâcherons avait émigré dans le sillage de Guillaume de Sens pour aller reconstruire Canterbury. Arrivait-on à mettre la main sur un de ces oiseaux rares, il faisait le difficile. Le proviseur proposait sept deniers par jour à un manœuvre ; il en demandait dix et la paie recta en fin de semaine. On aurait dit qu'ils se passaient le mot.

— Ils en reviendront de Canterbury ! s'écriait maître Jean. Je les connais, ces chanoines anglais. Pingres comme des Auvergnats ! Roublards comme des Normands !

Le chantier s'était ouvert dans la mauvaise humeur. Il manquait ici un échafaudeur, là un forgeron ou un maçon pour qu'une équipe fût au complet. Maître Jean avait de nouveau retiré ses gants et mettait en grognant la main à la pâte. On le vit même, alors que les effectifs étaient faibles au levage, entrer avec un autre manœuvre dans la cage aux écureuils pour hisser les matériaux jusqu'à la voûte, mais c'était pure ostentation et mouvement de colère. Le soir, il se laissait tomber sur sa paillasse, s'endormait tout habillé dans sa crasse et sa sueur, sans souper, et Vincent venait parfois le réveiller pour lui faire boire un brouet qu'il allait prendre au réfectoire du Cloître.

Le jour où maître Jean renvoya un mortellier qui faisait mal son travail, cela fit un drame.

Le bonhomme, un Écossais, avait été embauché sur-le-champ en vertu de la réputation des gens de ce pays d'être les meilleurs mortelliers d'Occident. Celui-ci était surtout le plus grand ivrogne du chantier. Maître Jean le surprit alors que, étant ivre mort, il était en train de pisser contre une colonne des bas-côtés, à deux pas des latrines. Il apprécia la qualité du mortier, le jugea insuffisamment corroyé et inutilisable même pour le blocage des murs. Le sable de la Seine était pourtant de bon aloi, mais la chaux venue des carrières de Montmartre (la meilleure de tout le royaume) était éventée, l'Écossais n'ayant pas pris les précautions nécessaires à sa conservation. Invité à se présenter au proviseur pour solde de tout compte, il ameuta les ouvriers qui se solidarisèrent avec lui, prétextant que ses conditions de travail étaient sujettes à caution et qu'il lui aurait fallu un apprenti, en fait parce que l'Écossais avait le talent d'animer les longues soirées dans les dortoirs du Cloître en jouant du bag-pipe et en dansant la gigue. Ils menacèrent, à l'exception des compagnons tailleurs de pierre et maçons groupés autour de Jonathan, de se croiser les bras. Il fallut bien garder le mortellier en lui faisant promettre de mieux se tenir.

L'incident oublié, les premières équipes de moines revinrent tête basse. La tournée des « rogatons » avait été infructueuse. Avec les rumeurs de guerre qui se précisaient, les populations faisaient la sourde oreille et serraient les cordons de leur bourse. La financier du roi annonça qu'il réduirait de moitié les subsides promis.

Discrètement, Barbedor délégua le proviseur aux putains du Val-d'Amour et autres rues chaudes de la ville. L'année précédente, elles étaient venues en délégation proposer à l'évêque de financer un vitrail. On les avait courtoisement éconduites. N'était-ce pas assez que l'on accusât malignement la Chapitre de faire édifier la cathédrale, comme le disait Pierre le Chantre, « grâce à l'usure de la cupidité et à la cupidité au service de l'usure » avec un clin d'œil du côté de la Juiverie ? Tout Paris allait se gausser des chanoines qui faisaient argent de tout.

Bonnes filles, les putains acceptèrent de passer l'éponge sur leur humiliation passée et de se cotiser pour offrir de l'argent à l'œuvre. Elles insistèrent pour déposer elles-mêmes le fruit de leur obole aux pieds de monseigneur Maurice. Il accepta en stipulant qu'elles devraient se présenter en robe grise, sans affutiaux ni bijoux, un chapelet très simple sur la tête, sans la moindre trace de fard ni rien qui pût susciter le scandale. On leur accorda même de visiter le chantier. Elles y furent accueillies par un concert qui ne rappelait en rien le chœur des anges.

— Salut, Margot ! Tu es libre ce soir ?

— Alors, Isabelle, comment va cette vérole ?

— Dis donc, Ursule, montre-nous un peu ton cul !

La visite fut rapidement expédiée. Tête basse, délestées de leurs oboles, les filles sortirent discrètement par une porte du Cloître.

Un soir où il avait failli en venir aux mains avec un colosse qu'il avait surpris en train de sodomiser un joli petit charpentier, maître Jean déprimé, dit à Vincent :

— Nous allons vers les pires ennuis. Je sens monter la tempête.

— À cause de l'argent ?

— À cause de tout. Ce chantier va de travers. Même les échafaudeurs s'en foutent !

Il venait de vérifier l'un des échafaudages du nord, placé au-dessus du remplage d'une fenêtre, au niveau de la voûte en construction. Les chevrons branlaient dans les trous de boulin, l'étresillonnage était lâche et, quant à la plate-forme faite de clayonnages d'osier tressé, on passait le pied au travers tant elle était pourrie. Il convoqua le maître échafaudeur ; penauds, les gars lui répondirent qu'il s'était absenté pour un panaris. Sans prévenir.

— Vous allez le renvoyer ? demanda Vincent.

— On ne renvoie pas un maître échafaudeur en pleine campagne de travaux. Il en sera quitte pour une semonce et une retenue sur son salaire. S'il proteste et menace de partir alors je le ferai enfermer dans le donjon de l'évêque. Cet homme est un criminel en puissance. Je le démontrerai aisément.

— J'ai quelque scrupule à vous laisser seul dans l'embarras. Le travail qu'on m'a confié n'est pas pressé. Si vous êtes d'accord...

— Non ! trancha maître Jean. Tu ne dois pas avoir d'autre souci que celui de ton portail de sainte Anne et même, dès que possible, nous te ferons affecter des tâcherons habiles et sérieux pour le travail facile : le cordon de crochets, par exemple. Tu n'as pas le droit de faire autre chose.

Les ennuis sérieux débutèrent en mai, passé les fêtes mariales.

Le Chapitre réunit un soir les contremaîtres des différents corps de métier pour leur annoncer que la paie des ouvriers ne serait pas versée dans les délais prévus et qu'elle serait amputée dans des proportions qu'on ne pouvait encore fixer. Le lendemain, le chantier était désert. Seuls Jonathan ainsi qu'un maître charpentier et un maître forgeron étaient à leur poste, avec quelques compagnons.

Maître Jean tournait comme une âme en peine sur le chantier qui avait pris son air morne des dimanches et jours fériés. Il avoua à Vincent qu'alors qu'il se trouvait à l'amorce de la voûte en construction l'envie l'avait pris de se laisser tomber dans le vide.

— Hommes de peu de foi..., maugréa-t-il. Ils n'ont pas compris qu'ils travaillent à la grandeur de l'Église et à la gloire de Dieu. Les porcs ! Ils refusent de sacrifier l'argent qu'ils prélèvent sur leur paie pour boire dans les auberges et forniquer dans les « clapiers » ! Heureux Salomon et les rois d'Égypte ! Ils avaient à leur service des armées d'esclaves qu'ils menaient au fouet et ils ont bâti pour l'éternité.

Vincent faillit protester que ces temps étaient heureusement révolus et que le travailleur avait acquis une dignité qui interdisait la contrainte, mais il préféra s'abstenir car maître Jean n'était pas d'humeur à supporter la moindre contradiction.

On travaillait ferme dans la loge des tailleurs de pierre mais sans les rires, les chansons, les plaisanteries qui émaillaient l'ordinaire des jours. Ces gens-là auraient travaillé simplement pour le pain, mais il ne fallait pas, en plus, leur demander d'être joyeux. Maître Jean leur porta du vin et ils remercièrent par un grognement. Jonathan lui-même, d'ordinaire loquace, se contenta de toucher son bonnet du bout de l'index.

Une délégation des ouvriers vint le lendemain demander audience au Chapitre. Ils se montrèrent arrogants, menacèrent, si l'on maintenait les mesures annoncées, de se retirer purement et simplement. Ils ne resteraient pas longtemps inemployés ; à Sens, on demandait des ouvriers et l'on était plus généreux.

Barbedor s'emporta.

— Nous ne vous retenons pas ! Votre semaine vous sera payée intégralement. Après, que le diable vous emporte !

Ils revinrent à la nuit tombée, s'infiltrèrent sur le chantier, entassèrent tout le bois qu'ils pouvaient trouver, bousculèrent le maître forgeron qui refusait de leur donner de son feu et firent une joyeuse flambée. Tandis qu'un groupe armé de cognées, d'herminettes, de masses et de raclettes de mortelliers attendait de pied ferme la patrouille, d'autres se précipitaient sur les loges des charpentiers et sur les échafaudages du chœur pour les détruire et les incendier.

— Ne bougez surtout pas, maître ! dit Vincent. Vous vous feriez écharper pour rien. Ces gens sont ivres et furieux. D'ailleurs, ils ne sont pas seuls. J'ai repéré parmi eux des gueux qu'ils sont allés pêcher dans la Truanderie ou qui sont venus d'eux-mêmes, pour le plaisir de faire du mal.

Il éteignit la chandelle, bloqua la porte avec un madrier, occulta la fenêtre. Dehors le spectacle tournait au cauchemar. Des échafaudages arrachés à leurs trous de boulin avec de sourds ahans chancelaient dans la lumière du bûcher avant de s'écrouler à grand fracas. La loge des charpentiers, de l'autre côté, près de la façade de l'évêché, n'était qu'un brasier. Autour du bûcher central, des hommes auxquels s'étaient jointes quelques gueuses dansaient au son du bag-pipe de l'Écossais mortellier qui chancelait sur un établi.

— Les sergents du Chapitre sont là ! dit Vincent, mais ils ne sont pas plus de quatre ou cinq.

Ils arrivaient dans un grand ramage de trompe, longeant le mur de la vieille basilique et achevant de rentrer leur chemise dans leurs braies. Ils pointèrent leurs lances vers le groupe qui s'avançait en les menaçant, mais ils durent reculer et se replier sous le nombre.

— Ils vont chercher du renfort, ajouta Vincent. Il y a des effectifs au

Châtelet, au Petit-Pont et le Palais n'est pas loin. Ça va chauffer... Mais, que faites-vous ?

Maître Jean avait fait sauter le madrier et manœuvrait le verrou intérieur.

— Je n'ai pas le droit de rester là ! dit-il. Il faut que je parle à ces forcenés.

— Ils ne vous écouteront même pas ! Vous allez vous faire tuer. Autant vouloir haranguer un troupeau de porcs !

Il écarta maître Jean, le contraignit à reculer, remit son dispositif en place. Tout ce que l'on pouvait faire, c'était se fermer à double tour et attendre des secours en souhaitant que ces gueux ne viennent pas mettre le feu à la chambre des traits et à la loge où Jonathan et ses compagnons s'étaient prudemment enfermés.

Vincent commença à ranger ses ébauches dans un coffre lorsqu'une pierre fit voler la fenêtre en éclats.

— Ils ne nous oublient pas, dit-il. Ils savent que nous sommes là, vous et moi.

Des clameurs éclatèrent devant la loge et la chambre des traits où le gros des émeutiers s'étaient transportés. Maître Jean reconnut l'échafaudeur à son visage de brute et à son panaris. Il tenait une torche d'une main, une herminette de l'autre et criait :

— Rien de tel que le feu pour faire fuir les rats ! Nous allons déloger ces petits messieurs qui se prennent pour Salomon et David !

La torche vola par la fenêtre brisée à travers la pièce, atterrit sur la table de travail encore encombrée de parchemins qui commencèrent à flamber.

— Ouvrez-leur la porte ! cria Vincent en se précipitant pour éteindre les flammes, sinon nous allons brûler tous les deux.

— Avancez ! cria l'échafaudeur. Vous allez danser avec nous. Vos amis vous attendent pour ouvrir le bal.

— Partez, maître ! cria Vincent. Je vais tâcher de sauver ce que je pourrai de nos documents en les faisant passer par la fenêtre de derrière. Ils se contenteront peut-être de vous faire danser.

Maître Jean prit le temps de se ganter, de jeter dignement son manteau noir sur les épaules et de le lacer sous le cou. Il ouvrit la porte sur un rideau de feu et de fumée. Debout dans l'ouverture, immobile, ses cheveux flottant sur ses épaules, il ressemblait au Christ face à la foule de Jérusalem après le jugement du sanhédrin. Il leva sa main droite et la rumeur décrut.

— Faites de moi ce que bon vous semble, mais, je vous en conjure, laissez en paix Jonathan et ses « frères ».

C'était la première fois qu'il employait ce mot. Il y mettait une certaine tendresse. Il fit quelques pas et la foule hurlante se referma sur lui.

— Et l'autre petit monsieur, demanda l'homme au panaris, où se cache-t-il ?

— Il est absent ce soir, affirma maître Jean.

— Il doit être encore chez sa Juive ! s'écria une voix de femme.

— Ou chez la putain du Coësre ! lança une autre voix.

Le regard de maître Jean croisa celui de Jonathan qui était sorti avec ses compagnons pour fuir l'incendie et qui tenait tête avec une barre de levage aux gredins qui les assaillaient.

— Je saurai bien vous retrouver ! clamait-il. Par les Quatre-Couronnés, je vous ferai pendre !

— C'est toi qui vas être pendu ! cria l'homme au panaris. Trouvez une solide corde pour ce porc !

On trouva dans la remise attenante à la loge une corde de chanvre qu'on passa au cou de Jonathan après l'avoir désarmé. Il fallait quatre hommes pour le tenir en respect et encore n'étaient-ils pas à la fête. Les autres étaient tenus à distance sous la menace des cognées.

— Laissez cet homme ! cria maître Jean. S'il vous faut un responsable, je suis là.

— Tu peux dire que tu as de la chance, fit l'échafaudeur. Nous n'avons rien pour te suspendre, gros jambon, mais nous allons te faire danser la gigue !

Il semblait tenir à son idée de danse, comme si cette émeute n'était rien d'autre qu'une fête sauvage. Tandis que la foule entraînait les prisonniers vers le bûcher central, des hommes brandissant des torches mettaient le feu à la loge des maçons et à la chambre des traits qui se mirent à flamber comme des meules de paille. Maître Jean se retourna, cria le nom de Vincent et se précipita, mais on le retint par sa cape et une dizaine de bras le maîtrisèrent pour l'entraîner à l'écart.

Jonathan et ses compagnons n'opposaient de résistance que ce qui était nécessaire pour temporiser et laisser au guet le temps d'amener des renforts et de les installer autour du chantier. On leur demanda d'ôter leur chemise et leurs braies et ils s'exécutèrent sans empressement. Quand ils n'eurent plus rien sur le dos, des femmes vinrent en s'esclaffant les prendre par la main pour les entraîner dans la danse. On avait juché maître Jean sur un amas de pierres équarries, un plumet de paille dans la main, un vieux chapeau troué sur la tête. Il contemplait la scène avec indifférence, tendu dans la seule espérance que Vincent aurait eu le temps de s'échapper et de sauver les documents les plus précieux. La loge et la chambre des traits ne se dessinaient plus dans le bouquet de flammes que par la masse incertaine de leurs structures au milieu desquelles le toit de chaume s'était effondré rapidement.

On faisait circuler des pintes de vin, et la fête gagna en exubérance et en férocité. De temps à autre, des mains poussaient violemment Jonathan et ses compagnons dans les flammes du bûcher dont ils se dégageaient en hurlant pour reprendre la ronde dans l'aigre musique que l'Écossais faisait sortir de son instrument. Brûlés de toutes parts, ils tenaient à peine sur leurs jambes. Avec la pointe d'un compas, une femme les obligeait à suivre le mouvement.

L'alerte éclata comme un orage. Les hommes chargés de faire le guet aux abords du chantier refluèrent en courant vers le centre. Ils venaient d'entendre des bruits de sabots, des sons de trompes et de distinguer, venant de la rue Neuve, des éclats de torches. Ce fut le signal de la panique puis de la débandade.

— Jonathan ! cria maître Jean. Toi et tes hommes, groupez-vous derrière moi.

Il enleva son chapeau, le jeta au feu avec son sceptre de paille et sauta de son perchoir. Dans le reflux général vers les barrières et les portes latérales, on les ignora. Les cavaliers ne trouvèrent devant eux que des fuyards que l'on rattrapait par le fond des braies au moment où ils escaladaient les barrières et quelques femmes qui se laissèrent capturer sans résistance. Ceux qui firent front furent sabrés impitoyablement.

— Qui êtes-vous ? demanda un capitaine en sautant de cheval, et que faites-vous dans cette tenue ?

Maître Jean laissa Jonathan rendre compte des faits et se rendit en courant vers les décombres de la chambre des traits en appelant Vincent. Il finit par le découvrir au milieu de la venelle, grelottant de peur dans ses vêtements brûlés, allongé sur le coffre qu'il avait pu sauver du sinistre.

— Ne me touchez pas, maître, je vous en prie !

— Le danger est passé. Peux-tu te lever ?

Vincent s'étira, se leva lentement. Il était couvert de brûlures sous ses haillons consumés. Une poutrelle l'avait blessé à la tête en s'effondrant.

— Le pire est évité, dit-il. Mon coffre, mes ébauches sont là.

Il s'écroula entre les bras de maître Jean qui le tira hors de la venelle et l'installa contre un monticule de pierres équarries. Des convers du

Chapitre arrivaient en transportant des seilles d'eau. Maître Jean leur réclama des civières qu'ils allèrent chercher à l'Hôtel-Dieu.

— J'ai soif, dit Vincent.

Maître Jean lui fit boire du vin qui restait dans un cruchon abandonné par les fuyards.

— Je vais t'accompagner, dit-il. Tes brûlures sont moins graves que celles des compagnons de Jonathan et surtout du forgeron dont le visage n'est qu'une plaie et qui restera sûrement aveugle.

Il ajouta avec un soupir :

— J'aurais dû me méfier. Il y avait ce soir des signes inquiétants dans le ciel...

4

LES SEPT DE L'HÔTEL-DIEU

Vincent était depuis une journée à peine à l'Hôtel-Dieu qu'il se demandait comment il pourrait s'en évader.

On l'avait mis avec six autres grands brûlés sur une gigantesque paillasse humide encore des déjections des cadavres qui les avaient précédés. Cet afflux massif de blessés avait perturbé, en pleine nuit, le train-train de l'établissement. Il avait fallu d'urgence faire de la place, transporter dans les sous-sols les malades et les vieux. Ordre du Chapitre qui avait la haute-main sur l'administration : faire de la place en priorité pour les victimes de l'émeute et veiller à ce qu'elles soient l'objet de soins constants et attentifs.

L'atmosphère était insupportable. L'odeur d'abord (celle de l'urine, des excréments, du sang, de la sueur) ; le bruit ensuite (geignements des malades et des agonisants qui, par périodes, de nuit comme de jour, atteignaient un paroxysme insoutenable, querelles aigres entre les deux chanoines proviseurs chargés de l'administration ou entre les frères convers et les servantes).

— Laissez-moi sortir, implorait Vincent. Regardez ! Je n'ai rien et me soignerai aussi bien chez moi.

Il se trouvait allongé entre Jonathan, qui n'avait pas trop souffert des sévices de la nuit et un jeune imagier malingre qui ne cessait de gémir et qu'il retrouva raide et froid le lendemain, la main inerte serrant la sienne avec tant de force qu'il eut du mal à se libérer.

— Nous allons vous soigner comme des coqs en pâte, leur dit une matrone au visage couvert de verrues. Le roi a fait demander de vos nouvelles et viendra peut-être vous rendre visite.

Feu contre feu ! Les oblats avaient nettoyé les brûlures avec du vinaigre, dans un concert de hurlements. Avec une mine gourmande, la matrone aux verrues leur avait montré un grand pichet de terre qui contenait de l'eau de neige recueillie l'hiver précédent et soigneusement conservée : un remède souverain contre les brûlures, meilleur encore que le lait de vache bouilli et refroidi que l'on employait pour les gens du commun.

— Ma Mère, dit Vincent, employait de la vesce de loup hachée, ou simplement de la poussière de bois vermoulu. Pour les petites brûlures, un pétale de lis macéré dans de l'huile. Elle disait une prière par-dessus.

— Remèdes de sorcières ! décréta la femme aux verrues. L'eau de neige est plus efficace.

— C'est vrai ! s'écria Vincent. Me voilà guéri.

— Ta ta ta ! Je vois bien, moi, qu'il te faut un traitement d'une semaine au moins. La même chose pour le gros qui est à côté de toi et qui me fait des yeux de loup prêt à dévorer sa proie.

— Quels sont ces hurlements, en bas ? demanda Vincent.

— Ce sont des bruits très ordinaires. On meurt beaucoup dans cette maison et les agonies ne sont pas toujours discrètes.

Quand elle eut tourné le dos, Jonathan dit à Vincent :

— Je sais ce que c'est moi : des ardents qu'on est en train de soigner d'une drôle de façon. On les attache à un chevalet et on leur arrache le membre malade avec une corde et une poulie. Ils en réchappent quelquefois, par miracle.

Vincent se signa.

— Si elle croit que j'accepterai de moisir ici une semaine...

— Et moi, donc ! dit Jonathan. Le tout c'est de sortir discrètement mais les portes sont bien gardées. Il n'y a que les morts auxquels on ne demande pas leur sauf-conduit, mais nous trouverons bien un moyen.

L'après-midi, ils reçurent la visite de Nicolas Giboin, un de ces pieux bourgeois de Paris qui achetaient à prix d'or au Chapitre de Notre-Dame des indulgences dont il devait avoir un plein coffre. Il leur parla comme à des soldats réchappés d'une bataille et leur donna à chacun une pièce d'or. Peu après l'heure de vêpres, un nommé Absalon, abbé de Saint-Victor, vint au nom du roi apporter les vœux de la famille royale et les siens propres. Il précédait un tombereau de paille.

— De la paille ! s'exclama Jonathan. C'est une denrée que je n'apprécie guère. Des œufs au lard feraient mieux mon affaire.

— Mon fils, dit l'abbé volubile, il ne s'agit pas d'une paille ordinaire. Celle-ci a servi, l'hiver dernier, à atténuer la froideur des parquets dans les appartements du roi. On l'a retirée à Pâques en attendant de la livrer à l'hôpital des Pauvres Écoliers. C'est à vous, par grâce royale, qu'elle a été attribuée. Nous allons la faire répandre dans cette salle. Le parquet perdra ainsi un peu de son odeur détestable. Loué soit notre gentil sire, mes braves !

— Loué soit-il, répondirent les six brûlés.

Pour apaiser le feu nocturne on leur fit, le soir venu, des emplâtres au miel et on leur fit boire un bouillon léger. Ils passèrent une nuit paisible. À l'aube le forgeron se leva et on crut qu'il allait pisser. Il poussa un hurlement terrible et tomba dans la paille comme un arbre abattu. Cela faisait une place de plus. C'était un mort bien propre et discret : il avait eu le bon goût de ne pas se vider dans le lit.

Maître Jean fut le premier visiteur du jour. Malgré la chaleur, il avait revêtu son habit neuf et sa cape noire.

— La belle paille ! dit-il. Comme on vous soigne bien…

— C'est la paille du roi, dit fièrement Vincent. Vous êtes en train de marcher sur les traces de notre gentil sire, comme dit l'abbé Absalon. J'espère que vous êtes sensible à cet honneur. Quand va-t-on nous libérer ?

— Dès que le roi vous aura rendu visite, d'ici trois ou quatre jours. Patientez. Rien ne presse et vous n'êtes pas malheureux à ce qu'il semble.

Il ajouta, penché sur Vincent d'un air mystérieux :

— « On » est venu prendre de tes nouvelles. Le figuier commence à porter ses fruits et « on » souhaite que tu viennes bientôt les voir mûrir. Cette mission qu'on m'a confiée ne me plaît guère mais je tenais à honorer ma promesse.

Vincent sentit le désir d'amour lui chauffer le bas du ventre. Près d'une semaine avant de retrouver, dans la pièce haute de la rue du Figuier, l'épiderme satiné et suave de Tiphaine — elle le changerait de la couenne rugueuse de Jonathan qui se frottait à lui dans son sommeil !

— Mes amis, poursuivit maître Jean, nous avons commencé à remettre de l'ordre sur le chantier. Tout est à reprendre. Le Chapitre de Sens a accepté de mauvaise grâce de nous prêter quelques compagnons. Ils arrivent aujourd'hui et nous les mettrons sans attendre à l'ouvrage. Le reste de la main-d'œuvre nécessaire nous viendra des réguliers : convers et oblats qui savent aussi bien monter un échafaudage et appareiller un carreau que moi dire la messe.

— Et les émeutiers ? demanda un brûlé.

— L'échafaudeur et l'Écossais ont été pendus sans jugement au gibet de l'évêque, qui n'avait pas servi depuis longtemps. Il en est mort quatre dans la bataille avec le guet. Les autres, une dizaine, qui ont eu l'oreille trop complaisante, seront ésorillés place de la Croix-du-Tranchoir ou seront pendus après jugement de l'Official du Chapitre au gibet épiscopal de Saint-Cloud.

— Je trouve qu'on est bien sévère avec eux, dit Jonathan. Ils avaient bu. Ce sont des malheureux qui se mettent à danser au moindre souffle comme des feuilles mortes. Un mois de prison dans le donjon de l'évêque, ç'aurait été de bonne justice.

— Ce sont des criminels ! trancha maître Jean. Ils méritent doublement leur peine : pour avoir profané un lieu saint et avoir participé en toute conscience à l'émeute. Si l'on m'avait écouté, tous, hommes et femmes, auraient été envoyés sans jugement à l'échelle de justice.

Et on voyait bien qu'il ne plaisantait pas.

Le roi vint au jour dit. Il avait du mal à marcher à cause de sa hanche torte. Sur le nez et la bouche, on lui avait fixé une pièce de toile imprégnée de camphre, crainte qu'il n'attrapât quelque maladie. Il était très pâle, avec des yeux aux paupières tuméfiées par les veilles dans sa chapelle. Il fit distribuer du vin de son cellier et des pièces d'or de son coffre mais n'ouvrit pas la bouche de crainte d'absorber quelque humeur volatile. Un de ses conseillers, un clerc tout rose, prit la parole à sa place pour louer le Seigneur d'avoir mené à bon terme la guérison des brûlés.

— Et maintenant, dit joyeusement Jonathan, la visite terminée, à nous la liberté !

— Toi, le gros, dit la matrone aux verrues, ferme ton bec ! Il faudra attendre dimanche et la messe d'action de grâces que notre chapelain dira en votre honneur. D'ici là, tenez-vous tranquilles, surtout toi, la grande gueule. Les oblates se plaignent de tes assiduités aux cuisines et de tes gestes déplacés. Avez-vous tous perdu la raison ? Voulez-vous qu'on vous enferme avec les fous, dans le lazaret, au fond du jardin ?

Ils se tinrent tranquilles tout le jour, qui était un vendredi. À la nuit tombée, passée la première ronde, ils revêtirent leur chemise, couchèrent l'un de leurs compagnons, le moins gravement atteint, sur une civière et le portèrent jusqu'à l'entrée.

— Qui êtes-vous ? Où allez-vous ? demanda le garde.

— À la morgue, dit Vincent. Ce cadavre commence à puer.

— Passez, dit le garde, mais revenez au trot !

Parvenus dans la cour, ils se heurtèrent à un cerbère qui fit des difficultés pour leur laisser atteindre la morgue.

— Fort bien ! dit Jonathan. Nous t'abandonnons le de cujus. Passe une bonne nuit. Nous allons quant à nous retrouver notre paillasse. S'il pue trop, tu le traînes jusqu'à la morgue.

Le cerbère alla quérir de l'aide tandis que les deux fugitifs se retiraient près du guichet. Quand la voie fut libre, ils se précipitèrent, secouèrent l'épaule du mort et ils escaladèrent comme un seul homme le mur qui n'était pas très haut.

La nuit suintait de toutes les odeurs de la liberté.

— Aïe ! fit Vincent. J'ai encore mal. Là, là et à ma tête aussi. Fais doucement.

— Mais l'essentiel est sauf et se porte à merveille, dit Tiphaine en riant. Comme tu as envie de moi !

Elle n'était rentrée qu'à l'aube et avait poussé un cri en le voyant étendu sur toute la largeur de la paillasse, écartelé comme un oiseau blessé avec ses pansements au miel qui commençaient à se défaire. Il avait bu quelques cruchons de vin en compagnie de ses compagnons qui s'étaient retirés dans la pièce voisine servant de débarras, qu'ils remplissaient de leurs ronflements. Elle s'était dévêtue, allongée près de lui sans qu'il s'éveillât. Maintenant il y avait des pigeons plein la fenêtre et des nuages roses dans le ciel de l'aube.

— Ne bouge pas, dit-elle dans un souffle.

L'odeur retrouvée de ce corps chassait celles qui lui restaient dans les narines. Tiphaine avait cette odeur fatiguée des fins de nuit passées à suivre le Coësre dans ses errances pénibles. Son corps se soulevait et s'abaissait au-dessus de lui et soufflait chaque fois une bouffée d'amour. Il lui avait manqué ; au petit matin surtout, lorsqu'elle rentrait et se retrouvait seule. Pas un homme ne l'avait touchée en son absence et aucun ne la toucherait jamais tant qu'il serait là... Elle achevait ses petits bouts de phrase par des feulements de plaisir qui venaient du plus profond d'elle-même, de ces cavernes de chair torturée de plaisir qu'il sentait bouger autour de son sexe comme un monde en fusion.

— J'ai cru que tu étais mort, dit-elle en se rejetant sur le côté. Le bruit a couru que tu avais disparu dans l'incendie et qu'on n'avait rien retrouvé de toi. Puis j'ai appris ton départ pour l'Hôtel-Dieu. J'ai couru voir maître Jean comme une folle. Il fallait que je te voies, tout de suite ! Il m'a répondu qu'il ne pouvait rien faire pour moi. C'est alors que je lui ai dit de te raconter cette histoire de figuier.

Elle ajouta à voix basse :

— Cet homme me déteste. S'il pouvait nous séparer, il le ferait sans hésiter. Pourquoi ? Tu ne nous donnes pas la même part de toi, à lui et à moi ! Je ne lui vole rien, ni à lui, ni à l'œuvre !

— Tu lui voles tout car il me voudrait tout à lui. Ce n'est pas l'homme des demi-mesures.

— Les principes vertueux qu'il voudrait te voir respecter, pourquoi ne les applique-t-il pas à sa propre conduite ? Il continue à vivre en concubinage avec Clémence, en violation des règles du Chapitre. C'est un hypocrite !

— Les choses ne sont pas si simples. Si tu savais comme il s'est battu contre elle et contre lui ! Il a perdu cette bataille et il paie le prix de la défaite en se retranchant en partie de l'œuvre. Il croit qu'il a perdu à jamais la pureté du cœur, mais il est persuadé que, moi, je la retrouverai un jour.

Elle lui recouvrit le visage de sa poitrine. De la pointe de la langue, il parcourut le sillon humide entre les seins. Comme du creux d'une caverne il l'entendit gronder :

— Jamais personne ne pourra nous séparer. S'il le faut je me battrai ! Il ignore, *ton* maître Jean, de quoi je suis capable. Et toi aussi tu l'ignores. Il a réussi à te séparer de ta Juive parce qu'il la jugeait plus dangereuse que moi pour ta carrière, mais je n'accepterai pas aussi facilement qu'elle. Si un jour tu m'écartes, je te tuerai !

Ce n'était pas la première fois qu'ils abordaient ce sujet. Il la laissait parler, faisait mine, pour éviter de répondre, de prendre ces menaces à la légère. Un jour viendrait pourtant, il en avait la certitude, où ce choix s'imposerait à lui.

Il prenait le parti de laisser faire le temps et regardait les figues mûrir au soleil.

5

LES CŒURS PURS

Après les émeutes, il était venu sur le chantier, envoyés par des abbés et des prieurs d'Île-de-France, des frères convers et oblats en nombre nécessaire et même au-delà.

À les voir chaque matin dire leur prière on avait l'impression qu'ils allaient se jeter sur leur tâche et accomplir des prouesses, sinon des miracles. À part quelques vétérans qui avaient participé à la construction d'établissements conventuels et connaissaient quelques rudiments des différents métiers, ils n'avaient à offrir qu'une bonne volonté exemplaire mais inefficace, une touchante maladresse et une résistance physique qui se brisait aux premières épreuves difficiles.

Les échafaudeurs prêtés par le Chapitre de Sens, en revanche, avaient fait, dans les meilleurs délais, un excellent travail : en une semaine, ils avaient réédifié les loges, la chambre des traits, et même la loge particulière de Vincent.

La confusion avait commencé dès leur départ.

Des maîtres compagnons tailleurs de pierre, maçons, charpentiers, forgerons, mortelliers et autres passaient parfois, leur bâton à la main, leur baluchon sur l'épaule, pour demander de l'embauche. On les accueillait comme des envoyés du Ciel et ils se mettaient tout de suite à l'ouvrage avec ardeur et volonté, car on les payait bien. La plupart passaient tout juste le cap de la semaine. On les voyait ranger leurs outils dans leur bagage. Ils allaient trouver maître Jean. Pour le salaire, rien à dire, mais ils n'étaient pas secondés et ils crevaient d'ennui avec ces religieux qui, non seulement n'avaient aucune pratique du métier mais ne proféraient pas un mot en vertu de la loi du silence à laquelle ils étaient astreints.

Jonathan lui-même était venu faire ses adieux au maître d'œuvre, prétextant d'un air embarrassé qu'il avait besoin de changer d'air, de voir d'autres visages que ceux de ces enfroqués qui se signaient chaque fois qu'un compagnon chantait une chanson gaillarde ou se mettait nu pour se tremper dans un baquet d'eau ! Peut-être reviendrait-il. Plus tard. Quand on se déciderait à embaucher de véritables ouvriers.

L'été se passa dans la mauvaise humeur, la tristesse, l'incompréhension.

Les uns après les autres, les meilleurs éléments désertaient le chantier où les travaux n'avançaient guère. Un jeune moine dégringola de la voûte de la deuxième travée, se brisa les reins en rebondissant sur une plate-forme et alla s'écraser sur le sol. Un autre laissa tomber l'auge de mortier qu'il transportait sur la tête du mortellier qu'il tua net. Chaque matin, en se levant, maître Jean inspectait le ciel pour y découvrir des signes et se demandait avec inquiétude quel accident allait encore se produire.

Le dimanche du Précieux-Sang, après l'office qu'il écouta dans l'ancienne basilique en compagnie de Vincent, il fut pris d'une colère soudaine contre lui-même.

— Aveugle ! Inconscient que je suis !

Comment avait-il fait pour ne pas y songer plus tôt ? Tout ce qui arrivait était de sa faute. Tout ! Le manque d'argent dans les caisses de la Fabrique, l'émeute, les petits drames quotidiens, les accidents, le marasme qui régnait en permanence sur le chantier... Comment avait-il pu ne pas reconnaître les avertissements du Ciel ? On ne construit pas la maison de la Mère avec des mains souillées par le péché. Il regarda ses mains et l'envie lui prit de les brûler dans un bain de chaux, de les écraser sur l'enclume du forgeron, de les clouer sur l'établi des charpentiers !

Il avait retourné sa colère contre Vincent.

— Et toi, tu ne vaux guère mieux. Tu as encore sur toi l'odeur de ta putain !

Avant que Vincent ait pu répondre, maître Jean s'enfermait dans la chambre des traits où il avait reconstitué tant bien que mal son petit univers de travail et de méditation.

Sa décision était prise : il allait renoncer à Clémence.

Elle l'attendait, sobrement vêtue, le visage défait, les mains agitées de tremblements, les yeux rouges de chagrin et de fureur. Du contrefort de la vieille basilique où elle se tenait parfois pour guetter la sortie de maître Jean et le précéder aussi discrètement que possible jusqu'à leur domicile, elle vit Vincent franchir le grand portail sévèrement gardé depuis les événements. Il était seul ; elle aussi, car elle avait renvoyé sa servante. Il obliqua vers elle en la voyant faire un signe.

— C'est fini, dit-elle en hoquetant. C'est bien fini.

Il lui prit la main.

— Tu veux dire que toi et Jean...

Elle hocha la tête. Jean était resté une semaine sans donner signe de vie. Elle lui avait fait parvenir des billets. Sans résultat. Dans le dernier, elle menaçait de faire éclater un scandale s'il ne venait pas s'expliquer dans la journée qui suivait. Il l'avait rejointe.

— Si tu l'avais vu... Tête basse, incapable de me regarder en face, de trouver ses mots. Je l'ai giflé. Il n'a pas réagi, sinon par des larmes comme un enfant pris en faute. Il n'était plus nécessaire de chercher des explications. Je lui dis que j'avais compris et il s'est effondré. Il m'aimait, disait-il. Il n'avait jamais aimé aucune femme autant que moi. Pas même cette pauvre Sybille ! Jamais plus il n'entrerait dans le lit d'une femme ! C'était, disait-il, son « châtiment ». Pour quelle faute ?

Elle secoua l'épaule de Vincent comme si elle le rendait solidaire de Jean.

— J'ai parfois le sentiment, dit-elle, qu'il commence à perdre la raison. Tous les ennuis qu'il traverse seraient selon lui un avertissement du Ciel et il serait en train de payer le prix de ses péchés ! Il prétend que, tant qu'il n'aura pas retrouvé la pureté du cœur, il ira de traverse en traverse ! En me parlant, il regardait ses mains, les sentait avec dégoût. J'ai essayé de l'approcher, de le toucher et il s'est dérobé comme si je lui apportais la peste. Il m'a dit : « C'est la dernière fois que nous nous voyons. Adieu ! » Il a repris les quelques vêtements qu'il avait là, des documents, ces fameuses liasses ramenées de ses voyages à Jérusalem ou je ne sais où et m'a laissé tout son argent. Il ne se décidait pas à partir. Il semblait chercher une justification plus plausible à cette rupture, un argument irréfutable. Il n'a rien trouvé et c'est moi qui lui ai ouvert la porte. Je l'ai entendu sangloter dans l'escalier.

— Et toi, tu l'aimes encore ?

— Je crois que je ne l'ai jamais vraiment aimé. Au début, peut-être. Il m'imposait par sa belle allure, la distinction de ses propos, ses mains longues et blanches, sa maturité. Peu à peu, j'ai fini par ne voir en lui qu'un homme trop mûr pour moi, trop sérieux, trop occupé de sa « mission terrestre », comme il disait, de ses responsabilités, de sa foi, tremblant que notre liaison fût découverte. J'ai d'abord eu pitié de lui, puis je l'ai détesté.

Elle ajouta :

— Méfie-toi de lui.

— Pourquoi ?

— La pureté est un mal contagieux. Si tu n'y prends garde, tu finiras comme lui, toi si libre et si vivant. Il n'aura de cesse que tu lui ressembles, d'autant plus maintenant qu'il prétend rompre avec le siècle.

— M'obliger à lui ressembler ? Comment le pourrait-il ?

— Il ne pourra t'y obliger, mais il fera en sorte que tu le rejoignes. Souviens-toi de cette lettre que tu m'as lue : *« Vincent, nous ne nous appartenons plus. Seule compte l'œuvre... »*

Elle ajouta après une hésitation :

— T'es-tu jamais demandé ce qui a pu *vraiment* contrarier ta liaison avec Jacoba ? D'où venaient ces menaces ?

— De Jean ? Je le savais.

— Il me l'a avoué dès le début de notre liaison et j'étais tellement amoureuse de lui — pauvre folle que j'étais ! — que j'ai renoncé à te mettre en garde contre ses manœuvres. Il en était venu à me persuader que ta vie devait être un sanctuaire où aucune femme ne devait avoir accès. Ce sont les mots qu'il employait. Il doutait déjà de lui-même et te plaçait en revanche au-dessus de tout. Son angoisse était que tu te laisses entraîner hors de Paris par cette Juive. Il n'aurait pu le supporter. Il a éliminé Jacoba. Il fera de même avec Tiphaine, mais elle l'inquiète moins. Il prend son temps car il estime que c'est de ces passions qui se défont d'elles-mêmes.

— Comme tu dois le haïr pour m'avouer tout cela !

— Je voudrais le savoir mort. Il l'est d'ailleurs à moitié. Il est en train de pénétrer dans un monde où plus personne ne peut le suivre, un « monde de pierre et de cristal », comme il te l'écrivait. Il s'y perdra, parce qu'il n'est pas assez fort pour lutter contre les résidus de passion humaine qu'il trouve en grattant au fond de lui.

Elle ajouta avec gravité :

— Cet homme ne se consolera jamais de n'avoir pas été un saint.

LIVRE VIII

«… Et maintenant, maître, où en suis-je ? Ce premier carreau de pierre posé devant moi je le regarde comme s'il venait de tomber du ciel. Je tourne autour de lui, le caresse du regard et de la main, le gratte de l'ongle. C'est une belle pierre, la plus belle d'Île-de-France. Ce liais tendre venu par eau de Pontoise, dont les carrières ont servi à Suger pour bâtir Saint-Denis, je suis devant lui comme en présence du corps même d'Anne ou de Marie. Je saisis mes outils, maillet et ciseau, je retiens mon souffle, contrains mon cœur à battre moins vite, réprime le tremblement de mes mains, en pure perte. En moi, très profondément, quelque chose de noir et de gluant s'oppose à cet acte. Je me signe, je prie, bats ma coulpe avant de reprendre mes outils. Au premier coup de maillet, le ciseau glisse, la pierre crie ; je m'égratigne les doigts. Étrange impression que celle de refuser malgré soi l'acte de création ou de se sentir repoussé par la matière. Ce n'est pas la première fois que je ressens cette hostilité mais c'est toujours, à l'issue d'un bref assaut de doute et d'impuissance, une victoire vite acquise et que rien ne peut remettre en question. Aujourd'hui, je me sens prisonnier d'un réseau de puissances négatives, ligoté à mes doutes et à mon incapacité à accomplir le premier geste. Je devrais appeler un tâcheron, lui faire dégrossir le bloc selon mes instructions, mais je m'y refuse. Cette première image sera mon œuvre du premier coup de ciseau au dernier. Si Dieu veut que je parvienne à donner à ce bloc la forme de ma pensée et celle de ma prière, aucune autre main que la mienne ne le touchera et aucun regard ne l'effleurera. J'ai fermé ma porte et mon volet, laissant juste ce qu'il faut de jour pour ne pas travailler à la chandelle ; lorsque j'abandonnerai ce travail, la pierre sera recouverte d'un drap afin que nul ne puisse la voir, que je retrouve cette virginité de la matière surgie du fond des temps et promise à une nouvelle

éternité. Je me sens comme un enfant au moment d'accomplir son premier geste d'homme. Je suis en train de renier ma jeunesse, de la dépouiller comme un vêtement mal ajusté, de la piétiner, et me voilà nu comme au sortir du ventre de ma mère, baigné d'une nouvelle innocence. Une source jaillit en moi de toute part, décape mes humeurs, mes noirceurs, mes doutes, mes prétentions d'esprit et mes folies de chair, me confronte sans pitié à une nouvelle lumière, à une aube froide d'hiver. Je suis seul et j'ai tout oublié et j'ai tout à réapprendre. Pardonnez à cette idée présomptueuse, maître, mais je crois que Dieu devait être ainsi lorsqu'il a fait sortir le monde du chaos, sauf qu'il était Dieu et que je ne suis rien, pas même le reflet de sa lumière, pas même l'ombre de son ombre, et de ce rien doit jaillir une prière, un chant, une musique, un rêve de pierre qui devront parler aux hommes dans les siècles des siècles alors que, depuis longtemps, on aura oublié ma présence et jusqu'à mon nom. Cela, je l'admets et je le souhaite. J'accepte de m'effacer, de laisser de moi seulement ce don anonyme à Dieu, à la Vierge et aux hommes. Toute signature est orgueil. L'humilité est la seule véritable signature pour nous, hommes perdus dans la divinité. Mais si Dieu m'abandonne, maître, que vais-je devenir ? Me voici seul devant cette pierre et tout ce que j'arrive à extraire de moi ce sont des larmes, des prières et les sueurs de l'angoisse. »

1

LES DERNIERS LIENS

Seul triomphait Pierre le Chantre.

Il ne chantait pas victoire, certes non ! Il se cantonnait dans des silences têtus qui proclamaient éloquemment qu'il avait été prophète de raison, hélas !

L'hiver avait été rude. Durant un mois plein, la neige était restée sur l'Île-de-France et la Seine avait gelé tout une semaine, arrêtant l'activité des moulins et privant la capitale de son pain quotidien. Les chariots de farine qui venaient des provinces d'alentour arrivaient rarement ; on avait beau les faire escorter d'hommes d'armes, les convois étaient attaqués, pillés en cours de route et tout ce qu'on voyait arriver c'étaient des hordes traînant des chargements de morts et de blessés — quand ils arrivaient. Chaque nuit, des bandes de loups rôdaient dans les faubourgs ; on les entendait hurler devant les portes des châtelets. Les distributions de vivres aux pauvres avaient cessé et l'on payait la boule de mauvaise farine trois à quatre fois son prix, quand on en trouvait.

Pour Pierre le Chantre, il était clair que cette épreuve était une punition du Ciel. La splendeur des cathédrales qui poussaient partout dans le pays était une insulte à la misère universelle. Avec le moindre carreau appareillé pour un mur, avec le moindre tambour de colonne ou de pilier, une famille aurait pu vivre quelques jours. Avec ce que coûtait une simple voûte, on aurait pu distribuer du bois durant tout un hiver à tous les foyers misérables de Paris. Tout ce qu'on avait à offrir à Dieu, c'était ce tas de pierres et, derrière cette montagne, agonisait un peuple meurtri.

Voilà ce que proclamaient les silences de Pierre de Chantre, ses sourires désabusés, ses haussements d'épaules. Ces noires pensées, il les écrivait au jour le jour pour un ouvrage qu'il préparait : la *Summa ecclesiastica* : « Construire des Églises comme celles que l'on voit de nos jours, écrivait-il, est un péché. Le Christ qui est la tête de son Église est plus humble que son église elle-même... Comme toujours on satisfait cette passion : bâtir... » Il pestait aussi contre le palais que l'évêque avait fait construire en même temps que Notre-Dame.

Le châtiment du Ciel dépassa ses prévisions.

Il fallut arrêter le chantier toute une année. Malgré les sollicitations de l'évêque Maurice auprès du roi et des grands personnages du royaume, auprès des Templiers qui refusaient le moindre prêt sur les biens du Chapitre, auprès des bourgeois qui avaient fait des affaires désastreuses et que l'hiver avait affectés, les caisses de la Fabrique restaient vides. Et la Juiverie faisait la sourde oreille.

Le Chapitre avait décidé de continuer à rémunérer Vincent et quelques autres compagnons tailleurs de pierre afin de ne pas fermer complètement le chantier et de ne pas donner l'impression de renoncer à poursuivre les travaux.

Maître Jean, de retour du Languedoc, fit un bref séjour à Paris, après une longue halte à Périgueux dont on venait d'achever la cathédrale Saint-Front, aux curieuses coupoles byzantines.

— Je ne resterai pas à Paris, dit-il. Le Chapitre ne peut renouveler mon contrat, du moins pour cette année. Mais je reviendrai, car je suis trop attaché à cette œuvre et à cette ville malgré les souvenirs pénibles que j'y ai laissés. Je vais partir pour l'Angleterre où les chantiers battent leur plein. J'aurais aimé que tu m'accompagnes.

Il examina le travail réalisé par Vincent.

— C'est très beau, dit-il, mais il te reste beaucoup à apprendre. Il te manque de courir le monde comme je l'ai fait avant de te rencontrer. C'est ainsi qu'on apprend.

Avant d'entreprendre le voyage dangereux outre-Manche, il comptait visiter les cathédrales de Senlis et d'Autun auxquelles on mettait la dernière main.

— Si nous continuons de ce train, dit-il en regardant le chantier désolé, Notre-Dame de Paris ne sera jamais achevée ou alors il faudra abattre ce que l'on a édifié pour construire une nouvelle cathédrale, dans une autre époque qui exigera un nouveau style.

Il était fasciné par ce qu'on lui avait raconté de Canterbury où travaillait son ami Guillaume de Sens, par les sacrifices du Chapitre qui n'hésitait pas à faire traverser la mer à des péniches chargées de cette belle pierre de Normandie, unique au monde par son grain et sa couleur. Ici, en France, tout semblait précaire ; là-bas, tout paraissait possible. Il poursuivait toujours son vieux rêve : aller bâtir une cathédrale dans les forêts et les neiges d'Esclavonie, mais au fond il ne se faisait guère d'illusions : il était trop lié à Notre-Dame de Paris pour « déserter » — c'est le mot qu'il employa... et il ne pouvait supporter les grands froids.

— J'avais depuis longtemps envie de reprendre la route, dit-il. Voici pour moi l'occasion rêvée. Tu avais raison de me reprocher de vivre sur mes expériences passées. Une science qui ne se nourrit pas en permanence aux mamelles du monde se sclérose et meurt. Je reviendrai avec une foule d'idées, tu verras. Et l'an prochain...

Ils soupèrent ensemble dans une auberge du Pont-au-Change qui donnait sur le fleuve. Les eaux couleur de lilas se fronçaient au passage des navires dont certains portaient le « T » au cygne de Pierre Thibaud le Riche. Un intense remue-ménage régnait en amont, sur la grève où le beau-père de Jean avait installé les entrepôts les plus vastes de Paris. Grand bourgeois, il était reçu à la Cour où il faisait avec quelques autres office de conseiller du roi.

Maître Jean avait rendu visite à Sybille dès son retour.

— C'est la dernière fois, dit-il en se resservant du vin frais. Sybille n'a pu se lever pour nous voir, Robin et moi. Elle n'a plus que des moignons à la place des mains et des pieds, plus de lèvres et elle est devenue aveugle. C'est une morte-vivante. Que Dieu la prenne le plus vite possible dans son saint paradis ! Les infirmiers que j'ai questionnés m'ont dit qu'elle vivait son dernier printemps. Ainsi s'achèvera son calvaire.

Un souffle chargé d'odeurs de fleuve et de printemps fit vaciller la flamme de la chandelle. Ils n'avaient presque rien mangé mais bu beaucoup. Sur l'arche du Temple, au Grand-Pont, des écoliers menaient grand tapage ; ils fêtaient par une procession bachique l'accession de l'un des leurs à la maîtrise.

« Il ne me parlera pas de Clémence, songeait Vincent et pourtant il en meurt d'envie. Pourquoi n'ose-t-il pas ? Que craint-il ? » Il posa sa main sur le bras de maître Jean.

— Avez-vous revu Clémence ?

Maître Jean ferma les yeux. Son visage se crispa.

— Clémence... Je voudrais l'oublier, mais je n'y parviens pas. C'est ma lèpre à moi et qui me ronge au plus profond. Rien n'y fait, ni les prières, ni les mortifications. Durant ces quelques jours à Paris, j'ai évité de me promener dans les endroits où elle se rendait habituellement.

Il posa sur Vincent un regard interrogateur.

— Sans doute m'a-t-elle oublié ?

— Non, maître. Elle vous déteste, ça, oui ! Elle souhaite même votre mort, m'a-t-elle dit. C'est la preuve que vous l'avez marquée et qu'un geste de votre part suffirait...

— Je ne ferai pas ce geste ! protesta maître Jean. Désormais, la seule femme qui règne sur mes pensées, c'est la Vierge Marie car c'est la seule qui soit digne d'amour. Nous ne sommes pas faits, toi et moi, pour les amours terrestres. Quand tu verras Clémence, dis-lui... Et puis, non, ne lui dis rien. Il faut qu'elle essaie de m'oublier comme je le fais moi-même.

Il soupira en écartant de la main les miettes répandues sur la table :

— La pureté, Vincent, la pureté est notre domaine.

Ils n'avaient pas parlé de Tiphaine mais sa présence était entre eux comme un voile chargé d'odeurs qui les effleurait dans un souffle de vent.

Comme Jean, Vincent menait son combat secret. Depuis qu'il avait attaqué la première statue de son portail — celle de la Vierge — il espaçait de plus en plus ses visites rue du Figuier.

Ses journées se passaient dans la loge surchauffée. C'était une sorte de fête douloureuse. Durant une semaine, après avoir passé une partie de l'hiver à reconstituer l'ensemble de son projet grâce aux schémas qu'il avait arrachés à l'incendie, Vincent était resté face à face avec son carreau de liais tendre, tournant autour sans se décider, sans retrouver les gestes les plus simples de la taille des images.

Une nuit, il avait sauté brusquement hors de son lit, avait allumé une chandelle, dégagé la pierre de son voile. Ses outils étaient à portée de la main. Il avait attaqué le bloc avec fermeté et décision, faisant voler les éclats, sans référence à son modèle. Au matin, les premières lignes de force se dégageaient de la pierre. Épuisé, incapable de garder les yeux ouverts, il s'était traîné jusqu'à sa paillasse et avait dormi jusqu'à midi. En se réveillant, la faim au ventre, il était tombé en arrêt devant le bloc dégrossi en se demandant si c'était bien lui qui avait effectué ce travail. Il ne se souvenait de rien. Ce n'est qu'en détendant ses mains, crispées et rouges aux endroits qui avaient serré les outils, qu'il avait compris.

Il respira profondément. Tout en lui était force, sérénité, lumière. Il s'était remis joyeusement à l'ouvrage après avoir mangé un morceau de pain et bu de l'eau. Sa main était sûre, son coup de ciseau précis et son regard allait profond dans la matière chercher la forme idéale.

Dans l'après-midi seulement, il avait compris qu'on était dimanche et qu'il avait manqué l'office du matin en la vieille basilique. Peu après, alors qu'il voilait son œuvre et s'apprêtait à se rendre à vêpres, Gautier Barbedor était venu s'enquérir de sa santé. Vincent s'était excusé de son absence à la grand-messe et avait promis de faire pénitence.

— Puis-je vous rappeler, lui avait dit le doyen, que votre vie doit être un modèle de décence ? Où avez-vous passé cette nuit ? Cette pâleur, ces yeux battus... Et vous n'avez même pas fait votre toilette ! Vos mains saignent. Vous vous êtes battu ?

Vincent lui avait expliqué les raisons de son oubli.

— Pardonnez-moi, dit Barbedor, confus. Soyez à l'office de vêpres puisque vous l'avez décidé, mais ensuite reposez-vous. Quand pourrai-je voir votre œuvre ?

— Dès qu'elle sera achevée, monsieur le doyen. Je ne la montrerai auparavant à personne. Vous serez le premier. Tant qu'elle n'est pas terminée, elle n'appartient qu'à moi seul.

Vêpres passées, Barbedor avait fait porter à Vincent un chapon rôti et du vin de la part de l'évêque Maurice, avec un petit mot de compliment. Vincent avait fait honneur au repas.

Comme la soirée promettait d'être longue, il avait décidé d'aller flâner dans les parages du Palais, espérant y recueillir quelque nouvelle du roi qui, disait-on, ne quittait plus la chambre. Il avait franchi le Grand-Pont où la vesprée faisait éclater des musiques, des chansons et des danses qui ébranlaient le tablier de bois. De l'autre côté du fleuve, aucune lumière ne brillait aux fenêtres de Jacoba et son cœur se serra en songeant qu'elle avait peut-être quitté Paris. Cette pensée ne le quitta pas sur le chemin du retour et il dut se faire violence pour ne pas passer par la Petite-Madian.

Revenu à sa loge, il s'était souvenu brusquement qu'il avait rendez-vous avec Tiphaine et qu'elle devait l'attendre depuis un long moment. Il avait déjà manqué deux rendez-vous dans la semaine, sans la prévenir et sans s'excuser mais, comme elle avait pris l'habitude de ses caprices et de ses irrégularités, elle s'était abstenue de le relancer.

Vincent dormit mal, ce soir-là, dans la chaleur orageuse de la nuit. Il se tournait et se retournait sur son lit, le ventre en feu, la tête pleine d'images de chair ronde et souple, de mouvements de vague au-dessus de lui, l'oreille bourdonnante de gémissements et de cris sourds. Il se mit à genoux pour prier mais y renonça ; on n'invoque pas l'intercession de la Vierge avec un sexe insolemment rigide et des sueurs d'amour sur le corps.

Il se leva, fit une rapide toilette et partit pour la rue du Figuier avec un sauf-conduit de la Prévôté dans la poche.

La chambre était déserte, mais il savait où trouver Tiphaine. Le dimanche soir, il y avait fête dans le « palais » de Simon la Colombe. Il traversa toute la Truanderie, arrêté à chaque coin de rue par des putains, des ruffians ou des agents du Coësre et tomba en pleine fête. On célébrait l'accession d'un nommé Jehan Barbe au titre de Roi des Ribauds dans l'administration palatine : un poste très officiel qui faisait de l'un des lieutenants du Coësre connaissant le mieux les mauvais lieux de la capitale une sorte d'officier royal.

Tiphaine était assise sur une marche du « trône » où siégeait son oncle. Le vieil homme n'avait pas changé. On ne distinguait de son visage, sous le chapeau à larges bords constellé de médailles, qu'une lippe humide dans une broussaille de barbe grise. Il avait toujours autour de son énorme bedaine sa ceinture de couteaux et sur l'épaule une colombe blanche qui avait pris la succession d'*Ainsi-soit-il*.

Tiphaine indiqua à Vincent une place à côté d'elle et fit comme si elle ne l'avait pas revu de la veille. Il tenta de lui expliquer les raisons de ses absences, mais elle le fit taire d'un geste.

— Tu es là. C'est l'essentiel.

Elle lui prit la main, la serra contre son ventre.

— Tu sens comme j'ai envie de toi ? Tu le sens, dis ?

Elle attendit que s'achevât une danse de Bohémienne et lui souffla dans le creux de l'oreille :

— Allons-nous-en chez nous maintenant.

L'été pesait sur le chantier à l'abandon, devenu triste et solennel comme un cimetière.

Il n'était plus gardé, les outils ayant été rangés et les loges fermées pour la plupart. Il était devenu le refuge des sans-logis, des chiens errants, des prostituées. Des herbes sauvages avaient poussé, avec quelques fleurs timides. Parfois, le soir, à l'heure où Vincent quittait sa loge, les membres gourds et les yeux fatigués, s'allumaient des feux nourris de débris sur lesquels cuisaient de minables brouets.

Près de l'un de ces foyers, un soir de juillet, Vincent reconnut André Jacquemin. Il était maigre comme un loup, le visage embroussaillé de barbe jaune, l'œil absent. Sur sa souquenille de pauvre, il avait accumulé des bijoux dérisoires : colliers faits de débris de verre de couleur, colifichets de bois et de métal, médailles saintes. André ne le reconnut pas. Il était trop occupé à faire griller sur un bâton un rat écorché.

— Tu ne me reconnais pas ? lui dit Vincent. Je suis ton ami Vincent Pasquier. Veux-tu du pain et du vin ?

Jacquemin se dressa brusquement, leva les bras comme pour une invocation et se mit à danser en faisant tinter ses bijoux, sans quitter Vincent de l'œil comme s'il s'attendait à ce qu'il le chassât. Puis il tendit la main où Vincent glissa une pièce.

— Je vois que tu as gardé ta belle humeur, André. Mais la Cité d'Amour, ton grand rêve, l'as-tu oubliée ?

Jacquemin était revenu à son fricot qui commençait à brûler. Il avait tout oublié. Chassé de l'enclos et du sarcophage qui lui servait d'abri, il errait de gîte de fortune en hospice, mendiait son pain dans la Cour-de-Mai et aux portes des églises, allait traîner ses savates pourries dans les Truanderies où il acceptait de se faire rosser en public pour quelques deniers. Il avait tout perdu, jusqu'à sa raison.

Vincent lui apporta ce qui lui restait de pain, de fromage et de vin. Jacquemin le lui arracha presque des mains, le fit disparaître dans une besace pendue à sa poitrine. Vincent l'entendit murmurer :

— Et autour du Temple de la Foi, un grand jardin avec des fontaines, des maisons avec des colonnes, des rues en étoile et, au bout de ces rues, des jardins, encore des jardins !

À la fin, il hurlait presque. En se retirant du côté de la forge où il avait établi ses quartiers pour une nuit ou deux, il se retourna pour aboyer des diatribes incohérentes.

Le chantier ne se peuplait que la nuit. Le reste du temps, c'était un désert. Chaque jour était pareil à un dimanche de jadis, sauf que l'on avait démonté les échafaudages et que la bâtisse ressemblait davantage et de plus en plus à une ruine qu'à une construction inachevée. Les gigantesques pattes d'araignée des croisées d'ogives n'enserraient entre leurs pinces que du vide et du silence. Les deux premières travées du chœur se refermaient comme deux mains qui se rejoignent pour la prière, mais il n'en montait, lorsqu'on s'y promenait, que l'écho des pas et les stridences des martinets. On n'avait pas daigné enlever le fumier qui protégeait la crête des murs en construction du gel de l'hiver et ils dégoulinaient de traînées brunâtres. Des croûtons de mortier sec faisaient des îlots au milieu de l'herbe sauvage. À la base des murs gouttereaux, entre des amas de moellons inemployés, s'étalaient les couches de paille où les putains s'allongeaient pour quelques deniers ou un morceau de pain. On voyait des rats courir au bas des murailles et s'arrêter pour lisser tranquillement leurs moustaches.

L'automne s'acheva sans que maître Jean eût donné de ses nouvelles.

Vincent se dit qu'il ne reviendrait pas et remplacerait sur le chantier de Canterbury le maître d'œuvre Guillaume de Sens qui, disait-on, s'était rompu les os en tombant du haut d'une plate-forme. « S'il n'est pas de retour pour le dimanche du Rosaire, songeait Vincent, j'irai le rejoindre. » Il était de plus en plus convaincu que son existence était liée à celui qui était devenu son compagnon et son ami sans cesser d'être son maître et son modèle. Au-delà de leurs dissensions, ils se rejoignaient dans une entente plus forte que l'amour et qui avait ses racines dans l'œuvre elle-même.

Maître Jean arriva à pied, quelques jours avant le Rosaire, fourbu, trempé de pluie, grelottant, affamé. Des gueux l'avaient délesté de son argent et lui avaient pris son cheval. Il alla lever l'argent qu'il avait déposé chez un Juif du Pont-au-Change, s'habilla de neuf, s'acheta une nouvelle monture et donna des nouvelles de Guillaume de Sens : malgré l'accident qui avait failli lui coûter la vie, le maître d'œuvre avait repris la direction du chantier.

Il daigna à peine s'informer du travail de Vincent, parcourut le chantier de Notre-Dame sans un mot, les épaules basses.

— Je vais repartir pour le Languedoc, dit-il, et cette fois-ci, je ne sais pas si je reviendrai...

2

LUMIÈRE DE NOËL

On avait gratté à la porte, il en était sûr, mais, fatigué par une grande journée de travail, il n'avait pas eu le courage de se lever. Il songea que ce devait être un rat, un chien ou encore un de ces gueux qui prenaient le chantier pour une quelconque Truanderie.

En se levant avec le soleil il n'y pensait plus, mais, quand il ouvrit sa porte pour chasser la première fumée de son poêle, c'est la première chose qu'il aperçut.

L'homme était mort adossé à la porte, replié sur lui-même comme un fœtus, les bras croisés, les mains sous les aisselles. Vincent songea que ce devait être un de ces vagabonds qui venaient souvent mendier un peu de chaleur et d'amitié. Il s'apprêtait à prévenir un valet du Chapitre qui traversait le chantier lorsqu'il eut l'idée de découvrir le visage du cadavre, enfoui sous une capuche.

Il reconnut son père, Thomas Pasquier.

— Je me reprocherai toute ma vie, dit-il à Clémence, qu'il retrouva chez elle quelques heures plus tard, de ne pas l'avoir secouru dans sa misère et assisté dans sa mort.

— Je me le reproche aussi, dit Clémence, mais il faut se raisonner : notre père n'était pas de ces hommes qu'il est facile d'aider. Il s'est laissé pervertir par la ville et n'a jamais eu le courage et la volonté de résister aux tentations. C'était un être faible et nous n'avons jamais eu la force de l'aider.

Vincent obtint non sans peine que le corps fût inhumé au cimetière du Cloître, dans le carré réservé aux serviteurs du Chapitre.

Dans le taudis du charnier où il avait élu domicile, Clémence découvrit un trésor de pauvre : le couteau à manche de bois dont il ne s'était jamais séparé depuis son départ du Limousin et avec lequel, disait-il alors qu'il se trouvait encore sur son arpent de terre, il trancherait la gorge du baron ; un sou de sa première paie, alors qu'il travaillait aux fondations de la cathédrale ; les premières dents de Vincent et de Clémence, percées et attachées à un fil ; un bracelet d'argent qu'il avait dû voler ; une petite croix de buis qu'il avait sculptée lui-même car, malgré la vie dissolue qu'il avait menée, c'était un homme de foi. Restaient aussi des vêtements pourris qui sentaient le cadavre et que Vincent jeta au feu.

— Et maintenant, dit Clémence, nous voilà seuls, toi et moi. Des enfants perdus : toi dans ta foi, et moi...

Clémence refusait de parler de Jean comme s'il était mort pour elle. Depuis quelques mois, elle partageait son existence avec un opulent bourgeois de Saint-Magloire, Evrard le Noir. Ce négociant avait fait fortune en achetant à bas prix leurs fruits et leurs légumes aux couvents et abbayes de Paris et en les revendant au prix fort sur les carreaux des Champeaux où il avait fini par ouvrir une boutique puis un entrepôt, rue de la Cossonnerie, en face de la Halle au blé. Il était généreux mais pas prodigue, jaloux mais sans passion, assidu mais sans empressement. Grâce à lui, Clémence avait pu conserver l'appartement où Jean l'avait installée naguère et qu'elle avait aménagé avec goût.

— Es-tu heureuse à présent ? lui demanda Vincent.

Elle n'était ni heureuse ni malheureuse. Elle vivait en prenant garde d'échapper aux pièges de la passion.

À douze ans, Robin était un garçon très éveillé. Il se déplaçait dans Paris, sauf après le couvre-feu et dans quelques quartiers qui lui étaient interdits, souvent seul, parfois accompagné de quelques garçons et filles de son âge.

Vincent l'avait rencontré à plusieurs reprises en quittant l'appartement de Tiphaine, rue du Figuier. Il accompagnait sa famille aux bains du dimanche, pas ceux de la rue des Jardins où ne se rendaient que des filles de joie ou les rebuts de la Cour des Miracles, mais ceux de la rue Grenier-sur-l'Eau situés près de l'ancienne demeure de Jeanne Bigue. Là se retrouvaient pour cette partie de plaisir les bonnes familles des quartiers populeux de Saint-Paul et de Saint-Gervais.

La servante allait devant, portant dans une panetière accotée à sa hanche les linges de toilette, les savons durs et les eaux parfumées.

Maître Thibaud venait derrière, son ventre rond en avant, relevant le bas de sa tunique en traversant les fondrières, les flaques de boue et de fiente de porc. Il était suivi de dame Bernarde tenant à deux mains, de même, les pans de sa robe, puis des enfants conduits par un valet depuis la mort d'Havoise, et trois ou quatre petits bâtards qui faisaient des farces et des grimaces aux passants.

La famille au complet passait ensuite directement des bains à l'église pour la deuxième messe de Saint-Gervais avant d'aller en promenade au vieux marché Saint-Jean proche de la porte Baudoyer, où l'on vendait des friandises et des pâtisseries.

Lorsque le temps était beau on poussait jusqu'à Saint-Étienne dont le parvis était envahi par les marchands de pain destiné aux pauvres ; les éventaires étaient visités par des jurés armés de badines et qui ne badinaient pas avec le règlement.

Robin se plaisait surtout à écouter les boniments d'un vieux moine pouilleux de la Trinité aux Ânes, qui racontait avec des gestes et des mimiques de ménestrel les *Miracles de Chartres.*

Robin s'était présenté au chantier un samedi matin, veille du quatrième dimanche de l'Avent, trois jours avant Noël. Seul, les mains dans le dos comme le grand-père Thibaud. Poliment, il avait frappé à la porte de la loge et avait attendu la réponse avant d'entrer.

— Toi, dit Vincent, je te reconnais. Tu es Robin, le fils de maître Jean.

Le garçon avait hoché la tête. Il avait une trace de larme à la joue.

— Qu'est-ce qui t'amène ici ? Des nouvelles de ton père ?

— Non, de ma mère. Elle est morte. C'est mon grand-père qui m'envoie vous le dire.

Sybille... Vincent posa sur la pierre ses outils qui soudain étaient devenus très lourds. Il recouvrit son ébauche d'une couverture et posa ses mains sur l'épaule du garçon.

— C'est préférable, dit-il. Elle était morte déjà depuis longtemps. Maintenant, elle est au ciel, et heureuse. As-tu prié pour son âme ?

Robin hocha la tête. Une nouvelle larme se formait au coin des paupières. Il avait les pupilles brunes de Sybille, son teint clair, son nez fin, sa bouche un peu épaisse marquée aux commissures d'une petite ride spirituelle qui pouvait donner à tout le visage une expression futée.

— Vous avez fini votre travail ? dit-il.

Vincent parut embarrassé. C'était une manie : à chaque visite qu'il recevait, il cachait son œuvre, car il tolérait mal qu'on la vît dans l'imperfection de l'inachevé.

— C'est la Vierge du portail de Sainte-Anne ?

— Non : c'est Gautier Barbedor. Je ne savais pas comment le représenter, mais j'ai fini par trouver la bonne attitude : il sera assis sur un banc en train d'écrire sur des tablettes de cire.

— Cette feuille sur votre table, c'est le dessin ? Je peux le voir ?

— Tu peux même voir mon ébauche. Après tout, tu es le fils de Jean.

Il ôta la couverture. Du magma d'arêtes molles, du liais clair et tendre, se dégageaient un visage sans traits, des courbes incertaines, le vague mouvement d'un personnage assis. Une image de brouillard où se marquaient encore les morsures du ciseau. Ça sentait bon l'odeur froide de la poussière de pierre.

Le regard de Robin allait de l'œuvre à cet homme de haute taille, au visage noyé dans une barbe d'une semaine qui commençait à grisonner. Vincent paraissait insensible au froid. Des gouttes de sueur perlaient même sur les tempes, à la pointe des boucles. Les yeux se liséraient d'un rouge de fatigue.

— Et ma Vierge, dit Vincent, tu veux la voir ? Personne d'autre que toi ne l'a vue encore achevée, si ce n'est monseigneur Maurice et le doyen. C'était la pièce la plus difficile du portail. J'ai dû m'y reprendre à trois fois. Regarde et dis-moi ce que tu en penses.

Vincent conduisit Robin au fond de la loge, déplaça avec précaution une barrière de planches et la statue apparut dans la lumière grise de l'hiver, trop blanche, trop neuve. Elle avait presque taille humaine. L'enfant Jésus qu'elle portait entre ses genoux semblait se fondre dans son corps.

— Cette pièce n'est pas tout à fait achevée, dit Vincent. La Vierge portera à la main le symbole de la puissance divine sous forme d'un sceptre. Monseigneur Maurice est d'avis que je devrais la flanquer de deux colonnettes et couronner la scène d'une sorte de fronton de temple. J'ai un peu regimbé d'abord, jugeant que cette image se suffisait à elle-même mais je crois que l'évêque avait raison. Ainsi la présence de la Vierge sera soulignée. Ces colonnettes marqueront la frontière entre le monde invisible du mystère et celui de notre temps. Est-ce qu'elle te plaît ? Ton père qui l'a vue inachevée la trouvait à son goût bien qu'un peu conventionnelle. Il attendait « autre chose » de moi : autre chose que l'évêque et le doyen auraient sans doute refusé.

Robin se mit à genoux devant l'œuvre et pria pour sa mère dont le calvaire avait pris fin, pour son père qu'il ne reverrait peut-être pas de plusieurs années, pour cet homme, Vincent, qui avait voué sa vie à la cathédrale. Il dit simplement en se relevant :

— C'est beau.

— Ce sera plus beau encore lorsque les peintres l'auront coloriée. Ils mettront ici de l'outremer, là du carmin, quelques filets d'or sur la robe. Je laisserai des consignes, car je serai mort quand ils se mettront au travail.

Il ajouta en poussant Robin aux épaules :

— Pars à présent. J'ai besoin d'être seul. Reviens quand tu voudras.

Robin revint la semaine suivante, portant des plaquettes de cire dans un étui attaché à sa ceinture, qui battait sa hanche comme un carquois. Il revenait de l'École de chant de Notre-Dame, une vieille chapelle du Cloître des Chanoines où l'on enseignait la polyphonie à des fils de bourgeois et à des bâtards de clercs. Il avait encore des motets plein la gorge quand il dit à Vincent :

— Tu viendras m'entendre demain pour la messe de Noël à Saint-Étienne ? Je chanterai dans le chœur.

— Qu'est-ce que tu chanteras ?

— Des hymnes à la Vierge Marie.

— Tu peux m'en chanter un ?

Robin ne se fit pas prier. Il entonna d'une voix un peu acide :

« Ô Vierge salutaire, Étoile de la Mer
« Toi qui eu pour enfant le soleil d'équité
« Créateur de la lumière, Ô toujours Vierge
« Reçois notre louange, Reine du Ciel... »

— C'est bien, dit Vincent, mais sais-tu ce qu'est la fête de Noël ?

Il prit la cape de Robin couverte de neige scintillante, la secoua et la mit à sécher près du poêle qu'il venait de bourrer de tourbe. Ils s'assirent de chaque côté d'une pierre épannelée sur laquelle Vincent disposa un cruchon de vin chaud, une demi-boule de pain et une brèche de miel ambré. Il avait envie de parler de Noël. La fête allait arriver et lui, Vincent, serait seul (Clémence était retenue par Evrard le Noir et il n'était pas sûr de pouvoir passer la nuit avec Tiphaine). Cette neige qui pesait sur la Cité, cette pénombre qui baignait le chantier désert où s'ouvrait comme une caverne le chœur de la cathédrale engourdie, ces bandes de chiens qui ressemblaient à des loups et qui se réunissaient au crépuscule pour chanter leur faim, ajoutaient à sa détresse et à son sentiment de solitude.

Robin venait à point nommé lui apporter un peu de lumière, de réconfort et d'amitié. À voix basse, sans cesser de mâcher le pain trempé dans le miel, il parla à Robin de cette étoile annoncée par le Livre de Seth, qui apparut au-dessus du mont de la Victoire, dans les lointains lumineux de l'Orient, des mages qui prirent les chemins du désert en direction de la Judée, guidés par l'étoile.

— Ils ont mis treize jours à parcourir le trajet jusqu'à Bethléem, mais le temps ne leur durait guère, si bien qu'en arrivant aux portes du village ils avaient l'impression d'être partis la veille, tant l'espoir les rendait légers et joyeux.

— Comment étaient-ils, ces mages ?

— C'étaient des rois, petit, de vrais rois, bruns de peau, drapés dans des étoffes comme on en voit seulement à la foire chaude de Troyes ou à celle du Lendit. Ils avaient des perles et des bijoux d'or à tous les doigts, aux oreilles et jusque dans leur barbe. Quand ils avaient passé, on respirait derrière eux comme une odeur de nuit de printemps quand les arbres sont en fleurs. Ils devaient être très maigres en arrivant car, durant ces treize jours, ils n'avaient rien mangé et n'avaient pas dormi un seul instant, mais ils étaient aussi dispos que toi et moi car ils étaient nourris d'espérance.

— Et l'étoile ? Elle brillait toujours ?

— Plus ils approchaient et plus elle était brillante. Ce n'était pas une étoile ordinaire. Elle avait la forme d'un aigle et une croix scintillait au-dessus. Des voix montaient du désert autour d'eux dans les souffles de la nuit. C'était comme si toute la terre allait se mettre à chanter, comme si tous les anges s'étaient donné rendez-vous pour célébrer la naissance du Seigneur. Oui, petit, la terre entière reçut la nouvelle. Et sais-tu ce qui se passa en Perse lorsque les prêtres païens annoncèrent qu'un enfant divin, qui était à la fois principe et fin, venait de naître, loin, en Occident ? Dans les temples, les statues se mirent à danser avant de tomber le visage contre terre. Aux dires des voyageurs, elles sont aujourd'hui encore dans cette position.

Il ajouta :

— Sais-tu quel est mon rêve, petit ? Sculpter pour le jubé de la future cathédrale une fresque immense où je raconterais la nativité de notre Seigneur. Mais ce n'est qu'un rêve. D'autres le réaliseront peut-être, qui ne sont pas encore nés.

La neige s'était remise à tomber. Un feu s'alluma au fond du chœur, si loin qu'il semblait sur une île perdue au bout de la terre, là où commence l'incommensurable, l'informulé, le jardin secret de Dieu, sa réserve de prodiges et de miracles.

— Le monde est plein de mystères, mon petit Robin et nous nous promenons au milieu d'eux comme des aveugles. Sans l'étoile de Seth, sans l'étreinte des mains, sans cette chaîne qui unit les hommes en marche vers l'espoir, que serions-nous et où irions-nous ?

Robin parti, il restait dans la loge une vague lumière, une odeur d'enfance, la grâce d'une voix, le reflet d'une innocence. Rien n'était perdu de sa présence et tout subsistait en traces infinitésimales qui s'accrochaient comme de petites lumières de bonheur à la légende de Noël, à cette lourde draperie d'images que Vincent avait déployée dans la pénombre de la loge.

Il se dit qu'il n'était plus seul, que cette lumière d'amitié allait continuer à le baigner dans ses jours de solitude.

3

LE PAPE DES FOUS

Début janvier, aux alentours de la Circoncision, il se fit un grand tumulte sur le parvis de la vieille basilique.

Un petit chanoine qui traversait le chantier expliqua à Vincent qu'il se préparait une fête. Il en parlait avec des mines de puceau effarouché, regard bas et lèvres pincées, comme d'une indécente diablerie, et il est vrai que c'en était une. La fête des Fous, à laquelle Vincent n'avait jamais assisté, menaçait de prendre cette année une tournure dangereuse en raison de la présence d'un fou qui l'était vraiment.

— Peut-être le connaissez-vous, dit le chanoine. Il s'agit d'un ancien clerc qui vivait dans un sarcophage comme Diogène dans son tonneau.

— André Jacquemin ?

— J'ignore son nom mais à ce qu'on dit sa présence rendra cette fête plus folle encore que d'ordinaire. Une fois de plus monseigneur Maurice a tenté de la faire interdire mais en vain. Le peuple tient à ses coutumes, aussi grossières soient-elles. Les vigiles du Chapitre et les gardes du Palais seront sur pied de guerre. On ne sait jamais comment se terminent ces diableries. Tenez-vous sur vos gardes et ne mettez pas le nez dehors cela vaudra mieux pour vous.

— Pourquoi le roi n'interdit-il pas cette « diablerie », comme vous dites ?

— On peut priver le peuple de pain si l'on a de bonnes raisons de le faire, mais pas de ces réjouissances qui ne coûtent rien. Que Dieu me pardonne, mais, depuis quelques années, la Providence ne nous comble guère de ses bienfaits. Les temps sont de plus en plus durs. Or que reste-il au peuple quand il n'a plus rien ? À s'inventer des occasions de ne pas sombrer dans le désespoir. Et plus les temps sont durs, plus ces divertissements sont licencieux ! Chacun trouve son espérance où il peut. On ne chante jamais autant que dans les prisons. N'allez pas chercher ailleurs les raisons que le peuple a de brûler Carnaval. Il faut bien que quelqu'un paie pour les autres. Dans la fête qui se prépare, le diable montrera le bout de sa queue et même davantage, mais, que voulez-vous, il faut savoir faire sa part comme on fait celle du feu et lui jeter de temps en temps un morceau à dévorer pour éviter qu'il dévore tout.

Il dit encore avant de se retirer et en se signant :

— Pour l'essentiel, la folie de ce jour consiste à célébrer une messe très particulière, où tout est à l'envers. Ne vous y risquez pas, vous pourriez y perdre votre âme.

La vieille basilique engouffrait tant de « fidèles » qu'on se demandait si elle n'allait pas craquer comme le temple où fut enchaîné Samson.

Le parvis était transformé en une mer humaine piétinant une boue de neige grise. De temps à autre, une gigantesque poussée propulsait un caillot humain dans la gorge de pierre et l'on entendait, venant de la nef, les hurlements et les pleurs des gens pressés à étouffer. Les gardes du Chapitre et du Palais étaient débordés ; sommés de par le décret royal de ne pas se servir de leurs armes, sauf à se trouver en danger de mort, ils avaient été rejetés un à un en marge de cette puissante marée et ne maintenaient plus, la lance en travers des cuisses, qu'un cordon dérisoire et fragmentaire.

Accompagné d'un petit convers chargé du réfectoire du Cloître, Ernout, Vincent avait trouvé place contre la bordure d'une tribune, sous la troisième travée du chœur, en direction du portail.

Ils n'avaient pu aboutir à cet emplacement privilégié que grâce à une astuce d'Ernout : en passant par la sacristie, ils avaient pu gagner la tribune en empruntant un escalier étroit aménagé dans l'épaisseur du mur. Encore avait-il fallu montrer patte blanche, avec une pièce dedans et jouer des coudes pour avoir accès à la balustrade. De temps en temps, ils devaient s'arc-bouter pour repousser la masse des gueux qui leur collaient aux reins et risquaient de les faire basculer dans la foule comme cela se produisait fréquemment.

Une lumière blanche tombait des vitraux crevés par lesquels une danse de flocons pénétrait dans l'édifice avec la bise du matin. Elle éclairait mal la mer humaine qui s'écrasait jusqu'aux premières marches de l'autel, se creusait de remous lorsqu'un « fidèle » pris de malaise s'affaissait.

La cathédrale était comble depuis deux heures lorsqu'un brouhaha accompagné de musiques discordantes se produisit à l'extérieur. Des voix puissantes criaient :

— Place ! Place ! Arrière ! Laissez passer maître Jacquemin !

Le sillon s'ouvrait péniblement devant un groupe de colosses armés de gourdins et de fouets dont ils usaient sans discrimination et avec férocité. Alignés en cordon, ils firent une haie flottante à une procession de grands prélats qui marchaient à reculons, coiffés de mitres de fantaisie posées à l'envers et de vêtements enfilés sens dessus dessous ; en guise d'encensoirs, ils brandissaient au bout d'une corde des cruchons de vin dont ils avaient avalé le plus gros en cours de route.

Dans le tonnerre des *alléluias* et des *hosannas* dont les paroles étaient empruntées au répertoire bachique, ils parvinrent non sans mal jusqu'à l'autel dont on fit évacuer à coups de triques les gueux qui l'encombraient.

La foule scandait :

— Jacquemin ! Jacquemin !

— Qu'on nous amène le Pape des Fous !

Il surgit, monté sur un bourricot affolé, cramponné tête-bêche à la queue de l'animal et vacillant sur la draperie pourpre qui lui servait de selle. Il semblait ivre. Son couvre-chef, qui rappelait vaguement une tiare, avait été façonné à partir d'un vieux chaudron attaché par des ficelles et qui tombait dans son dos à chaque écart de sa monture. Il dégringola et on le remit en selle en piquant de la pointe des lances la croupe du bourricot qui ruait avec fureur.

De l'autel, il ne restait que la pierre nue. Tous les instruments du culte avaient été mis à l'abri à l'évêché. Pour une journée, on avait prié Dieu de se voiler benoîtement la face ; cette église n'était plus la sienne ni celle de Marie, mais un édifice désaffecté, un vieil os jeté au diable, le support anonyme d'une fête païenne. On ferait le ménage ensuite ; on n'épargnerait ni l'encens ni les prières et la maison de Dieu serait de nouveau propre et parfumée pour recevoir la Sainte Trinité.

L'office parodique fut précédé d'un concert de ménestrels tellement ivres qu'ils ne jouaient pas en mesure et que nul n'aurait été capable de discerner la nature du morceau qu'ils interprétaient, mais le spectacle était des plus réjouissants car on les avait travestis de défroques multicolores et ornés de tant de rubans et de fanfreluches qu'ils frémissaient comme des arbres dans le vent.

Descendu de son bourricot, hissé sur l'autel pour être proclamé Pape des Fous, Jacquemin ne tenait plus sur ses jambes et dut s'asseoir. La populace le plébiscita d'une seule voix et il reçut à la place du chaudron qui lui servait de couvre-chef une tiare fabriquée par les gueuses du Val-d'Amour, trop grande et qui lui tombait sur les yeux. Alors qu'il s'installait dans son fauteuil il chancela sous une avalanche de pommes pourries, de trognons de choux et de raves gelées.

Pour détendre l'atmosphère avant l'office, une troupe d'écoliers de Saint-Victor joua une farce qui mettait en présence des Riches, des Puissants et des Pauvres en intervertissant l'ordre des valeurs et des privilèges. Comme ils versaient dans une philosophie ennuyeuse, on les chassa pour laisser place libre aux officiants.

— Mon Dieu ! dit Ernout en se signant, je ne me ferai jamais à ce sacrilège et j'aimerais disparaître, mais je dois rester pour rendre compte à notre doyen de cette mômerie dégradante. Il prétend que c'est un honneur qu'il me fait. Moi, je dis que c'est une pénitence qu'il m'inflige.

On avait installé sur l'autel des cruches de vin et des tranches de viande en guise de vin de messe et d'hosties. Tandis que Jacquemin, sa tunique maculée de projectiles, cuvait son ivresse, un moine défroqué, qui traînait depuis des années dans toutes les Truanderies de la ville où il faisait le bouffon pour vivre, se livrait à une parodie d'office divin dit à l'envers, qu'il ponctuait de libations, si bien qu'il dut, après le *Sanctus*, se cramponner au bord de l'autel.

— Et maintenant, mes frères, cria-t-il, communions ! Et que monseigneur Lucifer soit avec vous dans les siècles des siècles !

— Amen ! rugit la foule.

Il descendit en titubant les marches de l'autel, s'agenouilla, le dos à l'assistance et, relevant sa robe crasseuse, présenta aux fidèles son énorme postérieur peint de deux croix rouges, tandis que l'on commençait dans la plus grande confusion la distribution des tranches de viande.

— C'est plus que je n'en puis supporter ! gémit Ernout qui avait sa tête sur ses bras croisés. Maudit sois-tu, profanateur, antéchrist ! Dieu te jugera !

Derrière lui des rires éclatèrent, puis des menaces. De quoi se mêlait-il, cet avorton ? Personne ne l'avait contraint à se trouver là ! Une femme l'obligea à se retourner, l'embrassa à pleine bouche, se tortilla contre lui d'une manière indécente, lui relevant la tunique jusqu'à la taille. Il se débattit si violemment qu'elle s'écroula en se tenant le ventre.

— Par-dessus bord, le moinillon ! cria une voix juste derrière.

Avant que Vincent ait pu s'interposer, Ernout était maîtrisé, assommé, jeté par-dessus la balustrade. Un concert de vociférations monta de la foule, puis de nouveau des rires déferlèrent avec des sifflets et des musiques sauvages.

— Toi, le sculpteur de mes couilles, dit une voix à l'oreille de Vincent, tâche de te tenir tranquille si tu ne veux pas suivre le même chemin que ce drôle. Tu as échappé à l'émeute d'il y a deux ans. Cette fois-ci, tu n'aurais peut-être pas la même chance.

Le convers avait disparu dans le magma qui s'était reformé sans une bavure à l'endroit que sa chute avait creusé. Bloqué à sa place, incapable de bouger, Vincent se tint coi. Il regardait Jacquemin effondré dans son fauteuil comme une poupée vide de son, sa défroque collée à la peau. Il paraissait dormir, mais sursautait par moments, considérait le spectacle qui tournoyait frénétiquement autour de lui, ouvrait la bouche comme pour proférer un anathème, éructait et replongeait dans sa léthargie. « Peut-être rêve-t-il encore à sa Cité d'Amour ? songeait Vincent. Quelles pensées peuvent bien traverser cette tête folle ? Pourquoi Dieu ne rappelle-t-il pas à lui cette épave ? S'il reste encore en lui quelque parcelle de pureté qui puisse le sauver, qu'il meure sur-le-champ ! »

Jacquemin n'avait nullement l'intention de mourir. Alors que les derniers « fidèles » se présentaient pour embrasser l'auguste derrière du faux prélat, il se dressa, les bras en croix, se précipita vers l'autel dans un mouvement de danse et, de ce visage amaigri, gros comme le poing et dévoré de barbe, sortit une voix puissante et claire qui disait :

— Par les sept plaies du Christ, par la douleur de Marie, par le chagrin de Madeleine, cessez de blasphémer ! Les temps vont venir où chacune de vos paroles, chacun de vos gestes vous seront comptés ! Vous souillez la maison de Dieu de votre salive, de vos excréments, de votre puanteur. Peuple de Dieu, te voilà pire que les Juifs devant le veau d'or ! Tourne-toi vers la montagne, regarde surgir l'armée des saints, la légion des archanges ! Regarde briller dans le soleil les cornes de Moïse ! Écoute ces rumeurs d'avalanche et ces tonnerres ! Le châtiment est imminent ! Prépare-toi à courber l'échine sous le fouet !

Son anathème fut accueilli par des éclats de rire et des cris de haine. Lentement, insensible aux projectiles qui pleuvaient sur lui, il se mit à danser. L'officiant se précipita, ôta la tunique sous laquelle Jacquemin était nu. Absent, indifférent, il se livrait à sa danse inspirée, les bras levés, le visage fermé. Il dansait en lui-même, soulevé, transporté, animés par un mouvement plus fort que lui, plus fort que toute les puissances de la terre. Il dansait sa colère, sa prière, sa foi. Il dansait sa folie. Il ne regarda même pas, ou fit semblant de ne pas voir, les femmes qui se précipitèrent autour de lui, se dépouillèrent à leur tour de leurs vêtements et firent une ronde dans laquelle elles l'emportèrent malgré sa résistance et ses cris.

C'est alors, comme le ciel de neige commençait à s'assombrir, qu'on alluma les torches et le sanctuaire fut pareil aux parvis de Sodome et à la caverne de Loth.

4

L'OPERARIUS

Il aurait pu rester des heures immobile devant elle. Il la contemplait à la lumière du jour ou à la lueur des chandelles et c'était chaque fois le même mystère qu'il tentait d'élucider : d'où lui était venu l'idée de ce visage ? où l'avait-il vu ? ne l'avait-il pas rêvé ?

Dans ses dessins, il avait donné à la Vierge tantôt le visage de Sybille, tantôt celui de Jacoba, de Tiphaine ou de Clémence. À l'auberge, dans la rue, il avait croqué sur des plaquettes de cire des traits ou des expressions qui lui semblaient se rapprocher de l'idéal qu'il recherchait. Il avait fait plus de cent esquisses dont aucune ne l'avait satisfait.

Un beau jour, il avait purgé sa mémoire de toutes ces apparences, de tous ces masques pour descendre chercher au plus profond de lui-même quelque image de sérénité et de pureté qui ne dût rien à sa mémoire.

Le dessin qu'il avait réalisé à partir de cette vision intérieure ne rappelait aucune des femmes qui l'avaient précédemment inspiré et les contenait toutes. Les traits s'étaient fondus au sentiment qu'il souhaitait susciter. Un regard rapide ne pouvait discerner qu'une expression d'indifférence hautaine, voire de froideur. La tendresse, l'amour, la pitié n'effleuraient qu'à la longue, s'effaçaient pour reparaître et finissaient par s'imposer, comme si ce visage de pierre avait obtenu grâce de vie.

Le moment venu de transcrire son œuvre dans le liais tendre, Vincent avait redouté de ne pouvoir exprimer ce qui relevait de l'inexprimable. Il se gourmandait : « Dans la foule des fidèles ou des curieux qui regarderont ce portail, combien seront sensibles à l'expression de ce visage, à la sérénité de ce sourire, à ce regard perdu en Dieu ? Qui donc, derrière ce masque de pierre, saura lire ce que j'ai voulu y mettre d'âme ? Désormais, à quoi bon ces angoisses ? »

L'ouvrage terminé, il avait failli jeter ses outils. Dans le visage qu'il venait d'achever, il ne reconnaissait rien d'autre que le sourire béat de cette servante d'auberge qu'il avait dessinée l'hiver précédent en train de se chauffer les fesses devant l'âtre, cottes relevées. Puis l'idée lui vint de regarder cette image sous un autre angle, celui sous lequel chacun, dans le cours des siècles, pourrait la contempler : par en dessous. Il appela les compagnons qui travaillaient dans la loge voisine, leur demanda de l'aider à surélever l'image sur un monceau de moellons à appareiller et son cœur se mit à battre plus fort : la sereine majesté qu'il avait souhaité susciter s'épanouissait. Quelques brasses de dénivellation en hauteur avaient suffi pour faire d'une servante d'auberge la Reine des Cieux.

— J'ai envie de tomber à genoux, dit un compagnon.

— Tu as fait là ton chef-d'œuvre, dit un autre.

Dès lors, la pierre lui devint amicale et les outils légers. Il avait retrouvé sa voix et ses chants. Les éclats volaient comme des étincelles autour de lui et il ne sentait pas la brûlure de la poussière dans sa gorge et ses yeux. Il était fier de ses mains. Jadis, il craignait de les durcir au contact des outils et des matériaux ; à présent, il se félicitait de les voir se couvrir de cals et de durillons, devenir raides au point qu'il avait du mal à les ouvrir et à les refermer car elles avaient pris la forme de l'outil.

L'évêque Maurice convoqua Vincent. Il paraissait fébrile, au bord de la colère.

— Avez-vous des nouvelles de maître Jean ? dit-il. Non ? Eh bien, moi non plus. Où est-il ? En Angleterre, en Languedoc, en Esclavonie ? C'est ici qu'il devrait être. Reviendra-t-il seulement ?

— Il reviendra, monseigneur.

— J'aimerais en être certain. Le roi vient de nous rappeler à l'ordre par l'intermédiaire de Gautier Barbedor. Il est étonné que ce chantier reste fermé si longtemps. Il a promis une somme suffisante pour assurer une campagne de travaux. Et maître Jean qui ne donne pas signe de vie ! Nous attendrons encore une semaine et s'il n'est pas là, nous ferons sans lui.

— Que voulez-vous dire, monseigneur ?

— C'est vous qui aurez la responsabilité de ce chantier. Si j'en juge par l'état où il se trouve, il est entièrement à réorganiser. Vous en êtes capable. Nous vous affecterons un *operarius* qui a travaillé avec le Chapitre de Sens. C'est un homme de fer, impitoyable pour lui comme pour les autres, ennemi de la gabegie et de la paresse. Si vous ne vous êtes pas battu avec lui le premier jour, il deviendra votre ami, mais prenez garde si vous vous battez : il vous soulève des auges de mortier de cent livres comme une plume. Si vous voulez le rendre doux comme un agneau, parlez-lui de sa mère. C'est un cœur tendre sous ses airs de brute.

— Quand devrons-nous réouvrir le chantier, monseigneur ?

— Dans une semaine. Nous n'attendons plus que Galeran. C'est le nom de notre *operarius*.

Il était à la porte de sa loge alors qu'il faisait encore nuit. Son haleine sentait la soupe chaude. C'était une sorte d'ours aux reins puissants, à la barbe rousse, aux jambes arquées par une longue pratique du cheval. Sous les sourcils en broussaille, le regard se mouillait parfois d'une pointe de tendresse.

— Nous sommes lundi, dit Galeran. Tu sais ce que ça veut dire ?

— Je suis prêt à vous suivre place Jurée. Nous y serons de bonne heure et nous aurons les meilleurs.

— Je vois que tu connais la pratique.

Lorsqu'ils arrivèrent, quelques groupes d'ouvriers étaient déjà en place. Certains avaient passé la nuit sur un tas de paille avec une couverture pour tout abri, leur femme et leurs gosses autour d'eux. La plupart étaient des paysans affranchis, légalement ou non. Ils se tenaient debout, grelottants de froid dans le vif du petit matin.

Galeran les traitait comme du bétail :

— Montre tes dents ! Marche ! Qu'est-ce que c'est que ce bouton à la lèvre ? Tu serais pas « rougneux », des fois ? Toi, tu es solide comme un roc. Je te prends. Toi, tu as une foutue vérole ou je n'y entends rien, mais, pour charrier des auges de ciment ou tourner le treuil, c'est pas de ta queue que tu te serviras.

Lorsque Vincent avançait une objection, il lui répondait :

— Laisse-moi faire, bougre ! Je m'y connais mieux que toi en hommes. Je suis moins habile à manier le ciseau, mais pour distinguer un costaud d'un malingre, un regard franc d'un œil torve, je n'ai pas mon pareil. Je vole pas au-dessus des nuages comme le cygne de

Socrate, mais je renifle à dix pas la graine de fainéant. Occupe-toi de tes oignons !

Ce jour-là, il embaucha même une femme : une robuste paysanne de Saint-Mandé qui prétendait avoir travaillé à la maçonnerie et au mortier. Elle était jolie de visage, avec des bras bruns et lourds et un cul de percheronne.

— Je te prends, dit Galeran, mais gare ! Un chantier n'est pas un bordel. Si tu as le feu aux fesses, trempe-les dans l'eau ou viens me trouver. Je connais des remèdes.

Jonathan arriva quelques jours plus tard avec trois autres gaillards, une fleur aux lèvres. Il avait travaillé pour les consuls d'une petite ville du Périgord, mais avait refusé de construire la prison qu'on lui demandait, ce qui eût été contrevenir aux règles de la confrérie : ni prisons ni casernes ! En remontant vers Paris, il avait entendu dire qu'on avait réouvert le chantier de Notre-Dame. Ça l'intéressait ; il se plaisait dans cette ville où il avait fait des adeptes pour cette sorte de religion où l'on adorait des saints qui portaient les noms de Jacques, de Salomon ou de Soubise, en faisant brûler de la cire. Vincent dut insister pour le faire admettre sur les registres, Galeran exécrant les compagnons et leurs « simagrées hérétiques ».

En une semaine, alors que tout reverdissait et fleurissait sur les bords de la Seine, le chantier tournait rond. Un maître échafaudeur venu de Laon avait remis les structures en place en trois ou quatre jours et l'escalade des maçons avait commencé dans les coups de gueule de Galeran qui distribuait avec la même générosité les injures et les torgnoles. Vincent ne respirait que lorsqu'il voyait son acolyte s'enfermer en compagnie d'un autre costaud dans la cage des écureuils, autant par plaisir que par nécessité : il avait besoin, disait-il, de fatiguer cette puissante carcasse, outre de vices et de puanteur, et il s'amusait comme un fou.

— Alors, disait-il, le soir, en répandant ses grosses odeurs de fatigue dans la loge de Vincent, qu'est-ce que tu en penses, bougre ? Ça tourne rond, hein ? Je sais maintenant comment il faut mener les gars. Ils n'aiment pas être commandés par des faux-culs. Moi, je leur parle comme à des chevaux et ils m'adorent.

— Surtout la Margue... Elle se mettrait à genoux quand vous lui parlez, mon frère.

Galeran se grattait la nuque rageusement. La Margue ? Eh bien, quoi, la Margue ? C'est vrai qu'il l'aimait bien, cette grosse fille. Et puis après ?

Un soir de chaleur, il avait fini par avouer à Vincent, après avoir vidé deux pichets de vin, qu'il était prêt à donner sa vie pour la Vierge mère, pas à renoncer à l'œuvre de chair. C'était sa seule faiblesse. Il en demandait chaque jour pardon à Dieu, battait sa coulpe, se fustigeait au propre et au figuré, disait sa prière avant de copuler mais il avait trop de sang pour renoncer. La Margue ne paraissait pas s'en plaindre. Son travail achevé, elle se rendait dans la petite maison du Cloître des Chanoines pour tenir le ménage du clerc, s'occuper de tout et du reste.

Vincent n'était plus le même. Quelque chose d'essentiel et de profond avait ébranlé sa structure d'homme. Tiphaine s'en rendait bien compte. Elle n'exigeait aucune explication et se contentait de surveiller son évolution.

Ce n'était pas seulement la fatigue qui, aux heures chaudes du soir, jetait Vincent sur son lit où il s'endormait presque aussitôt. Il n'aimait plus Tiphaine comme avant, recherchait moins le plaisir physique que sa présence et sa tendresse. S'ils ne faisaient plus l'amour à chacune de leur rencontre, en revanche ils parlaient sans arrêt jusqu'à ce que le sommeil les terrasse. Parfois ils s'éveillaient au cœur de la nuit, se retrouvaient comme par un élan concerté dans les bras l'un de l'autre, se pénétrant par toute la surface de leur corps, cherchant l'un dans l'autre un refuge autant qu'un plaisir.

Au temps de Noël, alors que la fièvre de son œuvre atteignait à son paroxysme, il était resté une semaine sans voir Tiphaine. Elle l'avait surpris un matin, une boule de pain frais sous le bras, se hâtant dans la neige. Elle l'avait vu entrer dans sa loge, allumer une chandelle et avait failli toquer à sa porte pour exiger qu'il s'expliquât. Qui sait s'il n'y cachait pas une de ces petites putes à deux deniers qui s'étaient établies sur le chantier ? C'était une idée folle, elle n'eut pas de mal à s'en convaincre. En revanche, elle s'accrocha à une décision : s'il ne venait pas la retrouver d'ici le dimanche suivant, qui était la veille de Noël, s'il la laissait seule pour fêter la Nativité, elle renoncerait à lui. Il était dans son lit le soir-même, hâve, maussade, ni lavé ni rasé et il lui avait parlé longuement de ce petit Robin, le fils de Jean, qui « avait une si belle lumière d'innocence dans l'œil ».

Au retour d'une promenade en compagnie du Coësre dans une nuit de la Chandeleur pleine de tumulte où ils avaient bu et mangé plus que de raison, elle chercha querelle à Vincent alors qu'il s'endormait.

— Je ne suis plus de ton goût, hein ? Aie le courage de me l'avouer ! Ou alors c'est que tu deviens impuissant ?

Elle se tenait debout devant lui, chancelante dans la lumière du quinquet à huile, nue, le ventre en avant, les cheveux défaits, laide comme ces gorgones et ces stryges qu'il avait commencé à dessiner pour le portail du Jugement, mais ce n'étaient pas cette laideur et cet air provocant qui le castraient : il baignait dans une nébuleuse très pure, une poussière d'étoile, des vents tièdes qui s'enroulaient autour de lui, le voile de la Vierge frôlant son visage. Cette femme ivre dressée devant lui, arrogante, vulgaire, lui faisait horreur. Il se leva pour vomir par la fenêtre et se rendormit aussitôt.

Il en vint à se demander si elle lui était encore indispensable. Parfois c'était oui et parfois non, selon le jour et l'humeur du moment. Il lui semblait vivre en permanence dans une lumière grise dont il ne savait si c'était celle de l'aube ou du crépuscule. Il se demandait si l'amour qu'il avait porté à Tiphaine n'était pas devenu un de ces « vices » dont maître Jean se gargarisait et qu'il rejetait comme un crachat.

— Quelle est cette chienlit ? demanda maître Jean. Et ce gros chanoine, que fait-il sur « mon » chantier ? C'est lui qui donne les ordres à présent ? Je vais lui dire deux mots !

C'est ce que Vincent redoutait. L'algarade dura une journée entière, avec des espaces de calme où se préparaient les vents de la tempête. Elle se déplaçait de la loge des charpentiers à la forge, de la loge des maçons aux échafaudages de la voûte, emportait dans son tourbillon des personnages qui se trouvaient rejetés et meurtris. Ainsi de la bonne Margue.

Maître Jean s'était frotté les yeux en apercevant la grosse fille en train de manier la raclette à mortier. D'où sortait-elle ? Qui l'avait embauchée ? C'est de là que tout était parti. Sans intervention de Gautier Barbedor que Vincent avait fait prévenir et qui était arrivé du Palais flanqué de deux sergents, le maître d'œuvre et l'*operarius* en seraient venus aux mains.

— Une femme sur « mon » chantier ! clamait maître Jean. Comment a-t-on pu accepter cela ?

— Aucun règlement ne s'y oppose, dit tranquillement Barbedor, et, si la chose n'est pas commune, elle n'est pas rare non plus. Que n'étiez-vous présent à la date convenue pour l'ouverture du chantier ?

— Soit ! convint maître Jean. J'aurais dû être là. Il n'en reste pas moins que cette fille doit quitter son poste immédiatement. Ou alors c'est moi qui partirai.

L'affaire en était restée à ces menaces, mais il était aisé de comprendre qu'elle ne s'arrêterait pas là. Maître Jean dut convenir que ce chantier était un modèle d'organisation et d'efficacité et même qu'on y respirait un certain air de bonheur. Les hommes n'arrêtaient pas de chanter, de rire, de plaisanter sans pour autant négliger leur ouvrage. La présence de Margue n'y était sans doute pas étrangère. Lorsque les ouvriers s'arrêtaient à la cloche pour gagner le réfectoire, ils se groupaient autour d'elle et elle faisait sa petite reine sous l'œil courroucé de l'*operarius*. Pour la qualité du travail non plus, il n'y avait rien à dire ; maître Jean avait beau fouiner, chercher la petite bête, le défaut de la cuirasse : rien ! Le mortier de Margue était sans reproche, du vrai travail d'Écossais. On pouvait jouer du niveau d'eau ou du fil à plomb : rien à redire. Maître Jean enrageait ; il n'avait pas le moindre reproche à jeter au visage de Galeran qui le surveillait du coin de l'œil et triomphait en silence.

Un jour l'*operarius* dit à Vincent :

— Ton Jean n'est qu'un jean-foutre. Il est fait pour mener des équipes de compagnons comme moi pour peser le poivre. Depuis un mois que le travail a repris, tu as entendu un murmure, une récrimination ? Tu connais un seul de nos gars qui ait envie d'aller respirer un autre air ? Nous refuserions plutôt du monde. Même tes compagnons se plaisent avec nous. Et pourtant Dieu sait que je ne les aime guère, pas plus qu'ils ne me portent dans leur cœur, surtout cette marionnette de Jonathan.

Jonathan lui-même en convenait :

— Cette grande gueule, ce marchand d'esclaves, un jour ou l'autre je lui clouerai le bec. Qu'est-ce que ça peut lui foutre, nos « simagrées », comme il dit ? Elles n'ont rien d'hérétique. Nous vénérons le Seigneur, et Dieu, et la Vierge Marie autant que lui et, de plus, nous n'avons pas une Margue pour nous faire oublier nos fatigues. Un jour, aussi costaud soit-il, je lui ferai mordre la poussière. Et pourtant je dois reconnaître qu'il a été l'homme de la situation. Il a fait de ce chantier un modèle.

Même son de cloche du côté de la charpenterie.

— Cet enfoiré ne nous quitte pas de l'œil ! Ma parole, il nous prend pour des galériens ! Mais il faut reconnaître qu'il est juste, qu'il aime rire et chanter avec nous dans les moments de pause et qu'il faut pas lui raconter des sornettes sur la nature et la qualité d'une solive.

De même à la forge, au levage, partout !

Sans s'avouer vaincu, maître Jean accepta la situation et renonça à quitter Paris. Après tout il restait le maître et, s'il lui arrivait de se quereller avec Galeran — plusieurs fois par jour — ils finissaient par s'entendre sur des compromis. On le voyait peu sur le chantier si ce n'est pour les inspections du matin et du soir et lors de la paie du samedi. Il passait le plus clair de son temps dans la chambre des traits, à dessiner des modules qu'il confiait aux imagiers et surtout des motifs pour la façade qu'il ne verrait jamais réalisée. Il avait repris son projet de flèche : celle qui devait prendre appui audacieusement sur les piliers du transept et qui serait la plus haute jamais construite à ce jour. Il la voyait fine, élégante, propre à alléger la silhouette un peu massive de l'ensemble. Celles qui devaient couronner les deux tours de la façade, il les étudierait en détail plus tard.

— Ces deux tours, lui disait Vincent, me semblent se suffire à elles-mêmes. Elles seront suffisamment hautes pour donner de l'élan à la façade.

Maître Jean tenait à son idée ; il n'aimait pas remettre en question une décision qu'il avait mûrie. Son idée était que, sans ces flèches de la façade, la cathédrale ressemblerait à une forteresse malgré la légèreté des arcatures, de la galerie des rois de Juda et de la gigantesque rose qui éclaterait au milieu comme l'étoile de David.

Son premier soin, dès son retour, avait été de prendre connaissance du travail réalisé par Vincent durant l'hiver. Il avait pleuré d'émotion devant la Vierge, puis il avait piqué une grosse colère : pourquoi Vincent avait-il cessé de travailler à l'ouvrage qu'on lui avait confié ? Encore un coup de ce gros chanoine ! Il était temps de remettre de l'ordre dans cette chienlit.

— À partir d'aujourd'hui, dit-il, tu reprends ton maillet et ton ciseau. Laisse ce porc promener son groin sur le chantier. Je t'ordonne, moi, de te consacrer à ton portail.

Vincent obtempéra de mauvaise grâce après que le Chapitre eut entériné cette décision. Il avait le sentiment de se trouver rejeté en marge d'une fête. Sa loge devint un sanctuaire, son travail un rite pesant, sa solitude une obsession. Les seules visites qu'il reçut au cours de cet été torride furent celles de maître Jean et de Robin qui, avec le consentement de son père, commençait à dessiner des images et à tailler la pierre.

Il ne trouvait même plus d'agrément à ses moments de liberté.

5

LA NUIT ENSORCELÉE

C'était, disait-on, une bête splendide. Les gens du pays en parlaient comme d'un monstre sorti tout droit de l'Apocalypse. On ignorait où se terrait ce sanglier, mais il laissait de son passage dans les champs des traces énormes avant de disparaître au profond de la forêt.

On en parla le soir qui précédait la fête de la Vierge dans la grande salle du château de Compiègne où le roi et son fils Philippe s'étaient retirés pour échapper à la chaleur et aux miasmes de Paris. Autour de la vieille bâtisse, la forêt d'été encensait sous un ciel couleur de pêche mûre. Il en montait des cris, des chants d'oiseaux, des rumeurs. Au-dessus des marécages, des brumes légères étiraient leurs crinières de fées.

— Il me faut ce solitaire, dit le prince Philippe. Nous partirons en chasse demain à l'aube.

Installé dans un fauteuil, une couverture légère sur les genoux, le roi ne dit mot. Il somnolait dans l'odeur de la forêt, un bienheureux fil de salive au coin des lèvres, son bonnet sur les yeux. Autour de lui, les veneurs royaux se concertèrent du regard. C'étaient des hommes rudes, au visage basané, aux jambes arquées.

— Sire, dit l'un d'eux, il y a trop de risque pour vous à courre ce monstre.

— Nous partirons à l'aube, dit Philippe d'un air buté.

— Le « mal peigné » n'avait pas encore quatorze ans, mais déjà la tête pleine d'idées folles.

À l'aube, en tenue de chasseur, il attendait dans la cour au milieu de la meute. Le temps était beau, avec au fond du ciel des strates de nuages couleur de fumée de bois. La forêt n'était qu'un buisson de cris et de chants.

Toute la matinée, sans succès, la chasse courut la forêt d'alentour, ne s'arrêtant que pour faire reposer les montures. On avait relevé des traces, mais elles menaient vers les grands étangs où elles se perdaient. Les quelques cochons que l'on débusqua, on ne daigna même pas les courre car le prince Philippe suivait son idée : il ne retournerait pas au château sans *son* solitaire.

La bonne alerte ne fut sonnée qu'au début de l'après-midi, alors que les veneurs donnaient des signes de fatigue. Le roi éperonna sa monture pour suivre le train. Mal lui en prit : c'était un cheval capricieux, qui n'aimait pas être broché de force. Il partit comme une flèche à travers la fûtaie et courut si longtemps que le reste de la chasse avait disparu lorsqu'il daigna s'arrêter.

Philippe dominait une éminence de bruyères fouettées par le vent chaud. Autour de lui, l'étendue de la forêt à l'infini. Il laissa reposer son cheval avant de replonger dans l'épaisseur végétale. Il ne lui restait plus, après avoir sonné de la trompe, qu'à marcher au hasard, aucune habitation n'étant en vue.

Il erra ainsi pendant des heures. À la fraîcheur qui montait des sous-bois, aux flaques de lumière glauque qui stagnaient dans les clairières d'abattis, il comprit que la nuit serait bientôt là. Il lui sembla entendre, très lointains, des appels de trompe au-dessus d'un étang paisible sur lequel s'ébattaient des vols de canards, mais le bruit se fondit dans la rumeur du soir.

Aucune trace de vie humaine. Aucune amorce de sentier. Il marcha droit devant lui, la faim au ventre, la gorge sèche. La nuit le surprit en pleine solitude avec simplement, au fil du vent, une odeur rassurante de bois brûlé qui lui affola le cœur. Il devait y avoir un village à proximité.

Il n'y avait pas de village. L'odeur allait et venait, ce qui lui fit dire qu'il tournait en rond. À la mi-nuit, la lune baigna la forêt, suscitant des sentiers de brume qui ne menaient nulle part, faisant danser au moindre souffle des peuples de ténèbres. Le froid le saisit et il s'assoupit. Le cri d'une chouette, juste au-dessus de sa tête, l'éveilla en sursaut. Il sauta à cheval et repartit, l'angoisse au cœur. Environ l'heure des matines, il lui sembla respirer une odeur humaine et distinguer dans la pénombre la structure d'une hutte. C'était une habitation de charbonnier qui semblait abandonnée depuis peu. Le four fumait encore, empanaché de petites fumerolles rassurantes. Il tomba sur un lit de feuilles et s'endormit aussitôt.

Lorsque Philippe s'éveilla, il faisait presque jour. Une forme noire se penchait sur un petit feu de bois au-dessus duquel cuisait une soupe. Lorsqu'il entendit bouger dans la hutte, le bonhomme se redressa. Il était d'une taille gigantesque. Ses yeux brillaient dans un visage barbu, noir de charbon. Il portait une hache accrochée à son cou.

— Arrière ! cria Philippe. Qui es-tu ? Que fais-tu là ?

Il chercha son épieu, mais l'homme le désarma, expliquant dans son patois qu'il était charbonnier et que le « petit monsieur » occupait son « lit ».

— Je suis le fils du roi, dit Philippe. Peux-tu me ramener au château de Compiègne ?

— Nous en sommes loin, dit le bonhomme, mais je connais la direction. Suis-moi.

Durant les mois qui suivirent, il ne se passa guère de nuit que le prince Philippe ne s'éveillât en hurlant. Des forêts dangereuses se refermaient sur son sommeil ; il y errait interminablement, affronté à des bêtes monstrueuses et à des géants noirs. Il tomba malade et l'on crut un moment qu'il allait perdre la raison. Dès qu'il entendait sonner la chasse et aboyer la meute, il courait se cacher dans une cave.

Quelque chose d'étrange habita son regard et ne le quitta jamais.

L'hiver suivant, alors qu'il sentait venir sa fin, le roi convoqua les évêques à Paris dans le palais épiscopal dont on venait d'achever la construction. Il avait décidé d'associer au trône le prince Philippe et de le faire sacrer à Reims comme « roi désigné ». Lui-même, très malade et désormais incapable de se déplacer, n'assista pas à la cérémonie.

De mauvaises langues prétendirent que le prince avait volé le sceau royal et qu'il était désormais le seul maître.

6

ADIEU, TIPHAINE !

Le chœur de la cathédrale se refermait lentement, enrobé dans ses puissants bas-côtés. Une campagne avait été suffisante pour achever d'édifier les gigantesques piliers qui marquaient la limite du transept et terminer la troisième voûte d'ogives. Les dimensions véritables de l'édifice commençaient à se dessiner en clair.

Au printemps, l'évêque Maurice, après avoir fait retraite dans son cher Saint-Victor, reçut sa mère, la dame Humberge, avec son neveu, Jean. C'était une petite vieille au visage vif et rose qui trottait menu dans sa robe de paysanne. Il lui fit visiter ses vignes du Clos-Bruneau dont il était très fier car elles produisaient un des meilleurs vins de Paris, puis il la promena sur le chantier de la cathédrale. Elle voulait tout voir, dire un mot à chacun. Elle distribuait les compliments comme des aumônes mais avec beaucoup de grâce et de simplicité. Arrivée au seuil du sanctuaire, elle s'agenouilla, demanda à son fils et à Jean de faire de même et ils dirent ensemble une prière à laVierge en présence de tous les ouvriers. En son honneur, l'*operarius* Galeran organisa une petite fête et Barbedor fit distribuer du vin. La dame Humberge trinqua avec les compagnons et repartit guillerette.

— Mes amis, annonça l'évêque, bientôt nous célébrerons la messe dans ce sanctuaire. Si Dieu le veut, c'est l'affaire de deux ou trois ans au train où vont les travaux. Le Seigneur, qui nous a donné la volonté, la force et la confiance, ne nous abandonnera pas.

Vincent se souvenait de ce que Tiphaine lui avait dit dans un moment de passion, après l'amour : « Si tu me trompes ou si tu m'abandonnes, je te tuerai ! »

C'est elle qui l'avait trompé et abandonné. Cela devait arriver.

Leurs rapports s'étaient dégradés peu à peu sans que ni l'un, ni l'autre, par lassitude ou par conviction d'une fin prochaine, eût cherché à les sauver. Inexorablement, ils s'éloignaient l'un de l'autre comme ces deux « barques solitaires » dont elle avait parlé naguère.

Les rendez-vous dans la maison de la rue du Figuier s'étaient espacés puis avaient pour ainsi dire cessé. Il était temps, car ces rencontres tournaient très vite à l'aigreur ou à l'indifférence. Ils faisaient l'amour sans chaleur, se querellaient, se quittaient sur des menaces ou des injures.

Il lui jeta crûment ses griefs au visage :

— Pourquoi n'avoir pas l'honnêteté de me dire que Jehan Barbe te fait la cour ? Je ne suis pas aveugle. Je l'ai vu sortir de chez toi et je suppose qu'il ne venait pas te rendre compte de sa mission dans les maisons de jeux et les bordels !

En fait il ignorait si les assiduités du Roi des Ribauds allaient jusqu'à des visites à la rue du Figuier mais il avait visé juste et Tiphaine n'avait pas cherché à nier. Eh bien, oui, elle et Jehan…

— Pourquoi me l'as-tu caché ? Espérais-tu longtemps courir deux lièvres à la fois ? Depuis des mois, je sens que tu m'échappes. Quand tu me regardes, je devine un homme derrière moi. Quand nous faisons l'amour, je sens que c'est quelqu'un d'autre que tu étreins.

Elle avait répliqué avec vivacité :

— Et toi, où vont tes pensées dans ces moments-là ? Tu me donnes l'impression d'accomplir un sacrilège et tu n'as rien de plus pressé en sortant d'ici que d'aller à confesse ! Je te répugne. Tu me méprises. Alors qu'attends-tu pour me quitter ? Les putains te satisferont mieux que moi et sans complications.

— Au point ou nous en sommes, mieux vaut rompre. Rien de bon ne peut naître de la haine et c'est le seul sentiment solide qui nous unisse encore.

Pour la première fois depuis qu'il la connaissait, il l'avait vue pleurer. Elle était de ces femmes qui ne supportent pas d'entendre certains mots comme « adieu ». Il l'avait forcée à se retourner vers lui. Ces larmes sur ce visage long et froid, encore marqué par la colère, c'était pour lui comme du miel.

— Il faut te décider, dit-il. C'est ton « roi » de quatre sous ou c'est moi.

Elle ne savait pas ; elle ne savait plus. Le monde chavirait autour d'elle comme un navire ivre. Il la sentait mollir entre ses bras, fondre d'une tendresse soudaine, redevenir telle qu'elle était avant, prête à se lancer à corps perdu dans une vie ardente. Elle avoua :

— Je ne peux me décider tout à fait, ni pour lui ni pour toi. Je ne sais pas si j'aimerai suffisamment Jehan pour partager sa vie. Il est beau, riche, puissant, plus jeune que toi, et pourtant...

— Tu ne l'aimes pas ! C'est ça ?

Elle hocha gravement la tête, renifla ses larmes, le poussa vers le lit.

— Faisons l'amour une dernière fois, je t'en supplie, et après, si tu ne reviens pas, je me ferai une raison.

Il la prit et ne revint pas. En songeant qu'elle devait l'attendre, il éprouvait une amère délectation. À plusieurs reprises, il alla rôder rue du Figuier, son travail terminé, histoire de jouer avec le feu. Il restait assis de longs moments sur une borne. Un dimanche, n'y tenant plus, il monta jusqu'à leur chambre et trouva porte close. Des voisins lui annoncèrent qu'elle venait de déménager. Il avait transformé son amère victoire en défaite désespérée.

Il tomba malade, délira plusieurs jours dans la fièvre, se remit lentement. Maître Jean veilla sur lui.

— C'est mieux, dit-il. Rien de pire que ces passions refroidies que l'on traîne comme une guenille. Tiphaine n'était pas une femme pour toi.

— Comment savez-vous que Tiphaine et moi...

— Tu n'arrêtais pas de parler dans ton délire. Un vrai moulin à paroles ! Maintenant, tu vas te remettre au travail avec plus d'ardeur et de sérénité. Je n'aime guère ce que tu as sculpté ces temps derniers. Il faudra reprendre tout cela. C'est du temps et de la pierre gaspillés, mais l'essentiel est que tu peux faire mieux. Rien ne presse. Repose-toi. Pendant que tu délirais, j'ai dessiné quelques remplages pour les grandes roses : celle de la façade et celles du transept.

Il étala quelques feuillets sur le lit.

— La difficulté, poursuit-il, c'est de faire tout ensemble léger et solide, mais c'est le principe même de nos cathédrales. Tu te plaignais que le chœur et la nef ne reçoivent pas suffisamment de lumière. Tu seras satisfait...

— L'Étoile de David, murmura Vincent. Mon Dieu, que c'est beau.

— J'ai commencé de même à dessiner les motifs des vitraux du chœur. La semaine prochaine, je les présenterai à Clément, maître verrier de Chartres, le meilleur de toute la chrétienté. Il formera une équipe et se mettra au travail sans tarder. Il faut que ces vitraux soient en place pour la consécration. J'en ai pris l'engagement devant tout le Chapitre réuni par l'évêque.

Il murmura en rangeant les feuillets :

— Sais-tu ce qu'écrivait Denys l'Aréopagyte, il y a sept siècles ? « Les choses visibles reflètent la lumière divine. » À travers nos vitraux, c'est la lumière de Dieu qui nous inondera.

Entre maître Jean et l'*operarius,* les rapports s'étaient stabilisés mais demeuraient froids et distants.

À la longue, chacun s'était cantonné dans ses fonctions : Jean conservait ses prérogatives de maître d'œuvre et Galeran faisait office d'assistant chargé de veiller à la bonne marche du chantier. Ils se parlaient peu mais se comprenaient à mi-mot, persuadés que l'essentiel — la bonne marche des travaux — était préservé.

Il n'y avait pas de mystère. Si le chantier tournait rond, c'était parce que l'argent rentrait normalement dans les caisses de la Fabrique et qu'une poigne de fer tenait les rênes. Le roi, sentant venir la mort, souhaitant voir achevé le chœur et assister à la consécration par l'archevêque de Sens, ouvrait large ses coffres. Lors de la fête de la Vierge, il se fit transporter dans la vieille basilique pour y entendre la messe, puis sur le chantier de la nouvelle cathédrale où il pria longuement au milieu des siens.

Vincent travaillait avec acharnement. Il avait tant à oublier qu'il cherchait avant tout à s'oublier lui-même dans son œuvre. En deux mois, dans le courant de l'automne, il acheva le linteau inférieur que maître Jean, non sans raison, lui avait demandé de reprendre. Il réalisa même, pour le mariage d'Anne et de Joaquim, une scène ravissante en avancée sous un petit dais. Présenté au Chapitre, ce linteau fit l'unanimité et certains crièrent au chef-d'œuvre. Chaque personnage de cette longue fresque semblait se détacher de la pierre pour vivre sa vie propre, faire des gestes qui lui étaient familiers, porter les vêtements de son ordinaire. Il s'en dégageait une impression de fête grave et sereine.

Vincent allait s'attaquer avec la même ardeur et la même sérénité, le jour des Saintes Reliques, au tympan central lorsqu'un personnage resurgit inopinément : Jacoba.

LIVRE IX

« Maître, vous m'avez appris la lumière, sa science et sa magie. Elle était pour moi comme tous les bienfaits de Dieu : si évidente qu'on ne soupçonne même pas qu'elle puisse cesser d'être. Et soudain elle m'a traversé comme une lance ; elle est devenue non seulement réalité mais bienfait et j'ai béni Dieu de la dispenser si largement aux aveugles que nous sommes, auxquels il faut arracher une à une leurs écailles pour qu'ils soient sensibles aux évidences. Apprendre à aimer la lumière n'est pas simple. Cela demande un apprentissage des sens avant celui de l'esprit. Apprivoiser la lumière, celle du soleil comme celle d'une humble chandelle sur une table de travail, la caresser, se laisser caresser par elle, garder seulement en nous ces atomes impondérables qui n'ont pouvoir que sur l'esprit et sur l'âme, telle est la première étape d'un long cheminement initiatique. Ensuite il faut apprendre à vivre avec elle, à chaque heure du jour, en imprégner ses moindres pensées, faire que chaque action, chaque réflexion soient comme une prière à la lumière et donc à Dieu à travers elle puisqu'elle est la manifestation de sa présence terrestre. Les hommes de jadis, les bâtisseurs des sombres basiliques que remplacent nos lumineuses cathédrales, ignoraient la lumière ou s'en méfiaient. Ils étaient les héritiers de siècles de souffrance et de mort ; ils s'enfouissaient au plus profond de la terre, dans des caves, dans des cryptes où chacune de leurs prières avait l'accent d'un De profundis. *Ils enterraient Dieu avec eux comme un cadavre, dans un œuf de ténèbres. Ils se lovaient dans le désespoir qui engendre une foi machinale et sans chaleur. La révélation des temps nouveaux est venue avec l'arc d'ogive, du génie d'un homme inspiré de Dieu, dont nous avons perdu le nom mais dont l'idée s'épanouit sur le monde entier comme un bouquet de fleurs inversées. Cet homme a compris que c'était péché*

que d'emprisonner la lumière ou de lui interdire l'accès de la maison de Dieu ; il a compris qu'il fallait bâtir autour d'elle, lui donner une structure. L'élément essentiel de nos cathédrales, ce ne sont ni la pierre, ni le bois, mais la lumière. Ce n'est pas la cage qui importe mais l'oiseau et tant mieux si la cage est belle et si l'oiseau n'y trouve pas une prison mais un refuge. Maître, vous m'avez appris à aimer la lumière moins par ce qu'elle exprime de beauté que de divinité. Vous avez pris dans l'atelier du verrier quelques fragments de ce verre épais, irrégulier, plein de bulles et de pailles, imparfait comme toute œuvre humaine, et vous les avez levés vers le soleil et il est tombé sur le sol, à l'oblique, parmi les gravats, des pétales de lumière, et vous avez dit :
" Tu vois, Vincent, l'artiste interprète le cadeau de Dieu, le " modèle, le transforme pour que l'homme y soit plus sensible. " De cette lumière nue, imperceptible par l'œil dans sa finalité " divine, il fait un bouquet. Tu as vu Saint-Denis, Chartres, " Senlis... Tu as assisté à ces fêtes de lumière qui rendent Dieu " plus évident et plus présent aux fidèles. C'est l'œuvre du " constructeur, intermédiaire entre Dieu et les hommes... " Et vous m'avez parlé de Notre-Dame comme jamais auparavant, et vous avez suscité dans la clarté grisâtre du chœur qui sent encore le mortier frais, un jardin où Dieu, la Vierge, Jésus, les archanges, les saints, les apôtres trouveront chaque matin, au lever du jour, une rosée de lumière pour leurs pieds nus... »

1

LA CATHÉDRALE DES NEIGES

Le roi descendait doucement vers sa mort ; il semblait jouer avec elle depuis des années, lui marchander les derniers jours de sa vie. Ce n'était plus un roi. À peine un homme. Il ne quittait plus son lit, ne donnait audience qu'une heure par jour et on lui laissait croire qu'il s'agissait de choses capitales. Un reflet d'homme, une illusion de pouvoir. Celui qui gouvernait, qui possédait le sceau, c'était cet adolescent au regard trouble, au visage chafouin, aux gestes nerveux, aux décisions brutales : Philippe.

Le jour où le vieux roi pleura sur le sort de ces Juifs auxquels le concile de Latran, présidé par le pape Alexandre, défendait d'employer un personnel chrétien, on le laissa pleurer. Il fallut bien se résoudre, quelques semaines plus tard, à prendre au sérieux ce moribond lorsque, le plus légitimement du monde, il appela son conseil et lui dicta ses décisions ; il voulait que l'on reconnût à la ville d'Étampes l'existence légale d'un prévôt de la communauté juive, avec les pleins pouvoirs pour arrêter et incarcérer les débiteurs défaillants, sans exclusive.

— C'est le monde renversé ! protestait-on dans les couloirs du Palais. Non seulement les Juifs possèdent la moitié de nos villes mais encore ils pourront jeter en prison ceux d'entre nous qui tardent à régler leur dette à ces usuriers honnis du Seigneur !

On parla de déclarer le roi inapte à exercer son pouvoir et de condamner sa chambre. Encore heureux qu'il n'eût pas étendu ce décret à Paris, mais cela se produirait si l'on n'y mettait bon ordre. Avant que l'on eût pris cette décision draconienne, Louis avait écrit au pape Alexandre pour protester contre le décret du concile concernant les domestiques chrétiens. Le Saint Père ayant refusé d'obtempérer, il décréta, à titre de compensation, que les Juifs auraient le droit, sinon d'élever de nouvelles synagogues dans le royaume de France, du moins de rebâtir celles qui menaçaient ruine. C'était le cas de celle de la rue de la Juiverie où l'on vit bientôt s'activer une équipe de maçons.

Timidement, des marchands, des secrétaires, des médecins juifs s'enhardirent à retourner au Palais et à se laver de toutes les médisances qui avaient motivé leur éviction sous la pression de l'Église.

Ezra se décida à son tour sur les instances de ses correligionnaires. Il était presque aussi malade que le roi mais ses talents étaient intacts. Il avait l'avantage, étant frappé d'une surdité profonde, de ne pas entendre les quolibets et les injures qu'on lui jetait au passage. Durant ces longues années de solitude et de misère, il avait poursuivi ses recherches et s'usait les yeux sur des grimoires qui circulaient sous le manteau depuis Montpellier, capitale de la médecine occidentale. Il put ainsi faire bénéficier son royal patient de cette science inemployée et le soulager, bien qu'il eût compris dès sa première visite qu'il ne subsistait aucun espoir de guérison.

La maison de la Petite-Madian se rouvrit à la lumière et aux visites. Il y eut de nouveau des fleurs et des rideaux aux fenêtres.

Un jour de printemps, une semaine ou deux après la décision libérale du roi, Vincent poussa jusqu'à la synagogue ceinturée d'échafaudages. C'était une vieille bâtisse lézardée, verdie, qui semblait aussi malade et affligée que l'image sous laquelle on la représentait dans les édifices des gentils : tête basse, yeux bandés et une croix brisée sur le bras. Il y avait beaucoup à faire mais la richesse de la colonie juive y pourvoirait.

Les travaux n'avaient pas interrompu les offices. On célébrait justement celui du Sabbat car c'était un samedi. La synagogue était comble et resplendissait de lumières et de chants. Vincent allait se retirer lorsque les premiers fidèles commencèrent à se disperser, l'office terminé.

C'est alors qu'il aperçut Jacoba. Elle s'avançait en tenant son père par le bras, vêtue d'une longue tunique gris perle avec comme seul ornement une ceinture à laquelle pendait une aumonière brodée ; un chaperon de velours grenat lui enserrait étroitement la tête et la faisait paraître plus maigre. En apercevant Vincent, elle se dirigea droit vers lui après avoir laissé son père en compagnie d'un groupe de correligionnaires.

— Tu n'imagines pas ce que c'est bon, la liberté, dit-elle, comme si elle reprenait une conversation interrompue une heure avant. Je revis ! Ces odeurs de Paris, cette lumière, ces bruits... Il me semble que je ne les avais jamais ressentis auparavant. Et tu es là, Vincent ! Tu m'attendais, n'est-ce pas ?

Il n'osa la contredire. Il l'attendait. Il était décidé à rester jusqu'à la fermeture des portes. Jacoba était longue, pâle, mais il émanait d'elle cette sorte de lumière gris laiteux de certains vitraux. Il n'ajouta rien, se contenta de l'écouter parler, et elle était intarissable, joviale et, à plusieurs reprises, elle se prit à rire en mettant la main devant sa bouche pour cacher une dent gâtée.

— Tu n'as pas changé, dit-il. Tu es même plus belle qu'avant.

Elle eut un rire sec.

— Je suis belle ? Ah, oui ! Comme une rave qui aurait poussé dans une cave. Il est vrai qu'aujourd'hui, en ta présence, je me sens comme autrefois, tu te souviens, sous l'orme Crève-Cœur. Tu y es revenu en mon absence ?

Il mentit en prétendant y être revenu, ajouta que chaque jour il passait par la rue du Port-aux-Œufs ou sur la rive de la Seine d'où il apercevait sa maison.

— Cette maison était devenue une tombe, dit-elle tristement. Mon père et moi vivions comme si la mort était à notre porte. Il m'arrivait de rester une semaine sans mettre le nez dehors. C'est la petite servante arabe des Daoud qui nous portait le nécessaire. Nous avions fini par nous habituer à cette sorte d'agonie.

Elle ajouta en regardant la pointe de ses souliers éculés :

— Je ne t'ai pas oublié. Je t'ai aperçu souvent sur le chantier et je t'ai même parfois croisé dans la rue mais tu ne pouvais pas me reconnaître car je baissais mon capuchon en passant près de toi. Quand tu étais passé, je me retournais.

Elle ajouta vivement :

— Je dois rejoindre mon père. Sans moi, il est perdu. Tu sais qu'il a de nouveau ses entrées au Palais ? Notre solitude et notre misère sont terminées. J'ai été heureuse de te revoir.

— Nous nous reverrons encore. Il le faut. Je pourrais te rejoindre chez toi...

— Je ne sais pas. Je me méfie de cette sorte de bonheur car j'ai l'impression qu'il cache quelque chose de dangereux. Pardonne-moi ! Je sors d'une cave et la lumière me brûle les yeux...

Lorsqu'il revit Clémence, il l'entretint de sa rencontre avec Jacoba.

— Tu l'aimes encore ?

Il la regarda d'un air hébété. Cette question n'avait pas de sens. Il ne l'aimait pas comme avant ; il ne l'aimait pas non plus comme Tiphaine ; l'envie de la posséder ne l'avait même pas effleuré. En revanche, à peine l'avait-elle quitté qu'il avait eu envie de courir pour la retrouver. Il avait besoin d'elle comme d'air et de lumière.

— Eh bien, dit Clémence, je crois que c'est ça, l'amour. Je t'envie et je te plains. Tu vas connaître un bonheur intense et tu souffriras beaucoup. Ce que tu as éprouvé pour Tiphaine n'était rien à côté car vous étiez maîtres de vos destinées. Seras-tu assez fort pour assumer ce sentiment ? Fera-t-il bon ménage avec ton travail sur le chantier ?

Il regardait monter dans le ciel du printemps les deux robustes piliers dessinés par maître Jean, qui marquaient l'entrée du sanctuaire et sur laquelle reposaient les arêtes. Sur celui de droite un maçon était juché, pareil à une victoire ailée au sommet d'une colonne grecque.

— Ce dont je suis certain, dit-il, c'est qu'avec Jacoba c'est maintenant à la vie et à la mort. Je n'ai jamais pu l'oublier. J'ai toujours eu le sentiment qu'elle ressurgirait et que tout serait changé. Elle est revenue et c'est vrai que rien n'est comme avant.

— Méfie-toi de maître Jean. S'il apprend...

— Il ne peut rien m'interdire et d'ailleurs j'ai l'intention de lui parler. Pourquoi me cacherais-je ? Les temps sont révolus où fréquenter des Juifs était considéré comme un crime. Le roi...

— Je sais ! Mais combien lui reste-t-il à vivre ? Lorsqu'il sera mort et que Philippe régnera sans contrôle, ce sera une autre affaire.

Cette perspective, il refusait de l'envisager. Il était trop préoccupé de son bonheur tout neuf. Il était bouleversé par cette rencontre au point qu'il n'arrivait pas à fixer son attention sur le linteau central du tympan, qu'il s'apprêtait à attaquer et qu'il aurait terminé avant la fin de l'été — c'était celui qui figurait des scènes de la vie de la Vierge, avec la Présentation, l'Annonciation, la Visitation, la Nativité, l'Annonce faite aux bergers, Hérode et les Rois mages...

Il se lamentait :

— Comment faire tenir tous ces personnages et ces événements sur quelques brasses ? Les dessins que j'ai réalisés ne me satisfont pas.

Tout est trop rapide. Le regard court, passe d'une scène à une autre et n'en retire aucune émotion.

— D'autres avant toi, répondait maître Jean, ont connu ces doutes. Tu pourrais consacrer tout ton portail à la Nativité et tu trouverais encore que l'œil court trop vite. Cela prouve que tu es attaché à ton œuvre, mais il faut savoir maîtriser sa propre émotion parce que, de toute manière, ce que tu ressens, personne ne le ressentira de la même façon. Le talent, ce n'est pas de tout dire, mais de traduire l'essentiel. Un visage de statue marqué par la joie, la tristesse ou l'espoir en dit plus que tout un portail. Si tu travailles avec amour, cet amour sera perçu à travers ton œuvre.

Il ajouta en reprenant la liasse des dessins :

— Ton premier linteau est chargé en personnages au point, c'est vrai, que l'œil s'y perd et ne retient pas grand-chose. Tu devrais éclaircir le second de matière à faire une liaison avec le linteau supérieur qui comporte seulement six personnages mais de plus grandes dimensions.

Maître Jean affirmait dans ces propos son goût de l'équilibre. Sur une base drue, robuste, asseoir un étage plus léger, puis un autre plus léger encore, jusqu'à l'arc d'ogives des voussures, symbole d'immensité. La lumière naissait du moindre de ses propos ; il n'avait jamais paru aussi maître de son art, aussi proche de la perfection après laquelle il courait depuis qu'il avait dessiné sa première esquisse. Il disait :

— Cette cathédrale que j'ai conçue hier n'est pas celle que je construirais aujourd'hui. J'aurais dû me montrer plus audacieux. D'autres sont en train de nous dépasser. Nous aurions dû prévoir un chevet plus haut, flanquer le chœur d'arcs-boutants au niveau des voûtes, concevoir une façade plus large, des portails plus majestueux, mais ç'aurait été compter sans les réticences de la Fabrique.

Il ajoutait :

— J'aimerais en finir rapidement avec Notre-Dame pour m'attaquer à une autre cathédrale sans retomber dans mes erreurs et mes timidités.

Cette nouvelle cathédrale, il y songeait comme si la première campagne allait débuter :

— C'est l'élan qui doit primer, disait-il en crayonnant avec fièvre sur une aire de plâtre. Cette cathédrale devra être un modèle d'équilibre dynamique. Celle que nous construisons ne donne guère l'impression de prendre son vol ! C'est une cathédrale pour les bourgeois d'une ville de marchands qui aiment les choses solides, ancrées à la terre, symétriques. Moi j'aurais aimé construire une cathédrale pour les poètes, les philosophes, dont chaque pierre soit un rêve ou une pensée, chaque colonne une prière, qui suscite une impression de vertige, où il suffirait de pénétrer pour se sentir baigner en Dieu, dont les murs seraient des vitraux et distilleraient des lumières de paradis. Ma façade, elle aurait cette allure et je donnerais cette dimension à la flèche...

Il annonçait un jour qu'il ne resterait pas un an de plus dans ce Paris qu'il n'aimait guère — à la fois Sodome et Babylone —, où il fallait attendre les aumônes des bigots pour édifier la maison de Marie ; le lendemain, il se demandait s'il ne lui faudrait pas dix ans pour réaliser le transept et poser ses deux grandes roses.

« Il parle parfois comme André Jacquemin », songeait Vincent. Il le mettait discrètement en face de ses contradictions et maître Jean répondait :

— J'ai souvent eu envie de passer la main à un autre maître d'œuvre. Ils ne manquent pas ! Guillaume de Sens, par exemple, qui est revenu de Canterbury estropié mais plein de vie. Mais tu es là et je ne peux me résoudre à me séparer de toi. Tu es ma seule famille, mon seul véritable ami. Malgré Robin, je me sens étranger chez les Thibaud, cette maison où l'on ne parle qu'argent et commerce, où le souci principal du chef de famille, depuis la mort de dame Bernarde, est de s'assurer par des dons substantiels une place en paradis et d'avoir plus tard, dans l'une des tours, une cloche qui porte son nom.

Il en parlait peu mais en rêvait beaucoup de cette « cathédrale des neiges », comme disait Vincent. Située au cœur de la Norvège, elle dressait déjà dans sa tête son jet puissant au-dessus des forêts et des lacs où il avait passé une année dans sa jeunesse vagabonde, après avoir quitté sa maison natale de Chelles.

— L'argent ne manque pas là-bas, dit-il, ni la main-d'œuvre. Nous pourrions y réaliser la cathédrale des temps futurs. Seul, je ne partirai pas, mais avec toi, Vincent, tout serait possible. Nous pourrions unir en Dieu nos solitudes.

— Je ne suis pas seul, maître, vous le savez bien !

Maître Jean lança violemment son charbon sur la planche à dessin. Cette Juive était décidément possédée d'un entêtement diabolique. Qu'espérait-elle ? Ignorait-elle qu'un chrétien ne peut épouser une Juive ? Ils en étaient convenus naguère, au cours de leurs entrevues secrètes.

— Tu ne peux épouser Jacoba. La loi est formelle.

— C'est pourquoi nous n'y songeons pas. Elle respecte mes croyances et moi les siennes. Nous sommes libres de vivre ensemble !

— Le concubinage est interdit au maître d'œuvre.

— Je ne suis pas maître d'œuvre et j'ai mis le doyen Barbedor au courant de mes rapports avec Jacoba. Il ne s'y est pas opposé.

À la suite de cette discussion, leurs rapports se figèrent. Le seul lien entre eux, en dehors de leurs relations de travail, était Robin, mais ce garçon ne se plaisait qu'en la compagnie de Vincent et son père en concevait une amertume agressive.

— Robin, où as-tu pris ce modèle de rinceau ?

— C'est maître Vincent qui l'a dessiné pour moi.

— Tiens-t'en aux modèles que je te fournis. Celui-ci est laid, plat, sans originalité.

Lorsque Robin lui rapportait ses propos, Vincent maîtrisait mal sa colère.

— C'est donc l'avis de ton père qu'il faudra suivre désormais.

— Alors je préfère renoncer. Je me ferai nautonier ou marchand comme mon grand-père, ou chantre comme le souhaitait ma mère.

Robin boudait un jour ou deux puis on le voyait reparaître sur le chantier, une liasse de dessins dans sa ceinture.

Celui-là, il ne serait ni chantre ni marchand...

2

UN VITRAIL POUR MARIE

Le roi mourut à l'automne dans son palais de la Cité, aussi discrètement qu'une feuille morte qui se détache dans le vent.

Le train du Palais n'en fut guère affecté, Philippe étant en âge de remplacer son père sur le trône. Il s'était marié le printemps précédent à une princesse de Hainaut, Isabelle, et comptait bien réveiller le royaume de la torpeur dans laquelle l'avait plongé l'interminable agonie du vieux souverain. Il avait fait de Thomas Becket son champion ; le sang du martyr de Canterbury, victime des fureurs du roi d'Angleterre, le hantait et il s'était promis de le venger.

En attendant la guerre qui ne tarderait pas à éclater, il remit en cause la gestion de son père et commença à prendre des mesures pour que les conséquences de ses faiblesses fussent réparées.

Pour cette guerre à laquelle il se préparait, il manquait l'essentiel : une armée puissante et aguerrie. Cela supposait une opulence financière qui n'existait pas. L'argent, il savait où le trouver : chez les Juifs. Ils possédaient la moitié de Paris ; on leur ferait rendre gorge.

Un de ses conseillers lui avait soufflé une méthode à l'oreille ; plusieurs rois de France y avaient eu recours dans des circonstances similaires. Les Juifs avaient les biens et l'argent ; on les spoliait et on les chassait ; quelque temps après, on leur permettait de se réinstaller, de retrouver par leur négoce leur fortune passée puis, de nouveau, on les dépouillait avant de les jeter vers ces territoires des comtes de Toulouse où on les accueillait libéralement.

Tiphaine se montrait indifférente au travail de Vincent ; Jacoba s'y passionnait.

Elle l'attendait chaque soir au retour de son travail. Il avait renoncé, comme il le faisait auparavant, à travailler la nuit, à la chandelle. Il partait à la cloche et, après une rapide toilette, passait saluer Jonathan et ses compagnons qui préparaient par beau temps leur fricot en plein air, celui du réfectoire n'étant pas toujours de leur goût.

Tout le temps que dura l'agonie du roi, le vieux médecin était resté au Palais, dans un cabinet contigu à la chambre du moribond, où il avait installé son attirail : poudres, onguents et grimoires. La reine Adèle venait parfois le visiter pour se faire expliquer l'évolution de la maladie qui s'était aggravée à la suite d'un retour de Saint-Denis sous une pluie glacée. Tout ce temps, Jacoba était restée seule dans la demeure de la Petite-Madian.

Enroulés dans une couverture, ils s'installaient dans deux fauteuils d'osier et regardaient les derniers navires remonter le fleuve et battre les moulins du Temple. La fraîcheur venait vite et, avec elle, des odeurs de moût montant de la berge où les bourgeois venaient nettoyer leur futaille à l'approche des vendanges. Il lui parlait de Jacquemin que l'on avait retrouvé noyé, coincé dans la roue d'un moulin. Il avait longtemps hésité à lui raconter ses amours avec Tiphaine et c'est elle qui l'en avait prié. Ils évoquaient les nouvelles du jour, que Jacoba avait recueillies au palais où elle rendait une visite quotidienne à son père. Elles étaient inquiétantes. Avec la complicité de la reine Adèle, qui avait mal accepté le mariage de Philippe avec la princesse de Hainaut, une armée anglaise avait débarqué en Normandie, mais le traité de Gisors avait brisé son élan et Paris respirait.

Ils parlaient surtout du chantier.

Jacoba ne l'avait pas perdu de vue ces dernières années où elle était restée seule après son aventure manquée avec Simon Güel qui, depuis, était marié et avait fait trois enfants à la grosse fille d'un Juif espagnol.

Jacoba montait souvent par un étroit escalier en colimaçon jusqu'aux tribunes de la vieille basilique Saint-Étienne. Par une ouverture pratiquée dans un vitrail éventré elle vivait un moment l'existence quotidienne du chantier. Elle connaissait même certains maîtres, compagnons ou manœuvres, par leur nom et elle imitait pour s'amuser l'*operarius* Galeran en train de les interpeller. L'hiver, elle restait parfois jusqu'à la nuit, regardait, la gorge serrée, s'allumer la chandelle dans la loge de Vincent et les compagnons de Jonathan quitter l'enceinte à grand bruit en chantant. Elle avait suivi les progrès de la construction et ses aléas ; elle était là lorsque une clé de voûte s'était détachée et avait failli écraser un groupe parmi lequel se trouvait Vincent ; les querelles ne lui avaient pas échappé : celles de maître Jean et de Galeran ou de Barbedor et du templier-banquier. Elle avait aussi aperçu la mère de monseigneur Maurice. Le soir, elle regardait avec un sentiment de pitié remonter ces hommes noirs de boue qui creusaient de nouveau le sol de l'île pour y établir les fondations du transept.

Vincent lui montrait ses esquisses, ses dessins achevés et ils en discutaient longuement.

Elle avait un sens inné de l'équilibre des formes et des volumes. Elle n'aimait guère le linteau supérieur du portail de Sainte-Anne : celui qui représentait l'Annonciation et la naissance de la Vierge. Les personnages semblaient bouder autour de ce lit qui occupait trop de place ; des espaces vides creusaient des alvéoles qui semblaient destinées à servir de nid aux anges ; Hérode semblait s'ennuyer ferme sur son trône... En revanche, elle aimait le linteau inférieur, sa foule, son animation, et surtout le dais avancé sous lequel Anne et Joaquim échangeaient leurs serments.

— Peut-être ai-je tort, disait-elle. Peut-être ces détails qui me déplaisent étaient-ils nécessaires à l'équilibre de l'ensemble du portail...

— Il se peut aussi que tu aies raison, mais dis-toi que ce portail doit respirer. Il faut que l'air circule entre les personnages, que, de l'entassement du linteau inférieur, naisse une certaine liberté de mouvement qui s'épanouisse librement dans le tympan. Maître Jean est d'accord avec moi. C'était même son idée première. Tout part de la terre pour monter au ciel en s'allégeant. Les voussures aideront à susciter cette idée d'élan, d'infini, d'empyrée...

Elle n'aimait guère non plus cette contradiction entre la courbure supérieure du tympan et l'ogive qui la prolongeait. Cela ressemblait à un rattrapage maladroit. Là, Vincent faillit se fâcher, mais il n'en fit rien car il sentait que Jacoba avait raison. Il tenta de se justifier : ce détail constituait la transition entre les époques ancienne et moderne, entre la courbe et l'arc brisé. N'était-elle pas sensible à l'évolution entre la ligne droite des linteaux, la ligne courbe du tympan et l'élan ogival ?

Jacoba souriait avec indulgence, lui donnait raison. Ils riaient, s'embrassaient, faisaient une dînette d'amoureux dans la pénombre du jardin. La tourterelle picorait les miettes sur la table. Ils ne sentaient plus la puanteur puissante du fleuve, ils n'entendaient plus les cris des étudiants ivres qui venaient cogner aux portes des Juifs et pisser sur leurs bornes-montoirs, ils ne sentaient plus la fraîcheur qui tombait des basses branches. Dans la pénombre, une lumière mate se dégageait du visage de Jacoba, de sa main qui caressait la gorge de la tourterelle endormie sur son épaule.

Lors de leur première rencontre, il avait dû insister pour qu'elle lui permette de passer la nuit sous son toit. D'ordinaire, c'était la petite servante arabe des Daoud qui veillait sur elle depuis que des voyous avaient tenté, en y entassant des fagots, d'incendier le portail donnant sur la rue. Ils avaient de longues nuits paisibles et sages, s'aimaient sans fièvre mais intensément, s'endormaient dans les bras l'un de l'autre.

Pour éviter d'attirer l'attention, Vincent repartait avant le jour. Il s'arrêtait quelques instants pour regarder vers l'Orient le fleuve prendre des couleurs de vitrail.

— Alors, petit, tu as bien réfléchi ? Qu'est-ce que tu veux être : sculpteur ou verrier ?

Maître Clément s'asseyait près de Robin sur une souche de hêtre en s'essuyant le front. C'était un vieil homme au visage couturé de rides profondes, qui paraissait avoir été cuit au four. Dans cette argile brune s'ouvraient des yeux d'un bleu argenté, lisérés de paupières rouges. En parlant, il caressait sa barbe un peu folle.

— Tu veux que je t'explique ? Bon. J'espère que maître Jean n'en prendra pas ombrage. Il est de mauvais poil, ces jours-ci... Tu vois ce bois qu'on est en train d'enfourner dans cette sorte de cabane d'argile montée sur une armature de fer ? C'est du hêtre. Pourquoi ? Parce que le hêtre donne une flamme claire et très chaude et qu'on se sert de sa cendre pour la fabrication du verre.

Il se levait, partait en roulant les épaules vers un ouvrier, se mettait à l'engueuler à grands ramages de voix qui ressemblaient parfois à des mugissements lorsque le manchon qu'on sortait du four était trop chaud ou trop froid, que l'apprenti ne mettait pas assez de nerf pour touiller le mélange de sable, de cendre et de colorant, parce qu'une plaque déroulée à la baguette était « froide comme le cul d'un vieux moine » et risquait de se briser...

Il revenait en bougonnant s'asseoir près de Robin. Il fallait avoir l'œil et l'oreille à tout, être en dix endroits à la fois comme le bon Dieu, rouspéter quand on avait envie de rire, plaisanter quand il aurait fallu bougonner parce que ces gens étaient susceptibles en diable.

— Pour les garder dans son équipe, c'est toute une affaire. Tu vois le petit maigrichon, là-bas, c'est un Italien : Gino. Un maître dans sa partie qui est le soufflage. Le gros est un Espagnol de Tolède : Sanche. Il n'a pas son pareil pour dérouler les manchons. Le petit rouquin qui transpire comme lard au soleil vient de Flandre et il a très mauvais caractère. Pour bien tenir les rênes, il faut parler trois ou quatre langues et autant de dialectes. J'aurais fait fortune comme truchement à la Tour de Babel !

Il désignait l'auvent de vastes dimensions que les charpentiers avaient construit au printemps de l'année précédente, sous lequel travaillaient avec lenteur et application le maître verrier et ses compagnons.

— Ceux-là, petit, c'est la crème. Il faut leur parler comme à des Éminences, leur donner du « maître » gros comme le bras, éviter de les bousculer comme s'ils étaient aussi fragiles que le verre qu'ils manipulent. En ce moment, ils sont en train de travailler au couronnement de la Vierge sur les maquettes de maître Jean. C'est pas le moment d'aller leur chatouiller les orteils. Tu as vu comme ils t'ont reçu, hier, quand tu as piétiné leurs brisures !

Ils travaillaient sans un mot, dans le recueillement, certains sur un établi blanchi à la chaux où ils découpaient le verre en opérant par transparence à l'aide d'un fer chaud, en grandeur nature. Dans ce domaine magique, la création prenait des allures de Genèse. Quand le soleil du matin touchait le ventre de cette caverne, il faisait un bûcher de lumières irisées.

Maître Clément alla secouer les puces d'un souffleur ou d'un mélangeur et revint en tenant une brisure.

— Tu vois, petit, ça n'a l'air de rien, ce morceau de verre et tu ne te baisserais pas dans la rue pour le ramasser. Et pourtant ce que j'ai pu en passer, des jours et des nuits avant de trouver cette coloration. En apparence, qu'est-ce que tu vois ? Du verre blanc, avec plein de bulles, de pailles, de boursouflures, mais ça n'est rien et ça ne se verra pas lorsque le vitrail sera suspendu en plein ciel. Ce qui compte, c'est la lumière qu'il va filtrer et il faut que le vitrail soit aussi lumineux par temps de pluie que sous le soleil. Ça, c'est le hic ! Ce verre n'est pas blanc, petit, il est nacré. J'ai trouvé le secret dans mon atelier de Chartres, il y a près de quarante ans, après avoir touillé des tas de mélanges sur mon athanor. Avec tous les verres que j'ai brisés parce qu'ils ne me satisfaisaient pas, on aurait pu faire une grande rose ! Ne me demande pas la composition du mélange. Je ne l'ai révélé à personne. Peut-être le jour de ma mort, et encore pas à n'importe quel gougnafier. Ce que je peux te dire, c'est qu'il faut jeter dans le creuset quelques gouttes de « spiritus mundi » et une once de poudre de perlimpinpin.

Robin était là le jour où l'on installa dans le chœur le vitrail de la Vierge. Un événement. Tout le Chapitre était présent, et l'évêque malgré ses rhumatismes, et les maîtres, et les compagnons. Il se tenait entre Vincent et son père.

Sertis de plomb, enveloppés d'une touaille, liés à des cordes, les panneaux étaient hissés un à un avec tout un luxe de précautions jusqu'à la claire-voie où les éléments d'une armature de métal entrecoupaient l'espace d'une fenêtre derrière des échafaudages légers. Barbe au vent, maître Clément présidait à l'opération. On l'entendait jeter des ordres et des insultes, se démener au ralenti comme s'il craignait qu'un geste trop brusque fît éclater un panneau. Les ouvriers mirent tant de cœur à l'ouvrage que, le soir venu, le vitrail était entièrement monté.

Robin retourna seul sur le chantier désert alors qu'il restait encore quelques traînées de lumière dans le ciel. Il connaissait les vitraux de Saint-Denis, ceux de Chartres, mais aucun ne lui semblait aussi beau que celui-ci. Enchâssé dans ce bloc de pierre et de nuit, il était presque aussi lumineux qu'en plein jour.

— Tu regarderas bien, lui avait dit maître Clément, la couleur bleue. Tu ne trouveras nulle part la même. Elle m'a donné du mal !

La nuit était tombée que Robin était encore là, assis sur un chapiteau récusé, les poings entre les genoux, pris dans cette solitude, ce silence, cette immensité verticale comme au cœur d'une planète morte qui se dirigerait à travers l'espace vers un lointain paradis.

3

L'OR D'ISRAËL

La nouvelle n'avait pas tardé à franchir les murs du Palais : le jeune roi venait de publier un édit contre les Juifs, mais les bruits manquaient encore de cohérence et de précision. Selon certains, le roi se contenterait d'un impôt exceptionnel sur leur fortune et leurs biens pour financer la guerre imminente contre les Plantagenêt ; selon d'autres, tous les Juifs seraient chassés de Paris et d'Île-de-France ; certains allaient jusqu'à prétendre qu'ils seraient emprisonnés, totalement spoliés et finalement brûlés.

Ce matin de février, Vincent était occupé à fignoler la frise de temples et de châteaux miniatures courant entre le linteau supérieur et le tympan du portail de Sainte-Anne quand la servante maure de la famille Daoud vint lui porter un billet qu'elle glissa entre deux planches de l'enceinte. Le vieil Ezra était retenu au Palais sous bonne garde, peut-être incarcéré. Daoud avait appris cette nouvelle la veille, alors qu'il revenait de livrer une pièce de drap pour une dame d'honneur de la reine mère. Il avait pu franchir in extremis la porte donnant sur le bâtiment appelé la Salle-du-Roi et le Pont-au-Change. Lorsqu'un sergent de la Prévôté l'avait interpellé, il avait jeté un nom à consonance italienne et avait répondu avec assurance qu'il revenait de chez la reine et qu'il était lombard. Il n'en menait pas large ; la moindre défaillance l'eût fait retenir au Palais comme suspect. La reine l'avait prévenu discrètement : une vaste opération allait se déclencher. Elle avait ajouté :

— Philippe est fou, mon bon Daoud. D'abord, il épouse cette fille du Hainaut. Ensuite, il s'en prend aux Juifs que son père protégeait et qui sont l'une des sources de la fortune royale.

Vincent abandonna son travail et courut chez Ezra. Jacoba était absente. Chez les Daoud, on l'avait vue partir en direction du Palais par la rue de la Pelleterie, après avoir envoyé la servante porter le billet au chantier. Elle n'avait même pas pris la peine de revêtir un manteau et il tombait une neige molle et glacée.

Malgré le temps, des groupes stationnaient rue de la Barillerie et jusqu'aux abords du Palais, parlaient à voix basse en promenant sur les passants des regards inquiets. Des cavaliers circulaient au galop en criant des ordres en rafale :

— Ne restez pas ici ! Dispersez-vous !

En longeant les murs, Vincent parvint jusqu'à la petite place qui précédait l'entrée principale gardée par un cordon de soldats, jambes écartées, la lance en travers des cuisses. Avisant un capitaine, il lui demanda s'il avait vu peu de temps auparavant une femme dont il donna la description. Le capitaine hocha la tête. C'était sûrement cette Juive très sèche qui avait fait un scandale en prétendant vouloir rejoindre son père.

— Tu le connais ? Tu es de ses correligionnaires peut-être ? Viens un peu t'expliquer à la Prévôté !

— J'aimerais d'abord rencontrer le chancelier Gautier Barbedor. Je travaille sous ses ordres à la Fabrique de Notre-Dame. Ça ne lui plairait guère qu'on me retienne prisonnier.

— Alors, passe ton chemin ! De toute manière, si tu es juif nous finirons bien par t'épingler. Les portes de la ville sont gardées.

En finassant un peu, Vincent apprit quelques nouvelles : il s'agissait surtout, dans l'esprit du roi, de « faire rendre gorge à ces porcs » qui « s'engraissaient sur le fumier de la misère publique », de les incarcérer, de les obliger à abandonner au trésor royal tout ce qu'ils avaient acquis indûment ; on ne les relâcherait que lorsqu'ils n'auraient plus que leur chemise. Cependant — preuve que l'on se montrait indulgent — on les autoriserait à racheter leur mobilier...

— On est encore trop bon, dit Vincent. À la place du roi, je chasserais cette engeance hors du royaume avec une chemise pour tout bagage.

— Entre nous, on lui prête cette intention, mais chaque chose en son temps. Je parie que vous êtes de ces débiteurs que la Juiverie assiège et dont elle suce le sang !

— Tout juste ! Je serais au comble du bonheur si vous pouviez faire passer un message à cette usurière en lui disant que je n'oublierai pas ses bienfaits puisque ma dette s'est envolée avec elle. Je me nomme Vincent et elle Jacoba.

— Rien de plus facile, l'ami. Votre commission sera faite.

Vincent lui glissa une pièce dans la main et s'en fut, pataugeant dans la boue de ce matin de neige qui avait les couleurs du crépuscule.

— J'ai appris la nouvelle, dit maître Jean. Je plains sincèrement Jacoba et je te plains aussi.

Vincent n'arrivait pas à se réchauffer. Le froid se resserrait sur lui de toutes parts, le pénétrait et il grelottait au-dessus du poêle d'argile. Lentement, il releva la tête.

— Hypocrisie, dit-il durement. Vous exultez. C'est votre triomphe. Alleluia ! Vous avez tout fait pour me séparer de Jacoba et lorsque le roi vient à votre secours vous le regretteriez ? Je suis vaincu, soit, mais épargnez-moi vos jérémiades.

— Tu es injuste. Tout ce qui te touche m'affecte également.

— Vous souhaitiez me voir seul pour mieux me tenir sous votre coupe. Eh bien, c'est fait ! Mais je vous préviens que je vais remuer ciel et terre pour faire libérer Jacoba. J'ai déjà fait en sorte qu'elle sache que je ne l'abandonne pas.

— Je t'aiderai. Dis-moi ce que je puis faire. Avec l'intervention de Barbedor qui jouit d'une certaine autorité depuis qu'il a été nommé chancelier...

— Il ne peut rien, vous le savez. Il n'irait pas se compromettre auprès du roi en manifestant sa sympathie pour une Juive dont il soupçonne tout juste l'existence.

Il ajouta :

— Cependant vous pourriez m'aider en achevant ce portail. Il reste quelques détails qui ne vous demanderont ni beaucoup de talent ni beaucoup de travail : cette frise de temples et de châteaux du linteau supérieur. Moi, je renonce. Tant que Jacoba ne sera pas libérée, je refuse de toucher mes outils. Je demanderai simplement en grâce à la Fabrique de m'affecter au travail le plus ingrat et le plus pénible : au terrassement des fondations du transept dès que le chantier aura repris. D'ici là, je me débrouillerai pour subsister.

La plupart des maisons avaient été désertées. La grande rafle des Juifs avait vidé la Petite-Madian comme presque toutes les demeures qu'ils occupaient dans Paris.

Le gros de l'opération s'était effectué le samedi qui avait succédé à la promulgation de l'édit royal. L'office du Sabbat s'était déroulé en présence d'une foule de fidèles qui n'avaient pu trouver place en totalité dans la synagogue et stationnaient à l'extérieur en s'abritant sous les échafaudages.

Alors que l'office tirait à sa fin, on avait vu surgir une troupe de cavaliers et d'hommes de pied qui avaient bloqué toutes les rues autour de la basilique et encadré toute la Juiverie parisienne pour la conduire aux prisons du Palais et du Châtelet dans un lamentable concert de prières et de lamentations auxquelles répondaient les lazzi et les lapidations de la populace.

Vincent avait disparu du chantier. Maître Jean le fit chercher à travers la Cité et au-delà, interrogeant les capitaines de la Prévôté et même le prévôt en personne. Vincent demeurait introuvable.

Une atmosphère d'émeute régnait dans la capitale sous le ciel lourd de la fin février. Des groupes de gueux se jetaient à l'assaut des boutiques qu'ils pillaient ou incendiaient quand ils ne pouvaient en forcer les entrées, malgré l'intervention des soldats de la Prévôté. Tout un quartier du Beau-Bourg brûla ainsi et on ne dut qu'à l'intervention providentielle d'une ondée que l'incendie ne consumât le quart de la ville.

L'évêque Maurice sollicita du roi la libération d'une partie des captifs afin d'assumer la garde des maisons. Philippe refusa de l'entendre. Il semblait savourer une joie diabolique au spectacle de ces malheureux qu'il tenait à sa merci et dont il aurait pu faire un holocauste sur la place publique comme on le faisait des cathares dans les terres du comte de Toulouse. Il allait le soir les entendre « chanter » dans leur geôle, comme il disait — un bruit aussi agréable à ses oreilles que le tintement des pièces d'or.

Les responsables de la communauté avaient demandé à être reçus. Philippe accepta mais resta insensible à leurs doléances. Que voulaient-ils à la fin ? Ne s'étaient-ils pas engraissés durant des décennies de la sueur et de la misère du peuple de Paris ? Le régime du pain sec et de l'eau leur serait bénéfique. Ils rétorquaient en parlant des enfants qui manquaient de lait et il répliquait que des centaines d'enfants chrétiens dans Paris en étaient au même point et que l'on ne venait pas pour autant l'importuner. Patience... Patience... De nouvelles mesures allaient être prises. Il ne précisa pas lesquelles. En attendant, que l'on s'estime privilégié : le trésor royal pourvoirait à la subsistance des prisonniers. N'était-ce pas un témoignage irréfutable de charité chrétienne ?

Vincent se constitua une réserve de vivres pour une semaine, barricada le portail et s'enferma dans la maison d'Ezra. Pour ne pas trahir sa présence, il se garda d'allumer du feu le jour, si ce n'est le réchaud installé dans la chambre de Jacoba.

Jacoba...

Il respirait partout sa présence, sensible en tous points et en tous lieux. Il était près d'elle, en elle. Interminablement, il passait d'une pièce à l'autre. Dans la solitude qu'il s'était imposée, la modeste demeure prenait des dimensions considérables.

Il passait des heures assis dans le fauteuil d'osier de Jacoba, à lire le petit Virgile qu'elle avait annoté en marge de sa fine écriture nerveuse. Il ne voyait plus le fleuve couleur de tourbe, les nuages qui pesaient au ras des demeures entassées sur les deux ponts, cette neige qui n'en finissait plus de tomber, de jour et de nuit, fondant à mesure. Un vent de vignes et d'oliviers soufflait sur les collines ardentes du Latium ; l'été latin plaquait des lumières de vitrail sur l'horizon où tanguaient dans la chaleur des villas blanches comme de la craie, des temples de marbre et d'or. *« C'est toi que je chanterai maintenant, ô Bacchus, et avec toi les vignobles, les vergers et le fruit tardif de l'olivier car tout ici est comblé de tes richesses... »*

L'idée lui vint qu'il avait une curieuse façon de « remuer ciel et terre ». Brusquement, il songea à Tiphaine. Ils avaient rompu d'un commun accord et rien ne s'opposait à ce qu'il lui demandât un service.

Il la chercha une partie de la nuit à travers la Cour des Miracles et ne la découvrit qu'au petit matin avec l'aide d'un conseiller du Coësre, dans la demeure qu'elle habitait depuis peu avec Jehan Barbe, rue du Roi-de-Sicile, juste derrière l'abbaye de Thiron. Le « Roi des Ribauds » l'avait installée comme une princesse ; elle avait un jardinet, trois servantes et deux chiens.

Tiphaine n'eut pas un mouvement de surprise ; elle songea simplement qu'il aurait pu passer chez le barbier.

— J'allais prendre mon matinel, dit-elle joyeusement. Si le cœur t'en dit... Il y en a pour quatre !

Il ne se fit pas prier et lui parla longuement de Jacoba.

— Je suis au courant, dit-elle. Les prisons sont pleines de Juifs et ton amie est parmi eux. Et alors ? Que pouvons-nous y faire ?

— Tu peux beaucoup. Sinon toi, du moins Jehan Barbe. Il est très influent auprès du roi, et...

— ... et le roi lui fait confiance parce que tous deux vouent aux Juifs la même haine. Il n'acceptera pas d'intervenir pour faire libérer ton amie, mais je lui parlerai, c'est promis.

Au saut du lit, elle était lumineuse sous sa crinière brune pleine de reflets dans le petit jour. L'opulence lui allait bien ; elle avait pris des formes ; il émanait d'elle une sérénité qu'il ne lui avait jamais connue, mais il la préférait comme elle était avant : dure, ardente, amère...

— Tu sembles heureuse, dit-il.

— À quoi le vois-tu ? C'est vrai, je ne manque de rien et mon mari est un parfait amant. J'attends un enfant.

— Je t'ai beaucoup regrettée. Plus maintenant. J'ai connu avec Jacoba un bonheur qui suffirait à remplir trois vies.

— Tu la reverras bientôt. Le roi ne va pas garder la tribu en prison durant des mois. Il ne va pas non plus en faire un feu de joie en place de Grève comme Jehan le souhaiterait.

Elle congédia Vincent avec un rire un peu sot.

Ils étaient venus un soir, durant la première semaine de mars, quelques jours avant la réouverture du chantier. Un groupe d'une dizaine de voyous. La nuit était tombée depuis peu lorsqu'ils essayèrent de forcer le portail.

Éveillé en sursaut, Vincent descendit dans le jardin, armé du poignard que Jacoba gardait toujours à portée de la main. Il se disait : « Ils n'oseront pas forcer le portail. Ils passeront leur chemin et iront voir ailleurs. » Il dut déchanter en entendant les premiers coups de boutoir, accompagnés de jurons. Malgré les deux soliveaux qui le renforçaient, le panneau vola en éclats, libérant une coulée de lumières dansantes et de cris de victoire. Vincent n'eut que le temps de se jeter derrière un buisson de buis pour laisser passer le flot des pillards qui s'engouffrèrent dans la demeure, illuminée en quelques instants sur ses deux étages comme pour une fête.

Les gueux avaient avec eux des chariots qu'ils traînèrent aux portes de la maison et le grand déménagement débuta dans l'allégresse. L'humble mobilier d'Ezra s'entassa pièce à pièce dans les véhicules qui prenaient au fur et à mesure la direction de Saint-Pierre-des-Arcis où semblait avoir lieu le rassemblement.

L'affaire fut rapidement expédiée. Bien qu'ivres pour la plupart, les gueux ne semblaient pas en être à leur coup d'essai, à voir la précision de leur méthode. Trois chariots suffirent. Le dernier reçut la literie de

Jacoba, que Vincent reconnut à ses pieds sculptés. L'athanor du vieux médecin, ses cornues et ses bocaux le rejoignirent.

— Et maintenant, dit une voix, chez les Daoud ! C'est la maison voisine. Ceux-là sont des riches !

C'était un garde de la Prévôté, un malingre qui se démenait beaucoup. Quand le dernier chariot eut quitté la place, il s'avança vers le buis où Vincent s'était réfugié. Il ouvrit ses braies et urina avec un soupir d'aise en prenant son temps. Comme il se réajustait, Vincent bondit et lui mit le poignard sur la gorge.

— Un geste et tu es mort. Tu viens de la part de qui ? Hein ? Réponds !

Le garde se mit à geindre, chercha à saisir son poignard mais il n'était pas de taille à résister.

— Réponds ! Qui t'envoie ? Qui a manigancé ce pillage ? Jehan Barbe ?

C'était lui. L'homme opina, fit un nouvel effort pour se dégager, mais la lame pénétra dans sa chair.

— Pourquoi s'en prend-il aux biens des juifs ?

— Vous en avez de bonnes ! Les temps sont durs et la vente des meubles rapporte un peu d'argent frais. Vous n'avez jamais eu faim et envie de voler, vous ?

— Et il touche sa part ?

— S'il n'avait que son traitement pour vivre... Pour lui, l'édit royal est une affaire en or. Il amasse les picaillons, le bougre, et il nous laisse les rogatons. C'est pourtant nous qui faisons le travail.

Il ajouta :

— Tout cela est entre nous. Quant à moi, je vous jure que je n'irai pas raconter cet incident.

— Tu n'en auras pas le loisir.

Vincent lui trancha proprement la gorge. Ce geste, il ne se serait jamais cru capable de l'accomplir. Il y mit tant de conviction et de force tranquille qu'il s'étonna que ce fût si simple de tuer un homme de sang-froid. En le traînant par les pieds, il alla le jeter au fleuve puis il revint en courant vers la maison. Dans la grande salle du bas, les voyous avaient jeté pêle-mêle tous les livres qu'ils avaient pu trouver et qui n'avaient aucune valeur à leurs yeux. Ils y avaient mis le feu, persuadés qu'il se communiquerait à la demeure de ce « cochon de Juif ». Vincent parvint à éteindre l'incendie et à sauver la plupart des manuscrits recopiés de la main de Jacoba, parmi lesquels *les Géorgiques* de Virgile.

De l'autre côté du mur, la maison des Daoud était déjà un brasier et l'on entendait les cris du vieux qui était resté à l'étage et qu'on retrouva le matin sur la pelouse, parmi la neige gelée, l'échine brisée par sa chute.

4

L'ATTENTE

— Tu tiens toujours à ton idée ? demanda maître Jean.

— Plus que jamais, répondit Vincent. Je ne veux pas de mesure de faveur. Terrassier, je serai considéré et payé comme un terrassier.

— L'évêque est de nouveau intervenu auprès de Philippe. En pure perte. Ce roitelet se conduit en tyran de Rome. Il jouit de sa prétendue victoire contre la Juiverie comme s'il tuait une nouvelle fois ce père qu'il abhorrait.

— Ce n'est pas avec des prières qu'on peut fléchir un jeune fauve comme Philippe mais par des menaces. On dit que, depuis sa nuit dans la forêt de Compiègne, il n'a plus toute sa raison, qu'il se conduit d'une façon bizarre avec les femmes, la sienne comme les autres. Je n'ai que mépris pour ce nouveau Néron.

Vincent rangea ses outils dans son coffre avec quelques effets, caressa de la main le dernier Roi mage qu'il avait sculpté, parla des voussures, des ébrasements, des piédroits et du trumeau avec une grosse émotion dans la voix. Il était maintenant entre les mains du Père ; qu'il décide de rendre sa liberté à Jacoba et il reprendrait son travail.

Une fois aux fondations il songea à son père, à ses reins brisés lorsqu'il remontait de la fosse, couvert de boue, le regard perdu, la tête pleine de ses prairies, de ses champs, de ses bois du Limousin. Vincent était plus robuste que lui, mais, sans aucune pratique du travail qu'on lui demandait, il peinait davantage. Fidèle à sa promesse, il refusait toute faveur, écartant même la proposition que le maître terrassier — un bon bougre — lui fit de l'affecter au levage. Nulle tâche ne lui paraissait trop dure et trop rebutante. Il choisit de rester au fond, de patauger dans cette eau boueuse, lisérée d'écume, qui suintait des fonds primaires. Ses compagnons de travail le regardèrent au début avec commisération, puis avec des mines de réprobation et finirent par le détester parce qu'il en faisait trop. Il le comprit et mit un frein à son zèle.

Lorsque l'on commença à poser les pierres des fondations, un compagnon chargé du levage lui dit :

— Qu'est-ce que tu cherches à expier, mon gars ? Tu as commis un péché mortel ? Et alors ? Tu n'en mourras pas ! J'en ai connu un comme toi sur le chantier de Senlis, qui faisait du zèle parce qu'il avait trompé sa femme et qu'elle en était morte de chagrin. Il est mort lui aussi mais d'épuisement, le nez dans la merde. Il était comme toi grand, costaud, mais plus très jeune. Tu seras bien avancé quand on t'emportera à la morgue de l'Hôtel-Dieu, les pieds devant !

Il menait une existence de bête de somme. Lorsqu'il remontait, au milieu du jour, il était si las qu'il ne sentait même plus sa faim. Il avait tout juste la force, le soir, après s'être lavé au baquet avec ses compagnons, de se traîner jusqu'à la maison de Jacoba où il s'allongeait sur une botte de paille et se démenait pour détendre ses articulations douloureuses avant de trouver le sommeil. Se lever était un supplice. Des caillots de sommeil plein la tête, les membres rompus, il descendait faire une rapide toilette à la Seine. Il s'était laissé pousser la barbe et elle avait tant absorbé de boue qu'elle était raide comme une poignée de brindilles de pin.

Au passage devant les loges, il se redressait, assurait son pas, saluait maître Jean qui lui faisait un petit signe attendri, s'éloignait à pas lent avec l'espoir de l'entendre l'appeler et lui dire : « J'ai du nouveau pour toi... »

Creuser de la pelle, de la pioche, des mains, remplir les lourdes seilles de bois, appeler les gars du treuil d'un coup de sifflet, attendre, le dos collé à l'argile gluante, que la seille redescende à vide, et puis recommencer, les mains raidies par l'effort, les chevilles sciées par le froid...

Un matin, sa pioche mit au jour une pierre enrobée d'une carapace de terre molle. Il la rangea et la remonta à la cloche de midi. Installé le dos au soleil, il enleva la terre, gratta la pierre qui apparaissait petit à petit, nue et blanche, finit de la nettoyer avec de l'eau. C'était une tête de Mars ou de Mercure parfaitement intacte, comme si elle venait de naître du ventre de la terre, de ces glaires et de cette écume. La surface était lisse, sans la moindre blessure, avec un luxe de détails dans le diadème et la chevelure. « Beau travail, compagnon ! » songea-t-il. Qui donc avait taillé cette pierre — un beau calcaire franc et serré de Normandie ? Quelle pensée avait guidé le travail, de quelles mains, avec quels outils, pour quel temple dédié à quel dieu païen ? Vincent se sentit soudain ému aux larmes devant ce signe de reconnaissance qu'un inconnu lui adressait à travers les siècles. Des siècles et des siècles passeraient encore, peut-être des millénaires, et d'autres hommes chercheraient derrière l'image de la Vierge, de Maurice de Sully ou de Gautier Barbedor, l'identité de l'homme qui les avait sculptés.

Un jour d'avril, maître Jean lui dit :

— Tu as tenu un mois, tu ne tiendras pas un mois de plus. Regarde-toi ! Tu es maigre comme un loup, sale, malade. Et tes mains ? Pourras-tu encore les guider quand tu reprendras ta place dans la loge ? Je n'ai pas touché à ton portail. C'est toi qui le termineras.

Pour la Sainte-Catherine, à quelques jours de l'Ascension, maître Jean lui dit :

— J'ai reçu des nouvelles du Palais. Il se pourrait que le roi libère les Juifs d'ici peu. S'il le fait, ce sera le jour de l'Ascension. Je tiens la nouvelle de Barbedor lui-même.

— Nous verrons bien ! maugréa Vincent.

Il n'y croyait pas. Il se refusait à croire de vagues bruits, même venant du chancelier. Ce n'était pas la première fois que ce genre de rumeur couraient Paris et, chaque fois, après l'espoir, c'était l'amère déception. Cette fois-ci, Vincent en convint, la nouvelle paraissait plus digne de crédit. Le chancelier n'eût pas révélé une nouvelle de cette importance si elle avait été sujette à caution. À midi, il se rendit à la chambre des traits. Maître Jean était absent. Il ne revint qu'au milieu de l'après-midi, courut aux fondations, se pencha sur la tranchée.

— Remonte tout de suite ! lui cria-t-il. La libération a commencé. Cours chez Ezra, fais ta toilette et attends. Les femmes doivent être libérées les premières.

Titubant de fatigue et de joie, Vincent partit pour la Petite-Madian. L'air était léger et sapide, le soleil tendre, les jardins pleins d'odeurs. Jacoba n'était pas encore arrivée. Il descendit jusqu'à la grève, salua les palefreniers qui, à quelques pas de là, faisaient boire leurs chevaux et fit une toilette complète. L'odeur retrouvée du savon le réconciliait avec la vie.

Il fit un peu de rangement, essaya de lire quelques *Psaumes* de David roussis par le feu, mais ses yeux ne supportaient plus la danse des mots et leur sens lui devenait étranger. Il s'endormit sur la jonchée de paille qui lui servait de lit, s'éveilla en entendant la tourterelle de Jacoba roucouler près de sa tête pour réclamer du grain, et se rendormit.

Au milieu de la nuit, il s'éveilla en sentant une main lui caresser le visage.

— Ne bouge pas, dit Jacoba. Ne crains rien. C'est moi. Je savais que tu m'attendrais. Continue à dormir, mon amour. Nous parlerons demain. Je suis moi-même très lasse.

Elle se glissa contre lui, se couvrit d'un pan de la couverture. Comme elle grelottait, il la prit dans ses bras. Elle portait sur elle une odeur de misère et de prison.

— Ton père ? Il ne t'a pas suivie ?

Elle se mit à sangloter, le visage dans son cou.

— Il n'a pas pu supporter son internement. Il est mort il y a une semaine. À présent je suis seule.

— Non, dit-il, tu ne seras plus jamais seule désormais.

Il fallait tout reconstruire à l'intérieur et autour de la maison d'Ezra, cette coquille vide où l'espace donnait aux bruits une nouvelle dimension, y ramener la vie et si possible la joie.

Durant les quelques jours où Vincent s'absenta du chantier, ils flânèrent dans les quartiers populaires, chez les marchands de mobilier d'occasion et les fripiers pour recomposer en partie leur intérieur et la garde-robe de Jacoba. Vincent n'avait guère entamé ses économies et le médecin avait placé pour sa fille une petite somme chez un banquier vénitien de ses clients.

Ils s'amusaient d'entendre dire que le roi autorisait la communauté juive, moyennant une somme fixée à quinze mille marcs, à lui racheter le mobilier qui leur avait été confisqué avec leur or et leurs bijoux. Jehan Barbe et ses truands étaient passés avant les officiers royaux. On ne pouvait rien racheter puisque le roi — et pour cause — n'avait rien confisqué chez Ezra.

— Il semble avoir une vocation de garde-meuble, ce roitelet, dit Vincent, mais il a affaire à plus fort que lui. Ce Jehan Barbe est une fripouille d'envergure. Si le roi met le nez dans son petit négoce, je ne donnerai pas cher de sa tête.

Ils parvinrent ainsi à reconstituer une certaine aisance.

Vincent avait retrouvé sa place à la loge. Il dînait à midi au réfectoire ou plus volontiers à l'ombre du saule qui avait poussé depuis l'ouverture du chantier et qui, âgé de plus de vingt ans, donnait une ombre agréable et jouait une jolie musique de feuilles pour annoncer le soir. Il gardait ses distances avec maître Jean, leurs rapports se bornant à des échanges relatifs au travail. En apparence le Chapitre ignorait ou faisait semblant d'ignorer son état de concubinage afin de ne pas risquer de se priver de ses services.

Ils eurent une longue conversation sur la forme des gargouilles auxquelles travaillait l'équipe de Jonathan, enrichie de quelques éléments revenus de Canterbury avec Guillaume de Sens. La fin du gros œuvre du chœur approchait. On commençait à organiser la consécration prévue pour l'année suivante.

À l'issue de cette conversation amicale, maître Jean s'enhardit à le mettre en garde.

— Le Chapitre est au courant de ta liaison. Il finira par te blâmer et te mettre en demeure de vivre en bon chrétien. Tu n'es plus un tailleur de pierre à vingt deniers la journée. Tout Paris te connaît. Ta conduite risque de te discréditer. Sois plus discret, sinon...

Maître Jean avait raison, Vincent en convint sans peine. Il mettait dans ses rapports avec Jacoba une sorte de provocation à demi-consciente. Parfois, il avait envie de crier aux passants qui le regardaient : « Oui ! je me rends chez ma maîtresse et elle est juive. Essayez donc de m'en empêcher ! » D'autres fois, l'envie le prenait de se confier à maître Jean, de tout lui dire, mais maître Jean savait tout.

— J'avais tort, poursuivit-il, de croire que cette fille te ferait perdre la tête. Je la jugeais beaucoup plus redoutable pour ta carrière que Tiphaine. Je me trompais. Tu n'as jamais été plus maître de ton art. Loin de te détruire, Jacoba t'a enrichi.

Il ajouta :

— L'automne arrive. Peut-être, malgré mon âge et ma fatigue, vais-je reprendre la route du comté de Toulouse. Suis-moi et amène Jacoba. Ce sera un bon moyen de vous faire oublier du Chapitre, et de vous mettre à l'abri.

Quitter Paris pour quelques mois d'hiver, en compagnie de Jacoba ? L'idée séduisait Vincent. Il se souvenait du bonheur de maître Jean et de Sybille au cours de l'hiver qu'ils avaient passé ensemble dans les garrigues.

— Vous avez raison, dit-il. J'en parlerai à Jacoba. Et si elle est d'accord...

5

LES PARURES DE LA MARIÉE

Il regardait les parois verticales du chœur brunies par le fumier humide. À travers le brouillard et la pluie, l'édifice paraissait s'éloigner, se fondre dans une dimension insolite de l'espace, perdre de sa spiritualité pour devenir aussi anonyme qu'une montagne. Sans l'opposition du Chapitre et de l'évêque lui-même, il serait en train de se chauffer les reins au soleil, quelque part dans le comté de Toulouse.

— Partir ? lui avait dit Pierre le Mangeur, tu n'y songes pas sérieusement ? Le Chapitre refusera.

Le Chapitre avait refusé de laisser partir Vincent. La consécration du sanctuaire aurait lieu durant le mois de Marie ; il fallait que rien ne manquât pour cette cérémonie : pas un pinacle, pas une gargouille, pas un crochet ! « On ne conduit pas une mariée devant l'autel sans toutes ses parures et avec des accrocs à sa robe », lui répondit-on. On le convia donc à travailler sans relâche et à « ne pas se laisser distraire dans sa tâche par rien ni par personne ». L'avertissement était clair. Maître Jean était parti seul ; on n'avait pas osé lui refuser cette faveur.

Vincent et Jacoba avaient dû renoncer à la maison d'Ezra pour chercher un abri plus discret, mais aucun ne l'était suffisamment. Dès qu'ils se sentaient épiés, ils se repliaient en tapinois dans une autre demeure. C'est ainsi qu'ils habitèrent successivement le quartier des Champeaux, les pentes de la Montagne-Sainte-Geneviève, divers logis pour étudiants de la rive gauche, veillant à se montrer ensemble le moins souvent possible. Lorsque Vincent regagnait leur logis, la nuit venue, ou qu'il le quittait le matin avant le jour, il rusait, prenait des itinéraires insensés. Il avait songé à coucher dans sa loge comme les hivers précédents, mais il ne pouvait se passer de la présence de Jacoba, au point qu'une vieille hantise revenait parfois le visiter et qu'il songeait de nouveau à quitter Paris avec elle pour les États du comte de Toulouse.

Les trois parties essentielles du portail de Sainte-Anne : les deux linteaux et le tympan, terminés au début de l'automne, furent présentés au roi sur sa demande. Il manifesta sa satisfaction par un don important à la Fabrique. Cela lui valut une messe d'actions de grâce dans la vieille basilique qui allait être bientôt détruite. Les trois éléments furent ensuite rangés avec précaution dans la cave d'une maison canoniale fermée à double tour. Les autres éléments du portail viendraient plus tard. Rien ne pressait. Avec ce portail, on avait posé des jalons dans le temps et marqué la présence des fondateurs de la cathédrale. Seul importait le présent.

Le présent, c'étaient les « parures de la mariée » : clochetons, pinacles, gargouilles, fleurons...

Des chargements de pierres continuaient d'arriver par les chemins détrempés de l'hiver ou par le fleuve des lointaines carrières où Vincent allait les choisir en compagnie de Jonathan et de Robin. Les passe-partout fonctionnaient en permanence et le bruit des maillets et des ciseaux faisait un chant continu dans les loges bien closes où la poussière de pierre se mêlait à la fumée épaisse, l'odeur des hommes à celle de leur travail. Une équipe d'une vingtaine de compagnons avait été maintenue sur le chantier, sous la direction de Jonathan qui n'avait accepté de passer l'hiver au service de la Fabrique qu'à condition que l'*operarius* Galeran ne vînt pas promener son groin au milieu de ses pierres.

Jonathan avait pris Robin en affection. Il l'appelait en plaisantant son *famulus,* et Robin tenait bel et bien ce rôle ingrat d'apprenti et de factotum. Jonathan n'aimait pas le voir muser, le nez en l'air.

— Par les Quatre-Couronnés, c'est les mouches qui t'intéressent ou la pierre ? Et qu'est-ce que c'est que cette façon de porter le ventre en avant comme si tu traînais la bedaine de l'*operarius* ? Tu tiens ton ciseau comme ça, je te l'ai dit cent fois, pour qu'il morde plus franc.

Au début de l'hiver, il lui avait dit :

— Tu travailles la pierre sans la connaître. C'est comme si tu faisais l'amour à une fille dont tu ne saurais même pas le nom. Je t'emmènerai dans la carrière et tu verras comment on choisit les pierres.

Vincent ne s'était pas opposé à cette initiative ; il se reprochait même de ne l'avoir pas eue à la place du compagnon. Dans l'apprentissage de Robin, on avait fait passer la charrue avant les bœufs.

— Ça paraît simple de faire sortir une pierre de la terre et de la scier en carreaux, disait Jonathan, mais c'est plus difficile que tu ne penses. Aucune pierre ne ressemble à une autre. Leur grain est rarement le même. Si tu taillais celle-ci et celle-là pour construire la même colonne ça foutrait tout par terre.

Il lui montrait un vieil homme au visage rose et aux cheveux blancs qui dirigeait les travaux d'extraction et d'appareillage avec une badine.

— Tu as là le meilleur maître carrier de France et de Navarre. D'un coup d'œil, il devine la profondeur et la hauteur d'un banc, le sens du filon, sa qualité, à quoi on peut l'utiliser... Il voit à travers la pierre comme nous à travers une vitre. Moitié sorcier, moitié savant. En ce moment, il est en rogne parce que le banc qu'on exploite n'est pas franc et que la carrière va rendre l'âme sans tarder. Il faudra en trouver une autre, car la cathédrale n'a pas fini de bouffer de la pierre. Nous serons morts tous deux qu'elle aura encore un solide appétit...

La porte du Palais, c'était le Mur des Lamentations. Les chefs des familles juives venaient chaque jour protester contre la violence des agents royaux qui avaient du mal à faire payer par la communauté les quinze mille marcs fixés pour le rachat de leur mobilier. Ceux qui avaient pu payer cette somme se retrouvaient la plupart du temps avec d'autres meubles que les leurs, et de qualité inférieure. On les éconduisait sans ménagement. De quoi se plaignaient-ils ? N'avaient-ils pas retrouvé leur liberté, leur famille, leur maison, leur bien ? Quelques marcs, était-ce trop payer la faveur royale ?

Au début de février une sorte de bailli convoqua Vincent au Palais sous prétexte de vérifier l'assise de ses impôts. C'était un petit homme tout en jambes, affligé d'une gibosité qu'il cachait mal sous une ample capuche. Pour lire les documents, il les portait à un pouce de ses yeux et parlait d'une voix nasillarde.

— Eh bien ! dit maître Belin, tout me semble régulier et je vous en fais compliment. Cependant... je ne vois figurer nulle part votre domicile. Vous ne couchez tout de même pas à la belle étoile ? Dans votre loge, peut-être ?

— C'est cela, dit Vincent, dans ma loge.

— Fort bien... Mais n'avez-vous pas un autre domicile ? Un de mes agents vous a vu à diverses reprises pénétrer dans la maison du Juif

Ezra, médecin de son état. Y aviez-vous élu domicile ou alors étiez-vous l'objet de soins constants ? Vous ne souhaitez pas répondre ? Fort bien ! J'en ai fini pour ce qui me concerne.

Vincent n'eut aucune peine à deviner la menace contenue dans les derniers propos du nabot. Il en parla le soir avec Jacoba qui partagea son avis. Ils demeuraient depuis un mois dans une venelle du faubourg Sainte-Geneviève donnant rue Saint-Jacques : une pièce unique meublée du strict minimum où ils devaient se cacher pour faire du feu car le propriétaire, bedaud à Saint-Étienne-des-Grès, vivait dans la crainte d'un incendie. Ce bedaud était un homme bizarre ; il passait le plus clair de son temps à surveiller les allées et venues des gens du quartier. Dans la situation de Vincent et de Jacoba il n'avait pas tardé à subodorer un relent d'illégalité.

— Je suis persuadée qu'il nous espionne, dit Jacoba. Je veux en avoir le cœur net.

Elle mit dès le lendemain son projet à exécution. Le bedaud avait à son bras, en quittant son domicile, un panier de légumes qu'il cultivait au fond de sa vigne du clos de Garlande. Il marchait si vite que Jacoba avait du mal à le suivre. Lorsqu'elle le vit s'engager sur le Petit-Pont, elle se dit qu'il devait aller vendre ses produits au marché de Saint-Germain-le-Vieux, mais le bonhomme poursuivit par la rue de la Calendre, tourna devant les étuves de Pierre Potier et fila à pas pressés en direction du Palais. Il pénétra sur un simple salut de la main au capitaine de garde, dans la Cour-de-Mai. Le bonhomme avait ses entrées.

Jacoba attendit un moment avant de se présenter à son tour.

— Je cherche mon père, dit-elle. Il se nomme Pierre Chausson. Ne l'auriez-vous pas aperçu ?

— Il est chez le prévôt, ma belle, et ne va pas tarder à revenir.

— Ne lui dites pas que je suis venue. Il pourrait s'inquiéter.

Trois jours plus tard, alors qu'il descendait de Sainte-Geneviève pour se rendre au chantier, Vincent se heurta à deux gardes au coin de la rue.

On lui annonça qu'il était attendu à la Prévôté.

6

LA PRISON DU ROI

Tout ce que l'évêque et le chancelier avaient pu obtenir du prévôt, c'est que le prisonnier serait bien traité. On fit bien comprendre à Barbedor qu'il avait fait preuve envers le dénommé Vincent Pasquier d'une regrettable légèreté. Pourquoi ? Par sympathie personnelle ? Pour ne pas priver la Fabrique d'un bon ouvrier ? Par pitié pour cet homme qui avait eu la faiblesse d'entretenir des relations coupables avec une fille de la « tribu » ?

Spontanément, après l'arrestation de Vincent, Jacoba était venue implorer la clémence et le soutien de l'évêque. Elle n'avait plus de famille, plus d'amis, plus de domicile et aucun moyen de subsister depuis qu'un arrêt de la *curia regis* avait décrété la mise sous scellés de la demeure de la Petite-Madian. Elle s'abandonnait entre ses mains, s'accusant d'être la seule coupable, mais sans aller jusqu'à exprimer des regrets d'avoir connu et aimé Vincent, ce qui lui aurait paru une trahison.

— Ce que je pouvais faire pour Vincent, dit l'évêque, je l'ai déjà fait en mon âme et conscience, mais les tribunaux du roi n'ont pas notre mansuétude. Avec le roi Louis nous serions parvenus à un accommodement. Avec Philippe, c'est impossible. Vincent sera jugé et condamné pour fait de concubinage notoire, situation interdite aux maîtres d'œuvre par les lois de notre Église, et pour les rapports charnels qu'il a entretenus avec une fille d'Israël, que condamnent les décrets royaux. Consolez-vous, mon enfant, en vous disant que, pour les mêmes forfaits, d'autres que lui auraient été pendus.

L'évêque s'engagea, quitte à encourir une réprobation du roi et des autorités supérieures de l'Église, à prendre Jacoba sous sa protection.

— Je vais vous confier à l'une de nos sœurs qui s'occupent, à l'Hôtel-Dieu, des soins donnés aux morts. Elle est seule depuis que les Pauvres Écoliers rechignent à cet ouvrage grâce auquel ils payaient les soins que nous leur donnions. Ce n'est pas une sinécure. Considérez cela comme votre châtiment, ma fille. J'espère qu'il vous conduira sur la voie du repentir et du renoncement.

A la Fabrique, c'était la consternation.

Avisés de l'arrestation de Vincent, Jonathan et ses compagnons de travail menacèrent de se croiser les bras. L'évêque intervint pour les en dissuader, promettant qu'il ne cesserait de harceler la *curia regis*.

Robin surtout paraissait affecté.

— L'homme sera toujours un loup pour l'homme, lui dit Jonathan. Comme si ce n'était pas assez des misères du temps, on s'acharne sur ce qui pourrait être une compensation : la liberté. Au nom de la religion ou de la loi, on étouffe ses élans, on brime, on emprisonne les hommes libres. Quelle faute reproche-t-on à Vincent ? D'avoir osé vivre avec une femme qui n'est ni de sa race ni de sa religion alors que ces considérations ne devraient pas compter dans les affaires de cœur. Par les Quatre-Couronnés, je mérite la corde pour ces propos hérétiques ! Qu'ils demeurent entre nous, hein, petit !

— Oui, monsieur.

— Mes vagabondages m'ont appris qu'il y a partout, quelles que soient les races, les nations ou les religions, des bons et des mauvais. Ceux qui reviennent des croisades te diront la même chose, s'ils sont sincères. Le jour où triomphera la tolérance, ce sera le paradis sur terre. C'est pourquoi nous, compagnons de Saint-Jacques et d'autres fraternités, nous avons toujours refusé de construire des prisons et des casernes.

La colère de maître Jean lorsqu'il revint à Paris...

Il arrivait avec une quinzaine de jours d'avance, persuadé que sa présence serait utile. Il s'en prenait tantôt à Vincent qui n'avait pas respecté ses conseils de prudence, tantôt à cette Juive par qui tout était arrivé, tantôt à l'évêque, au Chapitre, au roi. Il remua ciel et terre, mais sans effets.

Le résultat le plus clair, c'était que la cathédrale ne serait jamais prête pour la cérémonie de consécration. L'évêque en était conscient mais demeurait impuissant. Jean faillit demander audience au roi ; Barbedor l'en dissuada : cela ferait un prisonnier de plus. A la Cour, on ne badinait pas avec les affaires juives, d'autant que beaucoup de fonctionnaires royaux avaient largement, et pas toujours dans le cadre de la légalité, profité des mesures royales.

On en était là lorsque, un matin, Clémence demanda à rencontrer Jean.

Elle paraissait très animée. Jean était-il au courant du pillage illégal de la maison d'Ezra et de l'aveu qu'un garde de la Prévôté avait fait à Vincent, le couteau sur la gorge ? Il l'ignorait.

— Le pillage, dit Clémence, a été organisé par Jehan Barbe. C'est un grand personnage et qui tient à ses privilèges. Si j'allais lui rendre visite, histoire de lui parler de son petit négoce clandestin et menacer de tout aller raconter au roi ? Il est au mieux avec le prévôt qui doit lui-même tremper dans des affaires de confiscations illégales de biens appartenant aux Juifs, selon mon mari, Evrard le Noir.

— Tu sais ce que tu risques ?

— Certes ! Mais je ferai comprendre au prévôt que d'autres personnes sont dans la confidence avec preuves à l'appui et que, s'il m'arrivait malheur, quelqu'un d'autre prendrait l'affaire en main.

— Je serai donc le deuxième témoin à charge ? Ton affaire est bien combinée.

— Nous nous reverrons dans une semaine. Si je ne suis pas au rendez-vous, tu sauras ce qui te reste à faire.

Depuis quand était-il là ? Il avait commencé à compter les jours, puis le désespoir l'avait envahi et il avait abandonné ses comptes. Il savait simplement avec une quasi-certitude que ce devait être le printemps car il pénétrait dans sa cellule un air tiède et des odeurs de verdure.

Les jours étaient rythmés par la nourriture qu'une main inconnue glissait par le guichet. Combien de jours encore à passer là ? Combien de printemps ? Cette porte qui venait de s'ouvrir, ces personnages qui s'agitaient en bourdonnant autour de lui ne suscitaient pas des images de liberté. La vraie liberté, le prisonnier doit deviner son approche, la renifler ; elle doit lui sauter au visage comme un souffle d'air, et il ne sentait rien d'autre qu'une immense lassitude.

— Aujourd'hui encore il n'a rien mangé, dit une voix. Ça fait près d'une semaine qu'il refuse toute nourriture et se contente de boire de l'eau. Il n'aurait pas vécu bien longtemps...

Les mots qu'il entendait se brouillaient dans sa tête, se dispersaient, se recomposaient. L'homme avait bien dit : « Il n'aurait pas vécu bien longtemps. » Il sentait une évidence se nouer dans sa tête et se mit à rire nerveusement.

— Pourquoi rit-il ? Nous ne lui avons pas encore signifié sa liberté.

La bousculade des mots reprit dans sa tête avec un autre nœud d'évidence : liberté. Il cessa de rire, parvint à articuler, tandis qu'on détachait ses chaînes :

— Qu'allez-vous faire de moi ?

— Te relâcher, dit un homme en robe noire en se plantant devant lui.

Il déplia un parchemin, lut quelques phrases embrouillées.

— ... En foi de quoi, te voilà libre. Nous allons t'accompagner pour te faire signer la levée d'écrou.

Vincent se dit que tout cela n'était pas très franc, qu'on allait le conduire dans une de ces caves d'où montaient parfois des cris de suppliciés, tenter de le faire disparaître à jamais. Il parvint à se lever, à marcher, mais on dut le soutenir pour l'aider à descendre l'escalier très raide, en lui mettant une cagoule sur la tête, il se demandait bien pourquoi.

On le jeta dans une voiture attelée d'un cheval qui démarra sur-le-champ.

— Parle ! lui criait maître Jean, mais parle donc ! Tu es devenu muet ? Veux-tu manger ? Boire ?

Il accepta un morceau de pain et de fromage qu'il vomit presque aussitôt, avant de regagner sa couche.

— Jacoba ? dit-il.

— Tu la reverras bientôt. Demain, peut-être.

— Dites-lui que je suis revenu. Dites-le lui tout de suite.

Il ajouta :

— Pourquoi m'a-t-on relâché ? Je pensais en avoir pour le restant de mes jours.

— Je t'expliquerai. Tâche de dormir. Tu es trop faible pour te lever. Demain, peut-être.

Elle était venue le retrouver dans la loge, son travail terminé, à la nuit tombée. Réveillé depuis peu, Vincent ne tenait plus en place. Il la regarda s'avancer vers lui vêtue d'une tunique noire qui rendait plus saisissante la pâleur du visage et des mains.

— Cette robe..., dit-il. Cette odeur...

Elle lui expliqua ses nouvelles fonctions, la présence permanente des morts dans une cave très froide qui prenait jour sur le jardin de l'Hôtel-Dieu, la compagnie de la petite sœur qui avait l'esprit un peu dérangé et qui parlait sans arrêt à ses « pensionnaires ».

— J'étais persuadé que je ne te reverrais jamais, dit-il, et j'avais pris la décision de me laisser mourir.

— Moi, j'ai toujours su que nos misères auraient une fin. J'avais raison, tu vois.

Elle ajouta avec un sourire :

— Ce n'est tout de même pas à moi de croire aux miracles...

Le lendemain, Vincent visitait le chantier. Un beau soleil faisait resplendir la cathédrale comme un escalier de cristal qui n'en finirait plus d'escalader le ciel. Sa tête chavirait lorsque, la main en visière, il clignait des yeux pour apercevoir sur la galerie extérieure du chœur des fourmis humaines en train de disposer les dernières « parures de la mariée ». Les ouvriers le saluaient au passage ; certains avaient les larmes aux yeux.

— Tu nous a manqué, dit maître Jean. Nos compagnons ont travaillé sans relâche, de nuit et de jour, avec seulement trois ou quatre heures de sommeil. Il y a une semaine, quand j'ai annoncé à Jonathan ta libération imminente, il a pleuré de joie.

Les vitraux étaient tous en place, sauf deux. Il avait fallu refaire un panneau qui s'était brisé au cours d'une opération de levage. Du haut de son échafaudage, maître Clément le gratifia d'un hurlement de joie en agitant son bonnet, prévint ses compagnons et tous s'arrêtèrent de travailler pour le saluer.

— Cette lumière..., dit Vincent.

Il s'avança seul jusqu'au milieu du sanctuaire où les maçons achevaient la pose de la Sainte Table. Des papillons de lumière multicolore palpitaient dans l'immensité du chœur, paraissaient tourbillonner comme des flocons de neige et se poser au hasard sur les parois et les dallages neufs en beau liais brillant, où ils dessinaient des mosaïques sur le labyrinthe. Il ne manquerait à la « mariée » aucune de ses parures pour le jour de la consécration. Dans cette conque immense, les moindres bruits résonnaient, se brisaient en échos multiples et la voûte les accueillait à l'extrémité de leur trajectoire pour en faire une musique profonde.

— Voilà ton œuvre, Vincent, dit maître Jean. Tu aurais pu mourir dans ta cellule du Châtelet que ta vie aurait été bien remplie.

Le lendemain, le chantier reçut un visiteur inattendu : Guillaume de Sens. Entièrement paralysé des membres inférieurs à la suite de sa chute à Canterbury, il n'avait pas renoncé à travailler. C'était un homme de haute taille, à moitié chauve, très vif dans ses propos, curieux de toute chose et qui ne perdait aucune occasion de se réjouir. On fit faire à sa civière le tour du chantier. En revenant, il paraissait bouleversé.

— Je serai là pour la consécration, dit-il. Cela me consolera de n'avoir pu voir achevée mon œuvre à Canterbury. Maître Jean, j'aimerais être à votre place. Ce chœur, c'est beau comme un enfant qui vient de naître…

7

L'EXODE

(Mai 1182)

On avait préparé les abords du sanctuaire comme pour une représentation théâtrale. Les dalles lustrées à grande eau par une armée de femmes caquetantes brillaient comme le marbre de Rome. Avant la consécration, l'évêque avait pris la décision de faire abattre les loges des maçons, des charpentiers et même la forge, et cette décision avait failli le brouiller avec maître Jean. Grâce aux planches récupérées, on avait recouvert les tranchées des fondations là où leur largeur le permettait. Des campagnes environnantes, par terre et par eau, on avait acheminé vers la basilique des verdures encore dans la délicatesse de leur printemps, pour orner les palissades dont le maître d'œuvre avait de justesse évité la destruction et l'on avait l'impression que le sanctuaire naissait au milieu d'une forêt.

— Viens, dit Vincent. Ne crains rien. Il fait encore assez clair.

Il prit Jacoba par la main, l'entraîna vers le chantier malgré sa réticence, ne lui lâcha la main que lorqu'ils passèrent devant le poste de garde de l'Hôtel-Dieu.

La nuit était claire. Au-delà de l'évêché, où brillaient encore aux fenêtres des lueurs de chandelles à l'étage de la chancellerie, se dressait la masse confuse du chœur, vaguement éclairée par un petit lac de lumière qui n'en finissait pas de se fondre dans la nuit de l'Occident, au-dessus des tourelles du Palais.

— Ça sent bon le printemps, dit-elle, et moi je pue la mort.

Il ne l'écoutait pas. Il marchait à longues enjambées et elle peinait à le suivre, s'entravant dans sa longue robe noire maculée de sanies. Ils traversèrent l'espace qui les séparait du chœur, immense parvis désert. Des senteurs bouleversantes de feuilles flottaient autour d'eux. De temps en temps, Vincent s'arrêtait, respirait profondément, murmurait des phrases confuses comme s'il eût été seul. Depuis sa libération, il avait un comportement bizarre. Un matin, on l'avait trouvé devant le chœur, allongé, le visage contre le sol comme un moine au moment de prononcer ses vœux. Il restait longtemps sans parler et soudain les mots sortaient de lui comme d'une fontaine débondée. Sans qu'on lui demandât rien, il avait jeté fièvreusement sur une aire de plâtre l'ébauche du portail du Jugement : des images folles, une sorte de danse de mort où s'entrecroisaient des saints et des diables.

— Où m'entraînes-tu ? dit Jacoba.

— Allons ! Suis-moi ! Ne reste pas toujours en arrière.

Ils traversèrent le sanctuaire dont la Sainte Table, recouverte d'un drap, ressemblait à un catafalque. Un escalier à vis aménagé à l'intérieur d'un mur, au-dessus d'un bas-côté, les conduisit aux tribunes et de là, par un plan incliné, à l'échafaudage des vitriers qui venaient tout juste d'achever la pose du dernier vitrail.

— Je voulais que tu voies cela, dit-il, que tu sois la première femme. Dieu est là. Tu ne devines pas sa présence ?

Elle se pencha sur ce golfe d'ombre et de silence traversé par des vols de chauve-souris et de choucas des tours. De la masse de l'évêché, on ne distinguait qu'un minuscule carré de nuit où palpitait une constellation d'étoiles symétriques. D'une proche maison du Cloître des Chanoines montait un chant diffus : le chœur des élèves de l'École de polyphonie répétait les cantiques de la consécration.

Elle l'entendit murmurer :

— La mort n'existe pas. Nous nous survivons dans notre œuvre. Plus elle sera belle, riche et durable, plus douce sera la mort.

L'avant-veille de la consécration, Pierre le Mangeur et Pierre le Chantre, qui s'étaient rendus au Palais pour affaire, revinrent en courant. Ils ne jugèrent pas nécessaire de se faire annoncer et franchirent la porte de l'évêché en bousculant un archidiacre.

— Eh bien, mes amis ! dit Maurice de Sully, en voilà des façons...

— Pardonnez-nous, monseigneur, mais l'affaire est d'une telle importance ! Nous revenons du Palais et...

— Reprenez votre souffle, dit l'évêque.

Le roi avait pris sa décision depuis plusieurs jours déjà, sans en référer à son conseil. Gautier Barbedor lui-même avait été tenu à l'écart, bien qu'il fût ordinairement mis au fait des états d'âme et des projets du souverain. Il n'avait appris la nouvelle qu'au matin, peu avant la venue au Palais des deux chanoines : Philippe avait décrété l'expulsion de tous les Juifs de la capitale et la confiscation de leurs biens en totalité. La mesure était immédiatement applicable.

Pierre le Mangeur s'assit sans y être invité et s'essuya le front avec sa manche.

— Philippe, ajouta-t-il, a décrété également que tous les débiteurs des Juifs seraient libérés de leurs dettes, sauf le cinquième, qui reviendra au trésor royal. On va faire des feux de joie dans tout Paris ! Des hommes d'armes font mouvement de toutes parts pour fermer les portes de la ville et regrouper les Juifs à des points précis. Le Palais est une véritable fourmilière.

— C'est absurde ! s'écria l'évêque. Deux jours avant la cérémonie de consécration ! Cette décision ne pouvait-elle pas attendre ?

— Hélas, non, monseigneur ! dit Pierre le Chantre. Le roi souhaite par cette mesure être agréable au légat du pape et à toute la chrétienté en leur offrant le spectacle d'un nouvel exode du peuple d'Abraham.

— L'exode..., murmura l'évêque. Avant de se décider, Philippe aurait dû méditer les propos de Pharaon à ses serviteurs : *« Qu'avons-nous fait là ? Pourquoi avons-nous renvoyé ce peuple qui ne nous servira plus ? »* Pour plaire au pape Lucius, Philippe se prive d'une source de profit qu'il ne retrouvera pas de sitôt. Je le trouve bien présomptueux de croire que ce qui plaira à Lucius plaira aussi à Dieu.

Le Chantre se porta vers une fenêtre donnant sur le jardin.

— Ce qui est certain, dit-il, c'est que cette mesure plaît au peuple de Paris. Il attendait une fête ; on lui en offre deux !

L'évêque n'avait pas osé faire venir Jacoba jusqu'à lui. Il lui avait annoncé sa visite en la priant de ne rien changer à ses habitudes et au courant de son travail. Elle était en train de laver un cadavre tout frais : un enfant très maigre au visage dévoré par des chiens. Le regard de l'évêque parcourut l'espace de la cave où des cadavres allongés sur des dalles de pierre s'alignaient le long des murs. Jamais il n'était venu dans cet endroit et il se dit que ce pouvait être une image de l'enfer.

— Mon enfant, dit-il, la tâche ingrate que vous avez assumée avec courage est terminée. Une épreuve nouvelle vous attend. Vous allez devoir quitter Paris avec tous ceux de votre race. C'est la décision que vient de prendre le roi. Il ne m'appartient ni de la juger ni de la contester, quoi que j'en pense. Nous sommes quelques-uns à connaître vos origines et la raison de votre présence ici. C'est pourquoi nous ne pouvons enfreindre le décret et continuer à vous cacher. Je devrais vous faire conduire par un garde jusqu'à la synagogue de la rue de la Juiverie qui est votre lieu de rassemblement, mais j'ai confiance en vous. Partez seule et donnez-moi votre parole que vous ne chercherez pas à revoir maître Vincent. Il ne peut vous accompagner dans votre exil car sa tâche ici n'est pas terminée. Faites vos préparatifs ici-même car votre demeure de la Petite-Madian doit être gardée militairement et de toute manière vous est confisquée. Vous recevrez des consignes à la synagogue.

Il l'embrassa sur le front avant de se retirer. Parvenu en haut des marches, il lui dit :

— Souvenez-vous de ce que Moïse et Aaron dirent aux fils d'Israël durant l'Exode : *« Ce soir, vous saurez ce qu'est Yahvé qui vous a fait sortir d'Égypte. Au matin, vous verrez sa gloire. »* C'est la grâce que je vous souhaite.

Durant deux jours, sur le chantier déserté par les ouvriers, on avait procédé à la répétition de la cérémonie longue et complexe de la consécration du sanctuaire. Seuls avaient été admis à y assister en plus des clercs et des prélats, maître Jean, l'*operarius* Galeran et Vincent Pasquier.

Une chaleur épaisse paraissait figer le chœur et les participants. Dans l'immense conque toute fleurie de flammes, d'oriflammes, de banderoles multicolores, on avait installé l'imposante manécanterie du Cloître et un orgue dont les notes aigres parvenaient à peine à percer les amples harmonies des *Séquences* de Notker le Bègue sur les vocalises de l'*Alleluia.* Galeran dormait, assis par terre, le dos contre la pierre ; il supportait mal cette inaction et regrettait l'ambiance habituelle du chantier, cette fête du travail dans laquelle il s'épanouissait. Maître Jean grattait le sol du pied en bâilllant, pestait contre ces « fanfreluches » d'étoffes qui cachaient les détails de l'architecture et rompaient l'élan du sanctuaire. Vincent trompait son ennui en lisant le petit Virgile de Jacoba qu'il n'avait pas vue à midi sortir de la morgue — de temps en temps, il se tournait vers la sortie et tendait l'oreille vers un appel qui ne venait pas.

— Quelle est cette rumeur ? dit-il. On dirait que Paris est en pleine révolution.

— Ce n'est rien, répondit Jean. Le peuple se prépare pour la fête. L'arrivée du légat est imminente. Un détachement de la garde royale en grande tenue est parti à ses devants. C'est le même remue-ménage que lorsque le Pape Grégoire est venu sceller la première pierre.

Le Chantre se démenait comme un serpent qui aurait la queue prise sous une pierre. On entendait éclater sa voix puissante devant la procession fictive qui, pour la dixième fois, reliques en tête, faisait le tour du sanctuaire. Épuisés, les figurants répondaient mollement à ses ordres.

Ce n'est que plus tard, à l'Angelus, lorsqu'il constata que Jacoba n'avait pas donné signe de vie, que Vincent apprit, de la bouche de la sœur converse qui avait la garde de la morgue, le départ précipité de son assistante.

— Comment se fait-il que vous ignoriez encore ce qui se passe, mon garçon ? dit-elle. Jacoba est à la synagogue avec ses coreligionnaires. Je la regretterai. Elle était courageuse et discrète.

Vincent la prit aux épaules.

— Elle va revenir, n'est-ce pas ?

— Je crains que non, mon garçon. Elle m'a fait ses adieux.

Animé d'une grosse colère, Vincent bondit en direction de maître Jean, persuadé qu'il lui avait caché le départ de Jacoba. Il réfléchit et prit en courant la direction de la rue de la Juiverie.

Les alentours de la synagogue étaient envahis d'une foule dense qui stationnait derrière un cordon de soldats. Les Juifs arrivaient par familles entières, le baluchon sur l'épaule, assaillis de lazzi par le bon peuple de Paris. Ils étaient fouillés avant de pénétrer dans le sanctuaire et un trésorier comptabilisait leur avoir, ne leur laissant que la somme convenue pour leur voyage. D'âpres discussions éclataient. Les soldats intervenaient sans douceur.

— Qui êtes-vous ? demanda le garde. Que voulez-vous ?

— Je cherche une nommée Jacoba Ezra. Elle est ici. Il faut que je la voie.

Le garde fit signe à un capitaine qui compulsa un registre.

— Ezra.. Ezra... C'est juste. Elle est arrivée ce matin. Que lui voulez-vous ?

— Lui parler.

— C'est impossible, à moins d'être de la « tribu ».

— Mais j'en suis ! Mon nom est Lévy.

— Alors vous pouvez entrer, mais je vous préviens, vous ne pourrez pas ressortir. Et d'abord, passez à la fouille !

À peine franchi le poste de garde, la foule se referma sur lui. Vincent comprit, mais trop tard, qu'il venait de commettre une folie. Comment retrouver Jacoba dans cette multitude bouillonnante ? Il n'aurait jamais pensé qu'il y eût autant de Juifs dans Paris. Il se sentait prisonnier d'un autre univers et assailli par un doute : et si Jacoba avait été dirigée vers un autre point de rassemblement ? Il y avait d'autres Ezra dans Paris. Et si elle était parvenue à échapper à la rafle ? Le côté absurde de cette éventualité lui tira un rire amer.

Il s'insinua dans la masse humaine, jouant des coudes, interrogeant :

— Vous n'avez pas vu Jacoba ? Jacoba Ezra ?

On ne l'écoutait même pas. L'entendait-on seulement dans ce tumulte ? Il fendait des barrières de visages fermés, se heurtait à des regards qui ne le voyaient même pas. Il n'existait pas : un grain de sable dans un désert. Il fit le tour du sanctuaire, bousculant sans pitié ceux qui ne s'écartaient pas, par indifférence plus que par hostilité. Il respirait mal. Par moments, un chant âpre montait d'un groupe, repris en chœur par la foule, s'éteignait lamentablement et c'étaient de nouveau des gémissements et des pleurs. Ces gens n'avaient pas le cœur à chanter ; abandonné de Dieu, le troupeau n'aspirait qu'à un libre pâturage.

Vincent parvint à se hisser sur un banc des bas-côtés. Une grosse femme l'aida à se tenir debout car il était comme ivre au milieu des convulsions et des courants qui agitaient le magma. Elle mêla même sa voix à la sienne pour appeler Jacoba.

— Dites-moi au moins comment elle est ! lui cria-t-elle. Grande, petite, maigre, forte ? Comment est-elle vêtue ?

Vincent lui en fit une rapide description.

— Je la connais ! dit la femme. Je suis servante dans la famille Güel. Laissez-moi faire !

Elle monta à son tour sur le banc, faillit basculer dans la foule puis, s'étant rétablie, appuyée d'une main à l'épaule de Vincent, agitant de l'autre son bonnet, elle se mit à crier le nom de Jacoba Ezra. Elle avait une voix puissante et aiguë qui traversait le tumulte comme une flèche.

Au fond du sanctuaire, près du tabernacle, un homme fit un signe des bras et cria :

— Par ici ! Elle est dans la sacristie !

— Si c'est votre petite amie, dit la femme, je vous souhaite de vous tirer indemnes et ensemble de cette épreuve.

Vincent peina pour arriver jusqu'à la sacristie où le ministre avait installé une sorte d'infirmerie qui sentait le vinaigre. Deux femmes étaient mortes étouffées ; des enfant pleuraient en réclamant leurs parents dont on les avait séparés. Jacoba était assise tout au fond, contre le mur, les genoux repliés sous le menton, dans une pose qui lui était familière. Elle avait eu un étourdissement et on l'avait amenée là. Elle paraissait dormir.

Elle sursauta lorsque la main de Vincent se posa sur sa tête.

— Pourquoi es-tu venu ? J'ai fait exprès de ne pas te faire prévenir. Retourne d'où tu viens ! Ta place n'est pas ici.

Il se mit à rire. Partir ? Même s'il l'avait voulu, c'était impossible. Le capitaine l'avait prévenu.

— Tu es fou ! Je vais expliquer au capitaine pourquoi tu es là et qui tu es. Il te laissera partir. Ceux de ta *tribu* t'attendent.

Elle avait chargé de beaucoup de mépris le mot *tribu* qu'elle avait craché du bout des lèvres. Elle-même avait rejoint la sienne.

— Entre nous, dit-il, il n'est pas question de *tribu* mais d'amour.

Elle haussa les épaules.

— Vois comme je suis laide et vieille, et puante ! Je n'ai même pas eu le temps de me changer. Ma robe sent le pus et la merde et je n'ai que celle-là. De tous ceux qui sont rassemblés ici, je suis la plus démunie. Et toi… toi tu es jeune, beau, plein d'avenir. En me suivant, tu te perdrais.

— Avec toi, je ne me sentirai jamais perdu. Souviens-toi quand nous parlions de Bordeaux et de Toulouse. Il y a de la place pour nous là-bas. On nous acceptera, on nous aidera. On construit partout des cathédrales, et pas seulement dans le royaume de Philippe.

C'est vrai qu'elle était laide et qu'elle paraissait avoir cinquante ans, mais il ne l'avait jamais autant aimée.

Elle secoua la tête.

— Il y a quelque chose de plus important que moi, dit-elle. C'est ton œuvre. Ne t'en défends pas ! Je t'observais, l'autre soir, lorsque tu m'as entraînée dans le chœur, Dieu sait pourquoi ! Tu étais comme un petit saint dans la maison de ton Dieu, au point que tu oubliais jusqu'à ma présence. Tu as laissé s'établir entre nous des distances que nous ne pouvons plus combler.

— Mais je suis là ! C'est bien la preuve que je tiens à toi plus qu'à tout.

— Tu es là et tu n'es déjà plus là. Dans un moment tu te demanderas ce que tu fais dans cet enfer alors qu'on te cherche sans doute partout pour te glorifier et glorifier ton œuvre. Peut-être tiens-tu encore à moi, mais c'est surtout de la pitié que tu éprouves. Plus tard, ce serait de l'indifférence, puis de la rancœur et enfin de la haine. Cela, je ne saurais le tolérer. Plutôt mourir.

— C'est donc que tu m'aimes encore !

Elle secoua obstinément la tête. Elle ne pouvait plus l'aimer puisqu'ils n'étaient plus du même monde : lui du côté des « vainqueurs », elle du côté des « sacrifiés ». Elle mit tant d'ironie dans ces mots qu'il en fut choqué. Quand on s'aime, il n'y a pas deux mondes différents, mais un seul que l'amour renferme comme une matrice. Elle l'écoutait palabrer, hochant la tête, guettant le fléchissement insensible de sa conviction. Quand elle le sentit sur le point de chanceler, elle lui cria :

— Vas-tu me laisser ? Tu ne sens donc pas que tout est détraqué entre nous ? Demain Paris viendra admirer *ton* œuvre et, pour que la fête soit complète, on offre au bon peuple un nouvel exode de la tribu d'Israël, et involontaire, celui-là ! Que tu le veuilles ou non, tu cautionnes cette ignominie et moi, consciemment ou non, je te rendrais complice et je ne pourrais te pardonner.

Il voulut poser sa main sur son épaule. Elle le repoussa avec un regard furibond.

— Je te demande une seule faveur, dit-il : passer cette nuit avec toi. D'ici au matin, qui peut dire ce qui arrivera et quelles réflexions nous pourrons faire sur nous deux ?

— J'accepte, dit-elle sans conviction, mais promets-moi de ne pas me toucher.

— Je ne puis rien te promettre de tel.

Elle soupira, haussa les épaules, lui demanda d'aller chercher de l'eau (une distribution avait été organisée derrière le tabernacle) et de lui ramener une robe convenable. Il fut difficile à Vincent de se procurer cette eau pour laquelle on se battait et qu'il dut attendre lontemps. En revanche, il parvint à échanger sa bague d'or contre une robe. Jacoba se retira, fit une rapide toilette dans une écuelle de terre ébréchée, arrangea sa coiffure et revêtit la robe.

— As-tu de l'argent ? dit-elle.

Il lui restait quelques pièces qu'on lui avait rendues sur la bague et il les lui donna. L'astuce de Jacoba ne lui apparut qu'un peu plus tard : elle lui avait fait ainsi avouer implicitement qu'il acceptait de la voir partir sans lui. Il envisagea de rattraper cette bévue, mais il était trop tard.

Le soir venu, il la regarda faire, devant l'Arche contenant une copie du Pentateuque, les Dix-Neuf Prières et écouter avec attention la lecture des Écritures par un ancien : c'était un extrait de l'*Exode*. La tribu tout entière, le calme revenu, priait dans les bas-côtés, entre les colonnes imitant le marbre vert, dans toute l'étendue de la nef et jusque dans les galeries supérieures déjà plongées dans l'ombre. Dans les intervalles de l'office, on entendait au-dehors les galops des chevaux mêlés à des voix brutales. Par rafales, passaient contre les vitraux et la porte ouverte de la nef des lumières de torches. « Et si ces gredins, se dit Vincent, se mettaient dans l'idée d'offrir un gigantesque holocauste au peuple de Paris ? »

Il n'y eut pas d'holocauste.

L'office terminé, des pains circulèrent, en provenance de l'évêché, avec du lait pour les enfants et de l'eau pour tous. On avait allumé sur l'Arche des chandelles de cire. La chaleur était insoutenable. Des cris montaient parfois du troupeau avec des lamentations, des prières à haute voix et de rares chants.

Jacoba restait immobile et silencieuse derrière le tabernacle où elle avait fini par trouver un coin pour s'allonger à côté de Vincent. Elle accepta qu'il lui prît la main, mais refusa qu'il lui entourât la taille de ses bras, comme il aimait le faire dans leur sommeil. Il aurait aimé lui parler, insister encore pour tâcher de la convaincre de l'accepter dans son exil mais, depuis la prière du soir, il avait l'impression, comme elle l'avait dit, qu'ils n'étaient plus du même monde et que lui, Vincent, était rejeté par la communauté.

Avant de s'endormir, elle murmura :

— Souviens-toi des paroles de Jean-Chrysostome : *« La synagogue c'est un lupanar et un théâtre, une caverne de brigands, un repaire de bêtes sauvage. »* Mais aujourd'hui, dis-moi, Vincent, où sont les bêtes fauves ?

Tout était prêt pour la cérémonie.

Déjà le peuple de Paris affluait sur l'immense parvis précédant le sanctuaire, avec des bonnets, des chapeaux, des coiffures de feuilles, car le soleil était très chaud. Des fanfares éclataient dans les rues du Cloître des Chanoines, devant l'Hôtel-Dieu, sur les placettes entourant l'édifice, et la mère Adèle n'avait nul besoin de faire crier son vin frais pour le vendre.

Le légat du pape, Henry de Château-Marçay, était arrivé la veille, à la tombée de la nuit, dans un grand luxe de flabelli entourant sa litière chamarrée, précédé et suivi sur une demi-lieue d'un cortège fastueux. Comme il était très fatigué par le voyage, il avait gagné ses appartements de l'évêché sans accorder la moindre audience, si ce n'est à Maurice de Sully.

Robin revenait, essoufflé, de la Petite-Madian. Vincent n'avait pu pénétrer dans la demeure d'Ezra qui était sévèrement gardée. Il n'avait passé la nuit ni à l'auberge où il s'était installé depuis la dispersion du chantier ni dans aucune de celles du voisinage.

Maître Jean était maintenant persuadé que Vincent était allé rejoindre Jacoba. Mais où se trouvaient-ils ? Il fit repartir Robin vers la synagogue où les gardes le repoussèrent en refusant de lui donner la moindre indication. On se contenta de lui dire que, si l'homme qu'il cherchait était là, il y aurait peu de chance pour qu'il pût en sortir, du moins avant que fût donné le signal du départ des Juifs vers les principales portes de Paris.

— Vincent est là-bas, j'en suis convaincu ! dit maître Jean. Dans quel piège il est tombé !... Je vais m'en assurer. Je cours à la salle de garde demander à un sergent de m'accompagner et, si possible, obtenir qu'il soit libéré. À condition, bien sûr, que lui-même en soit d'accord. Et Dieu seul sait s'il le sera...

Un matin gras de sueur, barbouillé de lumières diffuses, enveloppa les Dix-Neuf Prières du matin, dites par la communauté avec une ferveur intense.

L'heure de l'exode approchait. Un enfant était mort dans la nuit ; deux autres étaient nés. Sous le porche, on voyait scintiller dans le frais de l'aube des armes, des casques, des harnois. Des ordres fébriles jaillissaient de toutes parts.

Au retour de l'office, Jacoba dit à Vincent :

— L'heure du départ est imminente. Nous allons tâcher de te faire sortir d'ici. Suis-moi.

Elle était fraîche et presque belle après sa toilette sommaire et il lui restait sur les lèvres un velours de prière.

— Garde-moi, dit Vincent. Je t'en conjure. Nous oublierons très vite nos misères si nous restons ensemble. Dès que nous serons arrivés chez le comte de Toulouse, une autre vie commencera.

— Il est trop tard. Ma décision est prise. Désormais je ne suis plus seule. J'ai charge d'âme. Regarde !

Deux enfants s'étaient attachés à sa robe et ne voulaient plus la quitter car elle leur avait enseigné des jeux et partagé avec eux ce qui lui restait de pain.

— Ce sont les petits Vidas, les enfants du sellier du Pont-au-Change dont la femme est morte il y a un an.

Accompagnés des enfants, ils se dirigèrent vers les portes qui venaient de s'ouvrir en grand dans le tumulte. Vincent la suivit sans proférer une protestation, persuadé qu'on refuserait de le laisser partir libre. Ils se heurtèrent effectivement à un mur. On leur avait déjà fait le coup ! Les « petits malins » devraient trouver une autre astuce...

— Te voilà donc condamnée à me supporter ! dit joyeusement Vincent.

— Ce n'est pas certain, dit Jacoba. Regarde qui vient d'arriver !

Pour aller plus vite, maître Jean avait emprunté un cheval à l'écurie de l'évêque. Il était suivi d'un sergent d'armes, monté lui aussi, qui faisait des effets de cuirasse et de plumet au milieu de la populace qui attendait en vomissant des injures la sortie des prisonniers. Elle cria :

— Maître Jean ! Vincent est ici ! Venez vite !

Descendu de cheval, maître Jean se précipita, suivi du sergent, laissa la parole à ce dernier en raison de l'autorité et de la belle prestance qui émanaient de sa personne. Il y eut entre lui et le capitaine chargé de la garde de la synagogue un échange de propos aigres-doux. La sénéchaussée royale n'avait cure des ordres d'un sergent de parade. Qu'il passe son chemin !

Il fallut l'intervention d'un secrétaire du conseil royal, venu apprécier la situation et préparer le départ, pour que la querelle s'apaisât, alors que l'on parlait d'en découdre. Le secrétaire se fit expliquer par maître Jean les raisons du litige, après que ce dernier eut décliné ses qualités et celles de son protégé. Il se gratta le menton, émit quelques grognements, décréta :

— C'est une affaire délicate, maître. Que l'on m'amène ce Vincent Pasquier !

Jacoba poussa Vincent vers le secrétaire. Il se laissa faire docilement.

— Ainsi, dit le secrétaire, vous n'êtes pas juif et vous vous faites passer pour tel ? Avez-vous toute votre raison ? Imaginez-vous les épreuves par lesquelles vont passer ces gens ? Si vous êtes celui qu'on me dit et que vous n'appartenez pas à la tribu, jurez-le sur l'honneur et sur le Christ et vous êtes un homme libre.

Comme Vincent se taisait, blême, le menton sur la poitrine, le secrétaire le tira à l'écart, derrière un contrefort du temple, pour « plus ample informé ». Il revint, la mine réjouie :

— Si cet homme est juif, dit-il, alors, moi, je suis peut-être originaire du Soudan ! Mais Dieu me damne si je comprends la raison de son sacrifice !

— Ne cherchez pas à comprendre, dit maître Jean. Cet imbroglio n'a que trop duré et la cérémonie de consécration pourrait bien débuter sans nous. Vous seriez bien inspiré en faisant disperser ces sauvages qui attendent la sortie des prisonniers comme des fauves dans l'arène.

— Vous avez raison, dit le secrétaire. Des incidents, un jour comme aujourd'hui, auraient un effet déplorable sur le légat. C'est un homme juste et qui déteste la violence.

Il agita joliment ses deux mains au-dessus de sa tête comme pour chasser un vol de moineaux. Son geste n'eut aucun effet.

— Laissez-moi faire ! dit le capitaine, et je vous nettoie la place en cinq sec.

Tandis qu'il sautait en selle et rameutait ses cavaliers, maître Jean prenait Vincent aux épaules et le hissait sur son cheval. Il n'avait pas plus de résistance qu'une poupée de son.

— Surtout, dit-il, ne te retourne pas !

Si Vincent s'était retourné, il aurait vu Jacoba à genoux, en larmes, les deux enfants accrochés à elle, et Dieu sait quelles idées absurdes, quel remords, l'auraient assailli de nouveau ? Ce silence dans lequel il s'enfermait, cette passivité ce n'était pas de l'indifférence ou de la résignation. Il n'attendait qu'un cri, dans son dos, pour sauter à terre et retourner vers Jacoba.

— Sergent, dit maître Jean, surveillez-le. J'ai deux mots à dire à cette femme.

Dans le tourbillon des cavaliers en train de disperser la foule, il s'avança vers Jacoba, l'aida doucement à se relever, prit son visage entre ses mains.

— Jacoba, dit-il, je regrette sincèrement d'en être arrivé là, mais c'est la suite logique de notre contrat. Vous voyez bien que Vincent n'a plus sa tête. Vous n'auriez pas été heureuse avec lui. Rien d'autre désormais ne compte et ne doit compter que ce que nous avons entrepris, lui et moi. Que vaut, en face de l'œuvre à laquelle nous sommes liés jusqu'à la mort, une passion du cœur ?

Elle détacha les mains qui pressaient son visage. Son regard glacé le fixa intensément.

— Si je pouvais vous tuer, dit-elle, je le ferais.

Ils avançaient dans un bouillonnement de folie derrière le sergent qui hurlait comme un possédé pour s'ouvrir un passage. Les groupes qui s'étaient dispersés devant la synagogue refluaient en masse vers la cathédrale. Il ne resterait bientôt plus personne dans Paris.

Ils prirent une traverse par la rue de la Pomme et celle de Saint-Pierre-aux-Bœufs, trouvèrent la rue Saint-Christophe bloquée par une foule qui refusait obstinément le passage. Le sergent dut faire sonner de la trompe pour obtenir le secours des gardes qui se tenaient au débouché de la rue, en direction de la vieille basilique. Il fallut jouer de la lance pour parvenir à Saint-Jean-le-Rond dont la toiture était couverte de grappes humaines. Arrivé là, le petit groupe put enfin respirer.

La masse du sanctuaire se détachait dans l'air léger de la matinée. Les chants de la manécanterie se diluaient au-dessus de la foule. Il montait des ornements de verdure dressés à profusion sur toute l'immensité de l'enceinte une odeur amère de printemps flétri.

— Tu vois ce que nous avons risqué par ta faute, dit maître Jean. Nous aurons bien de la chance si nous arrivons pour le *Veni Creator*.

Chaque matin était un miracle. Vincent n'avait pas besoin de prier : il était *la prière, nourri d'elle, pénétré par des mots et des musiques, pareil à un enfant dans le ventre de sa mère. Il était en Dieu. La nuit, parfois, il s'éveillait dans une respiration d'infini et il flottait sur un nuage ; souvent, où qu'il se trouvât, il se sentait soulevé de terre, détaché des évidences matérielles, emporté dans un de ces instants ineffable qui n'en finissent plus de durer, de s'écarteler dans un univers mou, sans frontières palpables, où il se perdait, ses cellules se détachant de lui une à une pour dériver comme les franges d'une nébuleuse éclatée. Il évitait de bouger de crainte d'annuler le miracle. Ceux qui le voyaient, les mains détachées du corps, paumes tournées vers l'extérieur, les yeux fermés, le visage levé devaient penser qu'il n'avait plus toute sa raison. Il rouvrait les yeux et la cathédrale inachevée dressait devant lui son arche puissante et légère ; si puissante qu'elle paraissait nouée à la terre par des millions de racines qui l'irriguaient des sucs profonds des âges barbares de la chrétienté ; si légère que le vent semblait danser à travers elle, la tendre comme une voile. Il se promenait en elle comme dans sa mémoire liée au bois et à la pierre, si profonde, si riche qu'elle n'en finissait plus de sécréter des visages et des voix, de s'animer de mouvements diffus. Il naissait de ce magma une impression d'équilibre, de plénitude et même de bonheur. Le bonheur, n'est-ce pas de se sentir conforme à son œuvre, à l'aise en elle comme un bronze dans son moule ? Dans ce sanctuaire grandiose comme la forteresse de Dieu, délicat comme le lit de la Vierge, il n'y avait guère de pierre, de poutre, de lame de plomb, de statue, de colonne, de pilier, de vitrail sur lesquels il n'eût posé le regard, la main ou les deux à la fois. Aucune des marques de tâcherons ou de position qui timbraient les blocs ne lui était étrangère ; elles auraient pu lui révéler le nom et le visage de ces compagnons perdus depuis des lustres dans le sillage de ce vaisseau de pierre, morts peut-être, oubliés sûrement. Oubliés comme lui, Vincent, le serait un jour, sans le moindre paraphe pour attester de sa présence. Il n'en souffrait pas. Cet oubli dont il se sentait déjà recouvert n'était pas ombre mais lumière. Il avait depuis longtemps accepté de s'effacer derrière son œuvre, de s'y fondre. Elle serait plus belle d'être mystérieuse, car les œuvres sans mystère sont soumises aux fluctuations des saisons et des vies humaines ; l'artiste en mourant les entraîne dans sa mort ou, si elle lui survivent, elles échappent à cet anonymat des origines, à cette virginité, à ce mystère inviolé et inviolable. Seule compte la survie de l'œuvre. Se survivre par elle importait peu à Vincent. Il avait d'ailleurs encore tant à lui donner, chaque jour, jusqu'aux limites de ses forces et de sa vie, tant de peine, tant d'amour, tant de foi... Il aurait aimé vivre trois existences de plus pour voir nager en plein ciel, ailes écartées, cet aigle de pierre, pour contempler les grandes roses dispersant leurs diaprures, pour voir le peuple des saints escalader dans un déluge de couleurs et de clarté la grande façade, pour entendre la prière des foules pressées sous le portail de Anne et l'essaim des cloches bourdonner dans le printemps des pierres.*

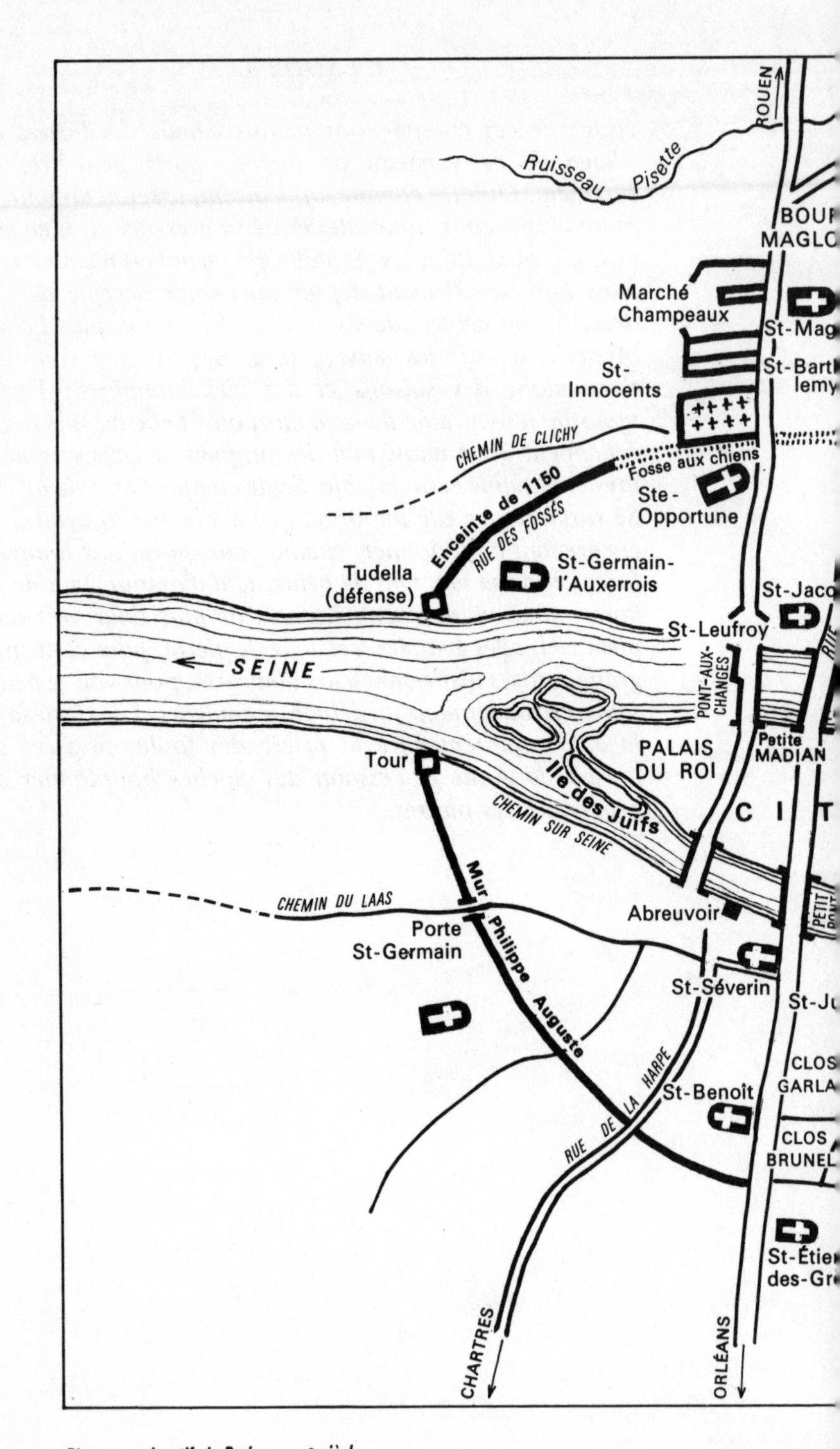

Plan approximatif *de Paris au* XIIe *siècle.*

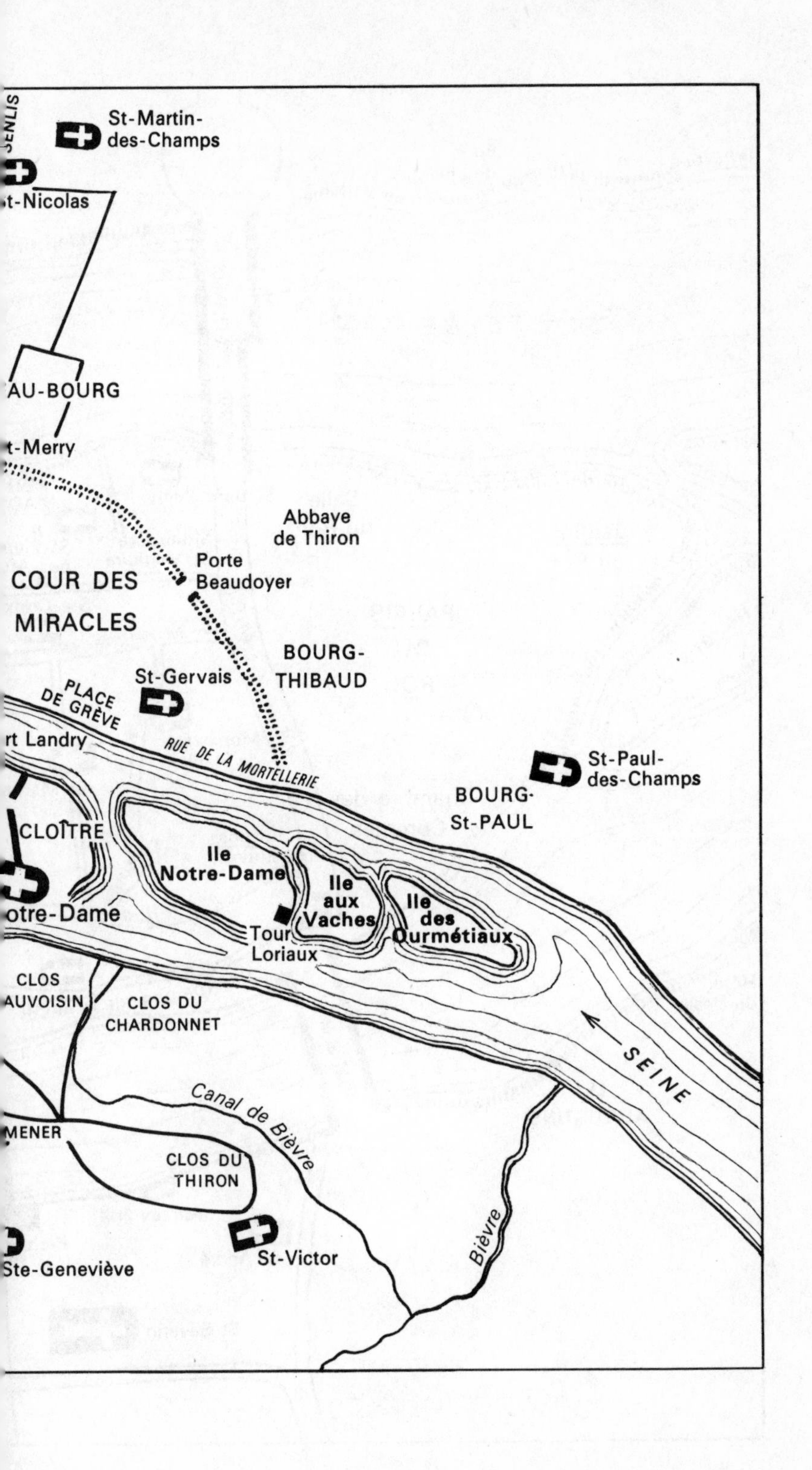
St-Martin-des-Champs
t-Nicolas
AU-BOURG
t-Merry
Abbaye de Thiron
Porte Beaudoyer
COUR DES MIRACLES
BOURG-THIBAUD
St-Gervais
PLACE DE GRÈVE
rt Landry
RUE DE LA MORTELLERIE
St-Paul-des-Champs
BOURG-St-PAUL
CLOITRE
Ile Notre-Dame
Ile aux Vaches
Ile des Ourmétiaux
otre-Dame
Tour Loriaux
CLOS AUVOISIN
CLOS DU CHARDONNET
SEINE
Canal de Bièvre
MENER
CLOS DU THIRON
St-Victor
Ste-Geneviève
Bièvre

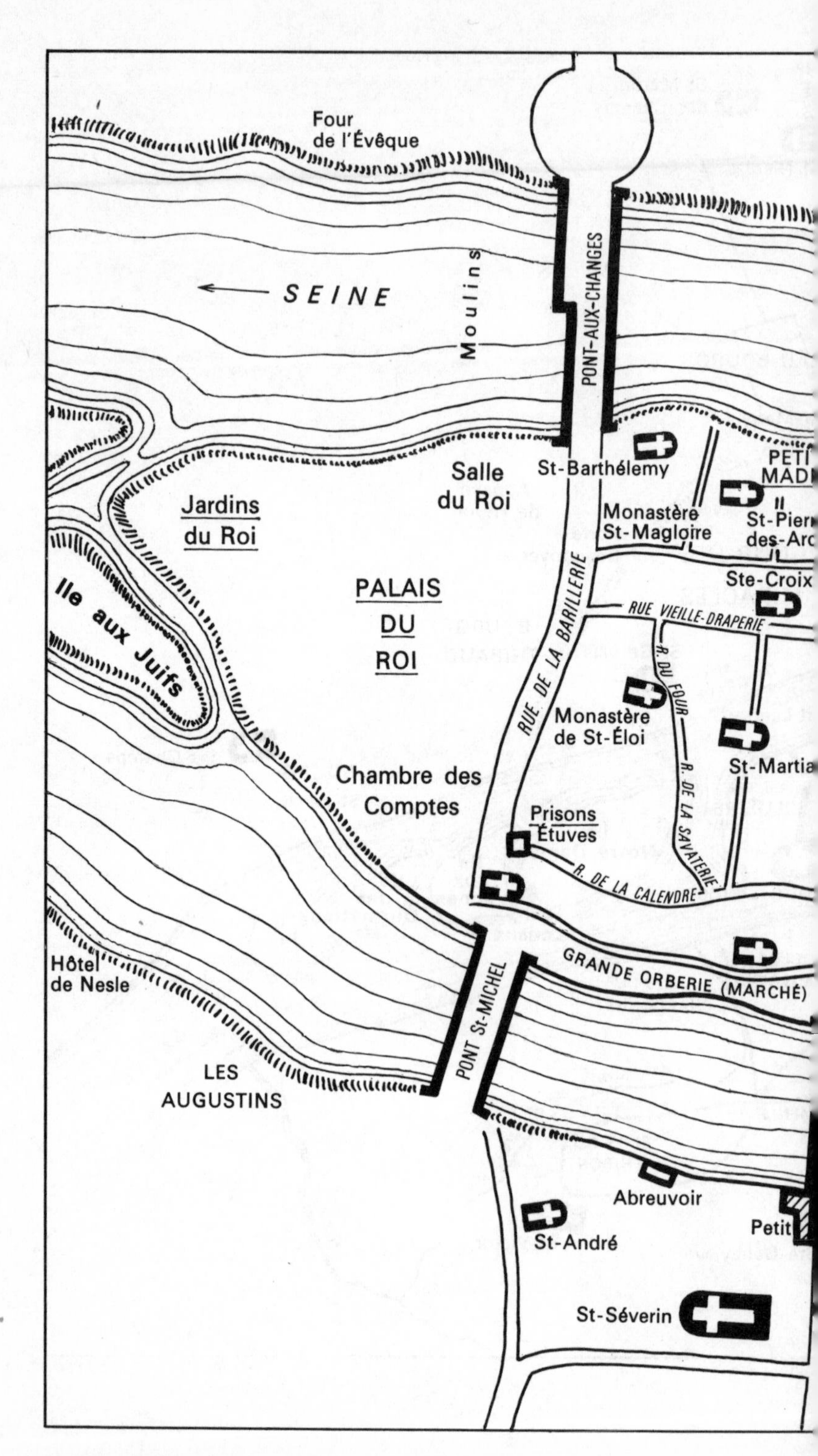

Plan approximatif *de la Cité au XIIe siècle.*

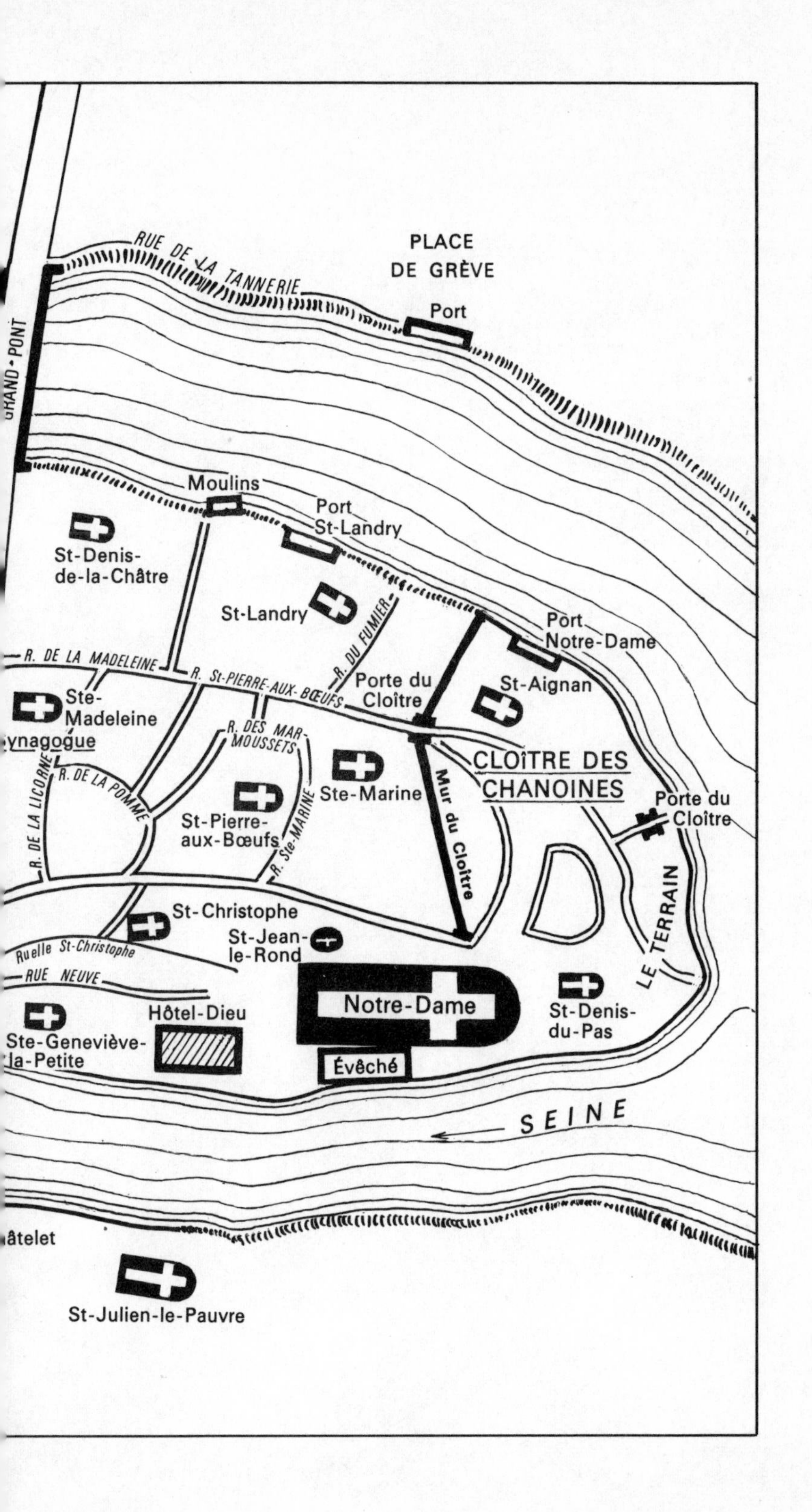
PLACE
DE GRÈVE
RUE DE LA TANNERIE
Port
GRAND • PONT
Moulins
Port
St-Landry
St-Denis-
de-la-Châtre
St-Landry
R. DU FUMIER
Port
Notre-Dame
R. DE LA MADELEINE
R. St-PIERRE-AUX-BŒUFS
Porte du
Cloître
St-Aignan
Ste-
Madeleine
ynagogue
R. DES MAR-
MOUSSETS
CLOÎTRE DES
CHANOINES
R. DE LA LICORNE
R. DE LA POMME
Ste-Marine
Mur du Cloître
St-Pierre-
aux-Bœufs
R. Ste-MARINE
Porte du
Cloître
LE TERRAIN
St-Christophe
St-Jean-
le-Rond
Ruelle St-Christophe
RUE NEUVE
Hôtel-Dieu
Notre-Dame
St-Denis-
du-Pas
Ste-Geneviève-
la-Petite
Évêché
SEINE
âtelet
St-Julien-le-Pauvre

TABLE DES MATIÈRES

LIVRE I

LIVRE II

LIVRE III

LIVRE IV

LE PRINTEMPS DES PIERRES

LIVRE V

LIVRE VI

LIVRE VII

LIVRE VIII

LIVRE IX

OUVRAGES DE MICHEL PEYRAMAURE

Grand Prix de la Société des Gens de lettres
pour l'ensemble de son œuvre.

Paradis entre quatre murs (Laffont).
Le Bal des ribauds (Laffont, collection « Couleurs du temps passé »).
Les Lions d'Aquitaine (Laffont et Club des Libraires, prix Limousin-Périgord).
Divine Cléopâtre (Laffont, collection « Couleurs du temps passé »).
Dieu m'attend à Médina (Laffont, collection « Couleurs du temps passé »).
L'Aigle des deux royaumes (Laffont, collection « Couleurs du temps passé »).
Les Dieux de plume (Presses de la Cité, prix des Vikings).
Les Cendrillons de Monaco (Laffont, collection « L'Amour et la Couronne »).
La Fille des grandes plaines (Laffont, collection « Best-sellers », prix de l'Académie du Périgord).
Le Retable (Laffont).
Le Chevalier de Paradis (Casterman, collection « Palme d'or »).
L'Œil arraché (Laffont).
Le Limousin (Solar, Solarama).
L'Auberge de la mort (Pygmalion).
La Passion cathare/1. Les Fils de l'orgueil (Laffont).
La Passion cathare/2. Les Citadelles ardentes (Laffont).
La Passion cathare/3. La Tête du dragon (Laffont).
Sentiers du Limousin (Fayard).
La Lumière et la boue/1. Quand surgira l'étoile Absinthe (Laffont, Grand Prix de la Ville de Bordeaux et prix Alexandre Dumas, 1980).
La Lumière et la boue/2. L'Empire des fous (Laffont, 1980).
La Lumière et la boue/3. Les Roses de fer (Laffont, 1981).
L'Orange de Noël (Laffont, 1982).

POUR LA JEUNESSE
Éd. Robert Laffont (collection « Plein Vent »)

La Vallée des mammouths (Grand Prix des Treize).
Les Colosses de Carthage.
Cordillère interdite.
Nous irons décrocher les nuages.

ÉDITIONS DE LUXE

Amour du Limousin (illustrations de J.-B. Valadié), Plaisir du Livre, Paris.
Eves du monde (illustrations de J.-B. Valadié), Art Media, Paris.
Brive, commentaires sur des gravures de Pierre Courtois, éd. R. Moreau, Brive.
La vie en Limousin, (texte pour des photos de Pierre Batillot, éd. « Les Monédières »).

ACHEVÉ D'IMPRIMER
LE 20 JANVIER 1983
SUR LES PRESSES DE
L'IMPRIMERIE HÉRISSEY
À ÉVREUX (EURE)
POUR LES ÉDITIONS
ROBERT LAFFONT

N° d'Éditeur : M 981
N° d'Imprimeur : 30924
Dépôt légal : février 1983
Imprimé en France